Une seconde chance

KRISTIN HANNAH

Une seconde chance

FRANCE LOISIRS
123, boulevard de Grenelle, Paris

Titre original : *On Mystic Lake.*
Traduit de l'anglais par Martine Desoille.

Une édition du Club France Loisirs, Paris,
réalisée avec l'autorisation des Presses de la Cité.

À Barbara Kureck,
ma mère n'aurait pas pu me choisir meilleure marraine...

À mes hommes, Benjamin et Tucker...

À la mémoire de ma mère, Sharon Goodno John.
J'espère qu'il y a des librairies au paradis, maman.

Remerciements

Il y a des livres qui ressemblent à des batailles. D'autres à des guerres. Un grand merci à mes généraux – Ann Patty, Jane Berkey, et Linda Grey – qui m'ont poussée à donner le meilleur de moi-même ; merci à Stephanie Tade, qui a cru en ce roman dès le début ; merci à Elisa Wares et à la merveilleuse équipe de Ballantine Books, pour leur soutien et leurs encouragements sans cesse réitérés ; merci à mes camarades – Megan Chance, Jill Marie Landis, Jill Barnett, Penelope Williamson, et Susan Wiggs – qui m'ont soutenue jusqu'au bout, merci pour leurs rires, leur écoute, et tout le reste ; et à mon ange gardien, agent littéraire, mentor, et ami, Andrea Cirillo, merci pour tout.

Première partie

La découverte de soi ne consiste pas à rechercher
de nouveaux paysages mais à savoir regarder
avec des yeux neufs

Marcel Proust

1

Une pluie fine et argentée tombait du ciel blafard. Quelque part derrière l'amas de nuages se cachait le soleil, trop faible pour pouvoir jeter ne serait-ce qu'une ombre sur le paysage.

On était en mars, la morne saison, dormante et grise, même si au loin, le vent venu du Pacifique commençait à se réchauffer, apportant avec lui la promesse du printemps. Les arbres, qui la semaine passée ressemblaient encore à des spectres dénudés, semblaient s'être métamorphosés en l'espace d'une seule nuit et parfois, sous l'écorce brune et craquelée, on devinait la verdeur d'un bourgeon prêt à éclore. Bientôt le printemps allait revenir et parer de mille fleurs les collines de Malibu.

Les enfants aussi sentaient venir le printemps. Ils commençaient à rêver de glaces et de baignades. Et même les citadins les plus endurcis, ceux qui vivaient dans des tours de verre et de béton aux noms prétentieux comme La Cité du Siècle ou Cardiff-les-Bains, se pressaient au rayon jardinage de leur supermarché local. Les pots de géraniums commençaient à faire leur apparition dans les Caddies des ménagères, à côté des tomates séchées et des bouteilles d'eau minérale.

Pendant dix-neuf ans, Annie Colwater avait attendu le printemps avec l'impatience haletante d'une jeune fille qui se rend à son premier bal. Elle achetait des bulbes rares, venus de pays lointains, et chinait des cache-pots décorés à la main pour y mettre ses fleurs préférées.

Mais cette année, elle n'éprouvait rien d'autre qu'une vague et inexplicable appréhension, car désormais sa vie parfaitement ordonnée allait changer. Or, au changement et à toutes les incertitudes qu'il pouvait engendrer, elle préférait la routine, une vie de famille tranquille et sans surprises. Parce qu'elle s'y sentait en sécurité.

Épouse.

Mère.

C'était là les deux rôles qu'elle s'était assignés depuis toujours et qui donnaient un sens à sa vie. Et maintenant qu'elle approchait de la quarantaine, elle réalisait qu'elle n'avait jamais eu d'autre ambition. Son mari, sa fille étaient ses points d'ancrage. Sans Blake et Natalie, elle avait l'impression qu'elle serait partie à la dérive, tel un vaisseau sans capitaine errant sans fin sur l'océan.

Mais que devenait une mère de famille quand sa fille unique quittait la maison de ses parents ?

Elle remua nerveusement sur son siège. Elle ne se sentait pas à l'aise dans le pantalon de lainage bleu marine et le chemisier de soie rose qu'elle avait soigneusement choisis ce matin. En temps normal, elle cherchait volontiers refuge derrière les apparences, de façon à donner l'illusion d'être une femme qu'elle n'était pas vraiment. Elle s'habillait chez les grands stylistes et se maquillait avec soin, comme il convient à l'épouse d'un avocat célèbre. Mais pas aujourd'hui. Aujourd'hui, ses longs cheveux châtains relevés en chignon – ainsi que les aimait son mari et comme elle les avait toujours portés – lui donnaient la migraine.

Elle se mit à pianoter nerveusement des doigts sur l'accoudoir, et jeta un coup d'œil à la dérobée à Blake, confortablement installé derrière le volant de la Cadillac. Il semblait parfaitement détendu, comme si aujourd'hui était un jour comme les autres – et non pas le jour où leur fille de dix-sept ans s'apprêtait à prendre l'avion pour Londres.

Elle avait tort de se ronger ainsi les sangs, mais elle avait beau le savoir, c'était plus fort qu'elle, elle avait l'estomac noué. Quand Natalie leur avait annoncé qu'elle voulait partir passer un trimestre à Londres, sitôt son diplôme décroché, Annie s'était félicitée d'avoir une fille aussi indépendante.

Car Annie, elle, n'aurait jamais eu le courage de se lancer dans une telle aventure – ni à dix-sept ans, ni même à trente-neuf. Les voyages avaient toujours été pour elle source d'angoisse. Et bien qu'elle aimât découvrir des lieux et des visages nouveaux, elle se sentait toujours anxieuse quand venait le moment de quitter la maison.

Une faiblesse qui avait à voir avec sa jeunesse, la consé-quence d'une tragédie qui avait marqué son enfance et qu'elle n'avait jamais réussi à dépasser complètement. Cha-que fois qu'elle et Blake partaient en vacances, Annie faisait d'horribles cauchemars – elle s'égarait et se retrouvait sans un sou en terre étrangère. Elle se mettait à errer par les rues inconnues, à la recherche de sa famille disparue, jusqu'au moment où elle finissait par se réveiller, en pleurs. Dans ces moments-là elle se pelotonnait contre son mari, c'était la seule chose qui parvenait à la calmer. Car elle savait que jamais il ne l'abandonnerait. Ils formaient une équipe, elle et lui. Il était la tête de la famille et elle le cœur.

Annie avait ressenti une bouffée d'orgueil lorsque sa fille leur avait annoncé qu'elle voulait voyager seule en Europe.

Cependant elle était à mille lieues de s'imaginer à quel point il lui serait difficile de la voir partir. Elles étaient devenues les meilleures amies du monde lorsque Natalie avait émergé de la colère et du tumulte qui accompagnent les premières années de la puberté. Elles avaient traversé des moments difficiles, échangé des paroles blessantes, mais elles en étaient ressorties plus fortes. Elles étaient les « femmes » de la maison, une maison où l'homme travaillait sept jours sur sept et oubliait de sourire pendant des journées entières.

Elle jeta un coup d'œil à travers la vitre. Les canyons bétonnés du centre-ville de Los Angeles ne formaient qu'un brouillard confus de gratte-ciel, de graffitis, et d'enseignes lumineuses qui nimbaient le crachin de taches de lumière. Ils commençaient à se rapprocher de l'aéroport.

Non, pas déjà. C'était trop tôt. Il lui fallait encore vingt-quatre heures...

Elle effleura doucement le bras de son mari.

– On pourrait accompagner Nana à Londres, pour faire la connaissance de sa famille d'accueil. Je connais...

– Maman, je t'en prie, coupa sèchement Natalie depuis la banquette arrière. Non mais, tu imagines la honte, débarquer là-bas avec mes parents ?

Annie ôta un grain de poussière de son pantalon de lainage très chic.

– C'était histoire de dire quelque chose, murmura-t-elle. Depuis le temps que ton père me tarabuste pour que nous allions en Europe. Je me suis dit que... ce serait peut-être l'occasion rêvée.

Blake lui décocha un regard surpris. Puis marmonna quelque chose au sujet du trafic et donna un grand coup de Klaxon.

– En tout cas, tu ne regretteras pas les embouteillages californiens, dit Annie pour rompre le silence pesant.

Natalie rit.

– Ça c'est bien vrai. Sally Pritchard – tu te souviens d'elle, elle est allée à Londres l'année dernière ? – bref, elle a dit que c'était très relax, là-bas. Les gens n'ont pas besoin de voitures pour se déplacer. À Londres on va partout en métro. (Elle passa sa tête blonde entre les deux sièges avant.) Tu as pris le métro quand tu étais à Londres, l'année dernière, papa ?

Blake donna un autre coup de Klaxon. Puis avec un soupir agacé, il mit son clignotant et s'engagea brusquement sur la voie rapide.

– Hum ? Quoi ? Qu'est-ce que tu disais ?

Natalie soupira.

– Rien.

Annie pressa doucement l'épaule de son mari pour le rappeler à l'ordre. Ils étaient en train de vivre un moment précieux – le dernier qu'ils partageraient avec leur fille avant longtemps – et, comme toujours, Blake passait complètement à côté. Elle allait dire quelque chose pour briser à nouveau le silence, et surtout pour oublier combien la maison allait lui sembler vide après le départ de Natalie, quand elle aperçut le panneau signalant la bretelle de sortie en direction de l'aéroport. Elle en resta sans voix.

Blake quitta l'autoroute et s'engagea sur la rampe obscure et silencieuse qui menait au parking souterrain. Puis il coupa le moteur et ils restèrent un long moment assis en silence dans la voiture. Annie espérait qu'il allait prononcer un petit discours d'adieu en l'honneur de sa fille, histoire de marquer le coup. Avocat chevronné, il avait le don de l'éloquence, mais il ouvrit la portière et sortit sans rien dire.

Imitant son mari, Annie sortit à son tour et resta debout à côté de la portière, en tripotant nerveusement ses lunettes de soleil entre ses doigts glacés.

En voyant les bagages que Natalie allait emporter, un sac de toile tout simple et un sac à dos, elle se demanda si cela allait suffire. Sa fille lui parut soudain très jeune, sa grande silhouette frêle et élancée semblait nager dans sa robe en jean qui descendait au ras de ses rangers noires. Deux barrettes métalliques retenaient ses longs cheveux blond cendré de part et d'autre de son visage pâle. Trois anneaux d'argent superposés ornaient son oreille gauche.

Annie saisit brusquement la main de sa fille et la tint fermement serrée dans la sienne tandis qu'ils gagnaient le terminal. Elle aurait voulu ranimer la conversation – faire quelques recommandations à sa fille sur l'argent et les passeports, lui rappeler qu'elle devait toujours rester en groupe – mais elle ne s'en sentait pas capable.

Blake marchait devant, portant les deux sacs de sa fille. Pourquoi marchait-il si vite, au lieu de rester avec elles ? songea Annie. Cependant elle ne dit rien – espérant que Natalie n'avait pas remarqué que son père avait l'air pressé. Une fois au guichet, il fit enregistrer les bagages, puis ils se dirigèrent vers le terminal international.

15

À la porte d'embarquement, Annie serra son sac à main contre son cœur comme s'il s'était agi d'un bouclier. Puis elle s'approcha de la grande vitre sale. L'espace d'une seconde, elle aperçut son reflet dans la vitre : la silhouette solitaire d'une mère de famille à la tenue irréprochable.

— Dis quelque chose, maman. Tu es muette comme une carpe.

Il y avait dans ces paroles une pointe d'anxiété que seule l'oreille exercée d'une mère pouvait détecter.

Annie eut un petit rire forcé.

— En temps normal, toi et ton père me suppliez de me taire. Si je m'écoutais, j'aurais un million de choses à te dire. Tiens, hier encore, j'étais en train de regarder une photo de toi bébé, et j'ai pensé...

— Je t'aime, maman, murmura Natalie.

Annie saisit la main de sa fille dans la sienne et la serra doucement. Elle détourna les yeux, de crainte que Natalie ne voie son émotion. Elle ne voulait pas qu'elle emporte avec elle une image éplorée de sa mère.

Blake s'approcha des deux femmes.

— J'aurais préféré que tu voyages en première classe. C'est un long voyage, et en classe touriste la nourriture est infecte. C'est tout juste si on ne t'oblige pas à faire toi-même ta propre tambouille.

Natalie rit.

— Comment le sais-tu, tu ne voyages jamais en classe touriste ?

Blake sourit.

— Peut-être, mais il n'empêche que c'est plus confortable.

— Au diable le confort, rétorqua Natalie. Ce qui compte c'est l'aventure.

— Ah ! l'aventure ! dit Annie qui avait enfin retrouvé sa voix.

Quel effet cela faisait-il de réaliser un rêve aussi fabuleux ? Une fois de plus, elle se mit à envier sa fille. Natalie était tellement indépendante et sûre de ses choix.

Une voix retentit soudain dans le haut-parleur.

16

« Les passagers pour le vol 357 à destination de Londres... »

– Vous allez me manquer, dit Natalie doucement.

Elle jeta un coup d'œil en direction de l'avion en se mordillant nerveusement le pouce.

Annie posa une main sur la joue veloutée de Natalie, poussée par un désir absurde de graver chaque détail du visage de sa fille dans sa mémoire, le petit grain de beauté qu'elle avait à côté de l'oreille gauche, la nuance exacte de ses cheveux blonds et de ses yeux bleu nuit, son nez constellé de taches de rousseur.

– N'oublie pas surtout, nous allons t'appeler chaque lundi – à dix-neuf heures, heure locale. Tu vas bien t'amuser, là-bas, Nana chérie.

Blake ouvrit tout grands les bras.

– Viens embrasser ton vieux papa.

Natalie se jeta dans les bras de son père.

Trop vite, la voix revint dans le haut-parleur, annonçant l'embarquement immédiat des passagers pour Londres.

Annie serra une dernière fois sa fille dans ses bras – pas suffisamment longtemps à son gré – puis la relâcha lentement. Clignant des paupières pour refouler ses larmes, elle regarda Natalie remettre son billet à l'hôtesse, puis disparaître à l'intérieur de la passerelle d'embarquement.

– Ne t'inquiète pas, Annie, tout ira bien.

Annie contempla un moment l'entrée de la passerelle.

– Je sais.

Une larme, elle avait eu juste le temps de verser une larme, et sa fille avait disparu.

Annie resta un long moment debout derrière la vitre, bien après que la dernière trace de fumée blanche se fut dissipée dans le ciel sombre. Elle sentait la présence de Blake à ses côtés. Elle aurait tant voulu qu'il la prenne par la main ou qu'il la serre dans ses bras, comme il l'aurait fait jadis.

Elle leva les yeux vers lui ; il lui sembla apercevoir son propre reflet dans ses prunelles, et le miroir embué de leur vie commune. Elle avait dix-huit ans – l'âge de Natalie à quelque chose près – quand elle l'avait embrassé pour la première fois, et n'avait jamais connu d'autre homme après cela.

Son beau visage était étonnamment sérieux.

– Bien... dit-il d'une voix à peine plus audible qu'un murmure. Qu'est-ce que tu vas faire maintenant ?

Il ne fallait surtout pas qu'elle s'effondre ici, devant tout le monde.

– Tu peux me ramener à la maison ? murmura-t-elle d'une voix tremblante.

Elle avait besoin de se sentir chez elle, parmi des objets familiers qui la rassuraient.

– Mais oui, bien sûr.

Lui saisissant la main, il l'entraîna à travers le hall, puis vers le parking. Sans un mot, ils montèrent dans la Cadillac. L'air conditionné se mit instantanément en marche.

Tandis que la voiture filait sur l'autoroute, Annie se renversa sur son siège et regarda défiler la ville derrière la vitre, une ville qu'elle n'avait jamais réussi à aimer malgré les années qui s'étaient écoulées depuis que Blake et elle étaient venus s'installer ici à leur sortie de l'université. C'était un véritable labyrinthe, une ville tentaculaire où des immeubles centenaires étaient rasés chaque jour par des gens qui n'entendaient rien à l'art ou à la beauté, et qui réduisaient le marbre et les vitraux en poussière fumante et écœurante. Ici, dans la cité des anges, rares étaient ceux qui déploraient ce gâchis. Les ruines n'avaient pas eu le temps de refroidir, que les promoteurs se précipitaient déjà à l'hôtel de ville en vue d'obtenir des permis de construire et autres passe-droits. Et quelques mois plus tard, une tour de verre, lisse et aveugle, commençait à se dresser sur le ciel brun et enfumé, si haut qu'Annie se demandait parfois si ces constructeurs cherchaient à atteindre le paradis en empilant leurs millions.

Soudain, elle se sentit prise d'une envie irrésistible de retourner dans les vertes prairies de sa province natale, dans cette contrée sauvage située dans l'ouest de l'État de Washington où les champignons avaient la taille de soucoupes et où l'eau se déversait en cascades argentées au détour de chaque sentier, où de gros ratons-laveurs au poil lustré sortaient les nuits de pleine lune pour boire dans les flaques au beau milieu de la route. Retourner à Mystic – là où les seuls gratte-ciel à des kilomètres à la ronde étaient des conifères géants datant de la Révolution. Il y avait bientôt dix ans qu'elle n'était pas retournée là-bas. Si Blake était d'accord, ils pourraient peut-être y aller. Plus rien ne les retenait en Californie maintenant que Natalie était partie.

– Que dirais-tu de faire une virée à Mystic ? demanda-t-elle.

Il ne la regarda pas et ne répondit pas à sa question, et elle se sentit soudain petite et stupide. Elle tripota nerveusement le gros clip en diamant qu'elle portait à l'oreille en regardant au-dehors.

– J'avais pensé m'inscrire à la gym, maintenant que je vais avoir du temps à revendre. Toi qui me dis toujours que je ne sors pas suffisamment.

– Je ne t'ai jamais rien dit de semblable.

– Oh ! Bien sûr... je pourrais faire du tennis. Il fut un temps où j'adorais ça. Tu te souviens quand on jouait en double ?

Il sortit de l'autoroute et s'engagea sur la petite route sinueuse qui contournait La Jolla, puis longea le front de mer où s'alignaient des villas de milliardaires bariolées comme des berlingots. Une pluie fine se mit soudain à tomber, brouillant brièvement le paysage. Blake mit les essuie-glaces.

Ayant atteint l'allée privative, il ralentit. Un élégant portail en fer forgé s'ouvrit en silence pour les laisser passer. Blake engagea la Cadillac sur l'allée de brique et se gara sous un lotus aux feuilles évasées.

Annie lui jeta un regard surpris. Pourquoi n'était-il pas

allé directement au garage ? Pourquoi laissait-il le moteur tourner, et la grille ouverte ? Ça ne lui ressemblait guère.

Il n'est pas dans son assiette.

Soudain elle réalisa qu'elle n'était pas la seule à avoir l'estomac noué. Son célèbre avocat de mari était tout aussi fragile et aussi angoissé qu'elle.

Mais ils allaient se serrer les coudes, se soutenir l'un l'autre pour affronter ce jour sans joie, et tous les autres à venir. Ils allaient réapprendre à vivre à deux, comme ils le faisaient du temps où Natalie n'était pas née, comme quand ils allaient danser et ne rentraient qu'à l'aube.

Elle se tourna vers lui et tendit la main pour repousser une mèche de cheveux qui lui tombait devant les yeux.

– Je t'aime. On va se serrer les coudes, mon chéri. Tu verras.

Il ne répondit pas, ce qui ne la surprit nullement.

Cependant son silence avait quelque chose de blessant. Sans rien laisser paraître de sa déception, elle ouvrit la portière. De petites gouttes de pluie s'abattirent aussitôt sur sa manche.

– Le printemps s'annonce morose. Je vais dire à Carlos d'ouvrir la piscine de bonne heure cette année. On pourrait donner une fête – il y a des années qu'on n'en a pas fait. La maison va nous sembler bien vide maintenant que...

– Annie, dit-il d'un ton si sec qu'elle en resta sans voix.

Il se tourna vers elle, et c'est alors qu'elle vit qu'il avait les larmes aux yeux.

Elle se pencha vers lui et lui effleura tendrement la joue.

– Elle va me manquer à moi aussi, tu sais.

Il détourna la tête et soupira.

– Non, tu ne comprends pas. Je veux divorcer.

2

– Je voulais attendre la semaine prochaine pour te l'annoncer. Mais l'idée de revenir ici ce soir... (Blake hocha la tête, sans terminer sa phrase.)

Lentement, Annie referma la portière. La pluie tambourinait sur le pare-brise et ruisselait sur les vitres, obscurcissant le monde autour d'eux.

Elle n'était pas sûre d'avoir bien entendu. Elle fronça les sourcils et tendit la main vers lui.

– Mais de quoi parles-tu... ?

Il eut un geste de recul, comme si sa main – cette main si familière – l'avait soudain dégoûté.

Brusquement, avec ce geste de rejet, tout devint réel. Son mari lui demandait le divorce. Elle ôta sa main tremblante.

– Il y a longtemps que je voulais t'en parler, Annie. Je ne suis pas heureux. Il y a des années que j'ai cessé d'être heureux avec toi.

Jamais jusqu'ici elle n'avait éprouvé un choc d'une telle violence. Elle se figea sur place, complètement paralysée, incapable d'articuler une seule parole.

– Je suis désolé d'avoir à te le dire, murmura-t-il d'une voix nouée par l'émotion. J'ai une maîtresse...

Une maîtresse. Elle le regarda bouche bée, tandis qu'un millier de petits détails lui revenaient en mémoire – les dîners manqués, les voyages vers des destinations exotiques, les caleçons de soie qu'il portait depuis quelque temps, sa nouvelle eau de toilette, leurs ébats amoureux de plus en plus rares...

Comment avait-elle pu être aussi aveugle ? En réalité, tout

au fond d'elle-même, elle l'avait senti venir mais avait préféré se voiler la face.

Elle se tourna vers lui, soudain prise d'une envie de le toucher si forte qu'elle en éprouvait presque une douleur physique. Vingt ans durant elle avait eu le droit de le toucher chaque fois qu'elle en avait eu envie, et voilà qu'il la privait brusquement de ce privilège.

– Ce n'est pas une passade qui pourra nous séparer, dit-elle d'une voix blanche. Nous ne sommes pas les premiers à qui cela arrive. Sans doute va-t-il me falloir du temps pour te pardonner, et te rendre ma confiance, mais...

– Je n'ai que faire de ton pardon.

Non, ce n'était pas possible. Il ne parlait pas sérieusement. Elle avait beau entendre ses paroles, tout cela lui semblait irréel.

– Mais nous avons une vie, une histoire en commun. Nous avons Natalie. Je suis sûre qu'on peut s'en sortir, même si tout n'est pas toujours rose entre nous. Il y a certainement moyen de recoller les morceaux.

– Non, Annie. Je veux en finir une fois pour toutes.

– Mais pas moi, dit-elle d'une voix plaintive. Nous formons une famille. On ne peut tout de même pas tirer un trait sur vingt ans de vie commune... (Elle ne trouvait pas les mots qu'il fallait. Elle était terrifiée par le silence qui régnait brusquement dans son âme. Elle craignait de ne pas trouver les mots qui auraient pu les sauver.) Oh ! je t'en supplie, je t'en supplie, ne me fais pas ça...

Voyant qu'il restait silencieux, elle reprit espoir. *Il va changer d'avis. Il va réaliser que nous formons une famille. Il va...*

– Je suis amoureux d'elle.

Annie sentit son estomac se nouer lentement.

Amoureux. Comment pouvait-il être amoureux d'une autre femme ? L'amour demandait du temps et des efforts. C'était un édifice constitué de milliers de petits sacrifices. Elle eut soudain l'impression de se trouver à des millions d'années-lumière de l'homme qu'elle avait toujours aimé.

– Ça fait longtemps ?

– Presque un an.

Elle sentit le picotement des larmes prêtes à jaillir. Un an, depuis un an ils vivaient dans le mensonge.

– Qui est-ce ?

– Suzannah James. La nouvelle associée de l'étude.

Suzannah James – l'une des vingt personnes que Blake avait invitées à sa fête d'anniversaire, la semaine passée. La jeune femme en robe bleu turquoise qui semblait boire chacune de ses paroles, et avec qui il avait dansé joue contre joue un slow langoureux.

Annie sentit soudain jaillir les larmes.

– Mais après la fête, nous avons fait l'amour...

Avait-il pensé à Suzannah en lui faisant l'amour ? Était-ce pour cela qu'il avait éteint toutes les lumières avant de la toucher ? Elle laissa échapper un petit gémissement pathétique.

– Blake, je t'en supplie...

Il semblait perdu, lui aussi, et l'espace d'un court instant il redevint l'homme qu'elle avait toujours connu. Et non cet individu au cœur de pierre qui refusait de la regarder en face.

– Je l'aime, Annie. Je t'en prie, ne m'oblige pas à le répéter.

Sa terrible confession resta un instant suspendue dans l'air. Il avait dit : *Je l'aime, Annie.* Et pas : Je t'aime.

Ouvrant brusquement la portière, elle s'élança d'un pas chancelant vers la villa. La pluie lui fouettait le visage, se mêlant à ses larmes. Une fois devant la porte, elle sortit sa clé de son sac, mais sa main tremblait si fort qu'elle ne réussit pas à l'introduire du premier coup dans la serrure. À la seconde tentative, la clé tourna avec un bruit sec.

Elle se précipita à l'intérieur en faisant claquer violemment la porte derrière elle.

Annie vida son deuxième verre de vin et s'en resservit un troisième. En temps normal, quelques verres de Chardonnay auraient suffi à la griser et à lui donner envie de se mettre à chanter, mais ce soir le vin ne lui procurait aucun réconfort. Elle errait dans la maison vide comme une âme en peine, en essayant de comprendre comment elle en était arrivée là.

Vingt ans durant elle s'était comportée en mère de famille modèle, et voilà que, brusquement, elle se retrouvait seule, abandonnée par sa fille partie à l'étranger et par son mari qui l'avait quittée pour une autre.

À un moment donné elle avait baissé la garde. Elle avait oublié la leçon qu'elle avait apprise dans son enfance : qu'il ne fallait pas trop s'attacher aux gens, car un beau jour ceux-ci vous quittaient, et leur soudaine absence vous laissait complètement désemparée.

Elle se mit au lit et se blottit sous les couvertures, puis réalisa qu'elle se trouvait de « son » côté du lit. Brusquement, un flot acide de vin lui remonta dans la gorge, et elle crut qu'elle allait vomir. Fixant les yeux au plafond, elle cligna des paupières pour refouler les larmes qui lui montaient aux yeux. À chaque inspiration, elle se sentait redevenir toute petite.

Qu'allait-elle devenir à présent ? Il y avait si longtemps qu'elle disait « nous » quand elle parlait d'elle-même, qu'elle n'était plus très sûre d'avoir encore un « je » en elle. Elle écouta le tic-tac du réveil sur la table de nuit... et se mit à pleurer.

Le téléphone sonna.

Annie se réveilla à la deuxième sonnerie, le cœur battant. C'était lui, il avait changé d'avis et appelait pour lui demander pardon, et lui dire qu'il l'aimait toujours. Mais lorsqu'elle décrocha, ce fut la voix joyeuse de Natalie qui résonna dans le combiné.

– Salut m'man. Je viens d'arriver.

En entendant la voix de sa fille son cœur se serra violemment dans sa poitrine.

– M'man ?

Annie se redressa d'un bond dans le lit et se passa une main dans les cheveux.

– Oui, ma chérie. Je n'arrive pas à croire que tu sois déjà à Londres, dit-elle d'une petite voix tremblante. (Elle inspira profondément pour se ressaisir.) Eh bien, raconte, comment s'est passé ton voyage ?

Natalie se lança dans un monologue qui dura une bonne quinzaine de minutes. Elle lui raconta son voyage en avion, l'arrivée à l'aéroport, la découverte du métro londonien, et les maisons « collées » les unes aux autres.

– Comme à San Francisco, si tu vois ce que je veux dire, m'man. M'man ?

Annie réalisa avec un petit haut-le-corps qu'elle n'avait pas dit un mot. Pendant qu'elle écoutait Natalie, un petit détail absurde lui avait fait perdre le fil, et elle s'était mise à penser à Blake, à la voiture qui n'était pas dans le garage, et à sa place désormais vide dans le lit conjugal.

Oh, mon Dieu, que vais-je devenir sans lui ?

– M'man ?

Annie ferma violemment les paupières, dans l'espoir absurde de disparaître complètement. Un rugissement incessant résonnait dans sa tête.

– Je, je t'écoute, Natalie. Excuse-moi. Tu me parlais de ta famille d'accueil.

– Ça ne va pas, m'man ?

Les larmes se mirent à ruisseler sur ses joues, mais Annie ne chercha même pas à les essuyer.

– Si, si, tout va bien. Et toi, ma chérie, comment te sens-tu ?

Il y eut un silence, rempli de grésillements.

– Vous me manquez, papa et toi.

Il y avait de la tristesse dans la voix de sa fille, et Annie dut prendre sur elle pour ne pas murmurer : *Reviens, Nana, ne me laisse pas seule. J'ai besoin de toi.*

– Ne t'en fais pas, Nana. Tu vas te faire des amis. Et tu vas tellement t'amuser que tu ne penseras même plus à attendre les coups de fil de ta vieille maman. Le quinze juin sera vite arrivé.

– Dis donc, m'man, tu as une petite voix. Tu es sûre que tu vas pouvoir tenir le coup sans moi ?

Annie rit ; un rire nerveux et sans conviction.

– Mais bien sûr, voyons. Je t'interdis de te faire du souci pour moi, tu m'entends ?

– Très bien, dit Nana dans un murmure. Avant que je ne me mette à pleurer, est-ce que tu peux me passer papa ?

Annie tiqua.

– Papa n'est pas là.

– Ah !

– Mais il t'aime, et il m'a chargée de te le dire.

– Oui, bien sûr. Bon, alors j'attends ton coup de fil lundi ?

– Lundi sans faute, c'est promis.

– Je t'aime, m'man.

Annie sentit les sanglots lui nouer à nouveau la gorge, l'empêchant presque de parler. Elle réprima une furieuse envie de mettre Natalie en garde contre les aléas de l'existence, les couples qui se disloquent sans crier gare par un jour de pluie.

– Prends soin de toi, Natalie. Je t'aime.

– Je t'aime.

Puis la communication s'interrompit.

Annie replaça le combiné sur son socle, puis sortit péniblement du lit et se dirigea d'un pas chancelant vers la salle de bains. Elle alluma la lumière et écarquilla des yeux horrifiés en apercevant son reflet dans la glace. Elle portait encore ses habits de la veille, à peine reconnaissables tant ils étaient froissés. Ses cheveux étaient plaqués sur son crâne comme s'ils avaient été collés avec de la glu.

Elle éteignit l'interrupteur d'un coup de poing, puis commença à se déshabiller dans le noir, ne gardant que son soutien-gorge et sa culotte. Puis, laissant ses habits froissés sur le carrelage, regagna son lit à tâtons. Elle se sentait vieille, laide et à bout de forces.

Les draps étaient encore imprégnés de son odeur. La

nouvelle odeur de Blake, car son Blake à elle portait *Polo* comme eau de toilette. Chaque année, à Noël, elle lui en offrait une bouteille emballée dans un papier cadeau vert, jusqu'au jour où... Calvin Klein et Suzannah étaient venus tout chambouler.

La meilleure amie d'Annie lui rendit visite de bonne heure le lendemain matin. Martelant la porte à coups de poing, elle hurla :

– Ouvre cette porte, bon sang, ou j'appelle les pompiers.

Annie enfila le peignoir de soie noir de Blake et se dirigea en titubant vers la porte. Elle avait la gueule de bois, à cause du vin qu'elle avait bu la veille au soir, et ne réussit à ouvrir la porte qu'au prix d'un effort considérable.

Terri Spencer se tenait sur le seuil, vêtue d'une salopette en jean, ses cheveux noirs et bouclés retenus par un foulard d'un rouge criard. Deux grands anneaux d'or lui pendaient aux oreilles. Elle ressemblait à s'y méprendre à la bohémienne dont elle tenait le rôle à l'écran. Terri croisa les bras, puis, se campant fermement sur ses deux jambes, toisa Annie d'un œil critique.

– Tu as une gueule de déterrée, ma parole !

Annie soupira.

– Tu es au courant ?

Bien sûr qu'elle était au courant. Car en dépit de ses allures de bohémienne, Terri était, elle aussi, femme d'avocat. Et les avocats sont des gens bavards.

– Oui, c'est Frank qui m'a mise au courant. Cela dit, j'aurais préféré que tu me l'annonces toi-même.

Annie passa une main tremblante dans ses cheveux ébouriffés. Elle et Terri étaient amies depuis toujours. Autant dire sœurs. Mais malgré cela, et malgré toutes les épreuves qu'elles avaient traversées ensemble, Annie ne savait pas par où commencer. En temps normal, c'était elle qui consolait Terri, dont la vie mouvementée de comédienne n'était qu'une suite ininterrompue de mariages et de divorces. Annie avait l'habitude de consoler tout le monde. Sauf Annie.

– Je voulais le faire, dit-elle. Mais ça n'est pas facile...

Terri passa un bras potelé autour de l'épaule de son amie, et l'entraîna vers le sofa du séjour. Puis elle alla d'une fenêtre à l'autre et ouvrit tous les rideaux pour laisser entrer le soleil. Après quoi, elle vint s'asseoir à côté d'elle.

– Bon, et maintenant tu vas me raconter comment toute cette putain d'histoire a commencé.

Annie aurait voulu sourire – comme l'espérait Terri, qui employait à dessein ce langage ordurier – mais elle en était incapable. Dire les choses à voix haute les rendait trop vraies. Elle se pencha en avant, et enfouit son visage bouffi entre ses mains.

– Oh ! mon Dieu...

Terri la prit dans ses bras et commença à la bercer doucement, tout en écartant ses cheveux poisseux de ses joues baignées de larmes. Ça lui faisait du bien de se faire consoler, de sentir qu'elle n'était pas complètement seule au monde.

– Tu t'en remettras, tu verras, lui dit Terri au bout d'un moment. Pour l'instant tu t'en fais un monde, mais tu verras, ça finira par passer. De toute façon, Blake est un crétin. Et crois-moi, mieux vaut être seule que mal accompagnée.

Annie eut un petit haut-le-corps, et regarda son amie à travers ses larmes.

– Mais je... je ne peux pas vivre sans lui.

– Bien sûr, c'est normal. Je voulais simplement dire que...

– Je sais ce que tu voulais dire. Tu voulais dire que les choses vont finir par se tasser. C'est facile à dire pour quelqu'un comme toi, qui change de mari comme de chaussettes.

Terri haussa ses épais sourcils noirs.

– Un but pour toi. Écoute, Annie, je ne suis pas du genre à mâcher mes mots, je suis pessimiste – et c'est pour ça que mes mariages s'effondrent les uns après les autres, mais souviens-toi comment j'étais quand j'étais au lycée. Tu t'en souviens ? J'étais une petite fille modèle, exactement comme toi. C'est pour cela qu'on est devenues amies, toi et moi. Jusqu'au jour où ce salopard de Rom m'a annoncé qu'il avait une liaison avec la fille du comptable. Tu t'en souviens ? Après quoi il m'a donné un préavis de vingt-quatre heures, et vlan ! Du jour au lendemain, plus de compte en banque, plus d'économies, tout l'argent avait été mystérieusement « dépensé », et le cabinet médical pour lequel j'avais trimé dix-huit heures par jour avait été cédé à un copain pour une bouchée de pain. Du jour au lendemain la bourgeoise de Beverly Hills que j'étais s'est retrouvée dans la peau d'une va-nu-pieds. Il m'a fallu six ans pour pouvoir décoller à nouveau.

Annie s'en souvenait. C'est elle qui avait aidé Terri à s'en sortir à l'époque, vidant à l'occasion une bouteille de vin avec elle et fumant même quelques joints. Blake était furieux. *Je me demande bien ce que tu fiches à longueur de journée avec cette ratée*, disait-il, *alors que tu as des dizaines d'amies infiniment plus sortables*. Ç'avait été une des rares fois où Annie lui avait tenu tête.

– Tu m'as aidée à m'en sortir, murmura Terri en pressant doucement la main d'Annie dans la sienne. À mon tour de te donner un coup de main. N'hésite surtout pas à m'appeler, à n'importe quelle heure du jour et de la nuit.

– Je n'aurais jamais cru que ça pouvait faire aussi mal... C'est comme si...

Les larmes recommencèrent à lui picoter les yeux, et malgré tous ses efforts, elle n'arrivait pas à les contenir.

– Comme si on se vidait de ses tripes, je sais.

Annie ferma les yeux. Comment Terri aurait-elle pu savoir ce qu'elle éprouvait, elle qui n'avait jamais réussi à rester mariée plus d'un an ou deux et qui n'était même pas fichue de s'occuper d'un animal domestique ? C'était terrifiant de penser que ce qui lui arrivait était... banal. Comme si vingt années qui disparaissent d'un seul coup n'étaient rien, rien qu'un divorce de plus dans un pays qui comptait plusieurs millions de ruptures par an.

– Écoute, poulette, je sais que ça ne fait pas plaisir à entendre, mais je n'ai pas le choix. Blake est un avocat de première bourre, tu dois penser à protéger tes arrières.

Annie eut soudain envie de se rouler en boule et de ne plus bouger, mais elle s'efforça de sourire.

– Blake n'est pas comme ça.

– Vraiment ? Demande-toi plutôt si tu le connais aussi bien que tu le crois.

Mais Annie ne s'en sentait pas le courage. Il lui était déjà suffisamment pénible de penser qu'il l'avait trompée pendant une année. Était-il possible que Blake soit devenu un complet étranger ? Elle posa sur son amie un regard implorant.

– Tu me demandes l'impossible, Terri. Ce n'est pas mon genre. Je ne me vois pas allant à la banque et vidant tous nos comptes. C'est trop... brutal. Je ne peux pas lui faire ça. Et puis c'est indigne de moi. C'est peut-être bête de ma part, mais il a été mon meilleur ami pendant vingt ans.

– Tu parles d'un ami.

Annie effleura la main potelée de Terri.

– Ta sollicitude me va droit au cœur, Terri. Mais je ne suis pas encore prête à suivre ce genre de conseils. J'espère que... (sa voix se fondit en un murmure quand ses yeux rencontrèrent le regard triste et désabusé de son amie). Je continue d'espérer que ça ne sera pas nécessaire.

Terri s'obligea à sourire.

– Tu as peut-être raison au fond. Il ne s'agit peut-être que d'une liaison sans lendemain. Ça lui passera.

Après cela elles passèrent des heures à discuter. Annie évoquait un à un les souvenirs et les anecdotes les plus marquants de son mariage, comme si, en racontant sa vie de couple, en se la remémorant, elle allait pouvoir le faire revenir.

Terri l'écouta en souriant et en lui tenant la main, sans chercher à lui prodiguer d'autres conseils – et Annie lui en fut reconnaissante. Quand arriva l'heure du déjeuner, elles commandèrent une énorme pizza avec des tonnes de garniture, puis elles allèrent s'asseoir sous la véranda et la dévorèrent tout entière, jusqu'à la dernière miette. Quand le soleil commença à décliner doucement au-dessus du Pacifique, Annie comprit que Terri allait bientôt devoir s'en aller.

Se tournant vers sa meilleure amie, elle trouva enfin la force de lui poser la question qui la tarabustait depuis le début de l'après-midi.

– Et s'il ne revient pas à la maison, Terri ? dit-elle si doucement que, l'espace d'un instant, elle crut que ses paroles avaient été englouties par la rumeur distante des vagues.

– Eh bien quoi ?

Annie détourna les yeux.

– Je ne pourrais jamais vivre sans lui. Qu'est-ce que je vais devenir ? Où vais-je aller ?

– Tu retourneras chez toi, dit Terri. Si j'avais un père comme Hank, je n'hésiterais pas un seul instant.

Chez moi. Ce mot lui sembla soudain aussi fragile qu'un morceau de porcelaine.

– Chez moi, c'est ici, avec Blake.

– Annie, soupira Terri, en prenant sa main dans la sienne. Tout ça c'est du passé.

Deux jours plus tard il appela.

Jamais sa voix n'avait été aussi douce. Elle laissa échapper un soupir de soulagement.

– Blake...

– Il faut que je te voie.

Elle sentit sa gorge se nouer, et les larmes lui picoter les yeux. Dieu, merci, il a changé d'avis.

– Tout de suite ?

– Non. Mon planning est très chargé ce matin. Mais dès que je pourrai me libérer.

Dès qu'il aperçut la silhouette blanche de la villa, Blake eut un pincement au cœur. Elle était si belle, si accueillante. Un véritable bijou dans un quartier où la plus petite masure coûtait au bas mot cinq millions de dollars.

Annie l'avait conçue et meublée entièrement. Elle l'avait remplie de tout un tas de petits détails – un petit ange ici, une gargouille là, une suspension en macramé dans le patio, une photo de famille dans un cadre de bois. Tout dans cette maison reflétait sa personnalité exubérante et légèrement bohème.

Il essaya de se souvenir de ce qu'il avait éprouvé lorsqu'il était tombé amoureux d'elle, mais il n'y parvint pas.

Il y avait dix ans maintenant qu'il couchait avec d'autres femmes. Il les séduisait, couchait avec elles, puis les oubliait. Il les emmenait avec lui quand il partait en déplacement, passait la nuit avec elles, et pendant ce temps-là, Annie l'attendait à la maison, mitonnait des petits plats dont elle trouvait les recettes dans des revues culinaires comme *Gourmet*, choisissait des échantillons de peinture ou de carrelage et conduisait Natalie à l'école. Il avait cru qu'elle finirait tôt ou tard par se rendre compte qu'il avait cessé de l'aimer, mais elle avait en lui une confiance aveugle. Elle voyait toujours le bon côté des gens. Et quand elle aimait, c'était corps et âme, et pour l'éternité.

Il soupira. Il se sentait soudain fatigué. C'est à l'approche de la quarantaine qu'il avait décidé de changer de vie, de ne pas rester prisonnier d'un mariage sans amour.

Avant que de vilains fils blancs ne viennent s'immiscer dans sa chevelure, et que les rides ne commencent à apparaître aux coins de ses yeux bleus, il s'était cru le plus heureux des hommes. Il avait tout : une carrière prestigieuse, une belle épouse, une fille adorable, et toute la liberté qu'il pouvait souhaiter.

Deux fois l'an, il partait faire une virée avec ses camarades de promotion, ils allaient pêcher dans des îles exotiques avec des plages enchanteresses et des femmes plus enchanteresses encore. Il jouait au basket deux fois par semaine, et se rendait au bar les vendredis soir. Contrairement à la plupart de ses copains, il avait une femme compréhensive. Quand il s'absentait, elle l'attendait bien sagement à la maison, comme l'épouse modèle qu'elle était – et qu'il avait toujours désiré avoir.

Et puis il avait fait la connaissance de Suzannah. Ce qui avait commencé comme une simple passade s'était mué en passion dévorante.

Pour la première fois depuis des années, il se sentait jeune et plein d'énergie. Ils faisaient l'amour n'importe où, et n'importe quand. Suzannah se moquait éperdument de ce que pouvaient penser les voisins. Elle était sauvage, imprévisible, et intelligente – contrairement à Annie qui confondait la CEE et l'Association des Parents d'élèves.

Il remonta lentement l'allée en direction de la porte. À peine avait-il enfoncé le bouton de la sonnette que la porte s'ouvrit toute grande.

Annie parut sur le seuil, les mains jointes nerveusement à la hauteur de la taille. Elle flottait dans sa robe de soie crème qui révélait qu'elle avait fondu au cours des derniers jours – et Dieu sait si elle n'était pas grosse avant cela.

L'ovale délicat de son visage était anormalement pâle, et ses yeux verts d'ordinaire si pétillants étaient ternes et injectés de sang. Ses longs cheveux tirés en arrière et retenus par une barrette faisaient ressortir ses pommettes saillantes et ses lèvres qui semblaient tuméfiées. Elle portait des boucles d'oreilles dépareillées, un diamant d'un côté et une perle de l'autre, un petit détail qui, quand il le remarqua, lui serra le cœur et lui fit regretter de l'avoir trompée.

– Blake...

Il y avait une pointe d'espoir dans sa voix quand elle avait prononcé son nom, et il réalisa soudain qu'elle s'était méprise sur ses intentions quand il avait appelé ce matin.

Flûte ! Comment avait-il pu être aussi stupide ?

Elle recula d'un pas, tout en lissant un pli imaginaire sur sa robe.

– Entre, entre. Tu...

Elle détourna promptement la tête, en se mordant la lèvre inférieure – un tic nerveux qu'elle avait gardé de son enfance. Il crut qu'elle allait dire quelque chose, mais, brusquement, elle tourna les talons et prit la direction de la vaste terrasse blanche surplombant le Pacifique.

Bon sang, pourquoi était-il venu ? Il n'avait aucune envie de la voir souffrir, de la voir remettre de l'ordre dans sa robe ou sa chevelure à chaque instant.

Elle traversa la terrasse en direction de la table où se trouvaient un pichet de citronnade – sa boisson préférée – et deux verres de cristal disposés sur un élégant plateau d'argent. Elle commença à servir à boire.

– Natalie est bien arrivée. Je ne lui ai parlé qu'une seule fois – et j'avais l'intention de la rappeler sous peu, mais... je n'en ai pas eu la force. J'ai eu peur qu'elle n'entende à ma voix que quelque chose n'allait pas. Et puis, elle aurait demandé à te parler, évidemment. Plus tard, peut-être... pendant que tu es là... on pourrait la rappeler.

– Je n'aurais pas dû venir.

Il avait dit cela plus sèchement qu'il ne l'aurait voulu, mais il ne supportait plus d'entendre sa voix chevrotante.

Le pichet se mit à trembler dans la main d'Annie, et un peu de citronnade s'échappa du verre, éclaboussant la table de granit.

– Pourquoi es-tu venu ?

Quelque chose dans sa voix – la résignation peut-être, ou était-ce le chagrin ? – le prit de court. Il sentit les larmes lui monter aux yeux. Il plongea la main dans sa poche et en sortit l'accord provisoire de séparation qu'il avait rédigé. Sans un mot, il se pencha par-dessus son épaule et le déposa sur la table. Un coin de l'enveloppe atterrit dans la citronnade. Une tache sombre commença aussitôt à se former sur le papier.

Sans relever les yeux de l'enveloppe, il dit :

– Ce sont les papiers, Annie...

Elle ne fit pas un geste, ne dit pas un mot. Elle avait l'air misérable, la tête rentrée dans les épaules, et les doigts agrippés nerveusement au rebord de la table. Il n'avait pas besoin de voir son visage pour savoir ce qu'elle ressentait. Il vit les larmes tomber, l'une après l'autre, sur la pierre grise comme de petites gouttes de pluie.

Il regretta d'être venu.

3

– Je n'arrive pas à y croire, dit Annie malgré elle.

Voyant qu'il ne répondait pas, elle se tourna vers lui, et réalisa que, malgré vingt ans de vie commune, elle ne parvenait pas à le regarder dans les yeux.

– Pourquoi ?

C'est ce qu'elle aurait voulu comprendre. Elle s'était toujours montrée attentive au bonheur des autres, elle s'était toujours efforcée de faire passer leur bien-être avant le sien. Quand sa mère était morte, Annie n'était encore qu'une enfant, et pourtant elle avait fait l'impasse sur son propre chagrin pour se consacrer entièrement à son père ravagé par la disparition de sa femme. Depuis lors, c'était devenu une seconde nature chez elle. Annie la charitable, Annie au grand cœur. Mais voilà que son mari refusait l'amour qu'elle voulait lui donner, voilà qu'il rejetait la famille qu'elle avait fondée, nourrie, choyée.

– Je t'en prie, soupira-t-il, cesse de retourner le couteau dans la plaie.

Ses mots cinglants lui firent l'effet d'une gifle. Relevant brusquement la tête, elle le regarda d'un air de défi.

– Retourner le couteau dans la plaie ? Tu plaisantes ?

Il avait l'air abattu, fatigué.

– Parce que j'ai l'air de plaisanter ? dit-il en se passant une main dans les cheveux. J'étais à mille lieues de me douter que tu réagirais comme ça quand je t'ai appelée ce matin. Je suis navré.

Navré. Un mot froid de juriste qui ne faisait qu'élargir le gouffre qui les séparait déjà.

Il fit un pas dans sa direction, en prenant garde toutefois de ne pas trop se rapprocher.

– Je suis venu te dire que je vais veiller à ce que tu ne manques de rien. Tu n'as pas de craintes à avoir, je m'occupe de tout. Natalie et toi ne manquerez de rien. Je te le promets.

Elle posa sur lui un regard incrédule.

– Le dix-neuf février. Est-ce que cette date te dit quelque chose, Blake ?

Son teint hâlé de millionnaire vira brusquement au gris.

– Annie, je t'en prie...

– Le dix-neuf février, Blake. Tu l'as oublié ? Le jour de notre mariage. Tu as fait le serment de m'aimer jusqu'à ce que la mort nous sépare. Ce jour-là aussi, tu m'avais promis que je ne manquerais jamais de rien.

– C'était il y a longtemps.

– Parce que d'après toi ce genre de serment arrive un jour à expiration, comme les cartes de crédit ?

– J'ai changé, Annie. Écoute, ça fait vingt ans que nous vivons ensemble. Nous avons changé, toi et moi. Je crois sincèrement que tu seras plus heureuse sans moi. Tu vas pouvoir te consacrer à tes passe-temps favoris, faire des choses comme... je ne sais pas, moi... (Il avait l'air complètement désorienté.) La calligraphie, l'écriture, la peinture.

Elle aurait voulu lui dire d'aller au diable, mais dans sa tête les mots se bousculaient, se mêlant à des souvenirs poignants qui lui ôtaient tous ses moyens.

Il se rapprocha un peu plus, ses pas rendant un son dur et cassant sur les dalles de pierre.

– J'ai rédigé une entente préalable de divorce. Mes conditions sont plus que généreuses, tu verras.

– Tu ne crois tout de même pas que tu vas t'en tirer à si bon compte ?

– Comment ?

Au ton de sa voix, elle comprit qu'elle l'avait pris de court. Ce qui n'avait rien d'étonnant, du reste. Depuis vingt ans qu'ils vivaient ensemble, pas une seule fois Annie ne s'était révoltée. Elle leva vers lui un regard de défi.

– Tu ne crois pas que tu vas t'en tirer comme ça, Blake ? Ce serait trop facile.

– Tu ne peux pas empêcher un divorce en Californie, dit-il calmement, en prenant sa voix d'avocat.

– Je connais la loi, Blake. Tu sembles oublier que j'ai travaillé pendant des années avec toi, que je t'ai aidé à créer ton cabinet, dit-elle en faisant un pas dans sa direction. Si tu avais affaire à un client, que lui conseillerais-tu ?

Il tira nerveusement sur le col empesé de sa chemise.

– C'est absurde.

– Tu lui conseillerais d'attendre, de laisser les choses « se tasser » un peu. Tu lui conseillerais une tentative de conciliation. Je le sais, je t'ai entendu conseiller tes clients. (Sa gorge se noua soudain.) Bon sang, Blake, est-ce que tu ne peux pas au moins nous donner une chance ?

– Annie...

Elle respirait par saccades à présent, s'efforçant de refouler ses larmes.

Leur avenir ne tenait plus qu'à un fil.

– Promets-moi de revenir en juin, quand Natalie sera de retour. Nous reparlerons à ce moment-là... nous verrons où nous en sommes après quelques mois de séparation. Je t'ai donné vingt ans de ma vie, Blake. Est-ce trop te demander que de m'accorder trois mois ?

Elle attendit, le cœur battant, suspendue au rythme régulier de sa respiration.

– Très bien.

Elle rouvrit les yeux, profondément soulagée.

– Qu'allons-nous dire à Natalie ?

– Bon sang, Annie, tu ne vas tout de même pas en faire une affaire d'État ! Toutes ses copines ont des parents divorcés ou presque. Cesse donc de te tourmenter pour Natalie. Tu n'as qu'à lui dire la vérité.

Cette fois la coupe était pleine. Annie explosa.

– Comment oses-tu me reprocher de me conduire en

mère de famille responsable, Blake ? La vérité c'est que tu n'es qu'un monstre d'égoïsme.

– Un monstre d'égoïsme qui est amoureux d'une autre femme.

Ses paroles, volontairement blessantes, l'atteignirent en plein cœur. Elle sentit le picotement des larmes qui commençaient à lui brouiller la vue, mais il ne fallait pas qu'il la voie pleurer. Elle n'était décidément pas de taille à lui tenir tête. En tant qu'avocat, il savait comme personne trouver les mots qui blessent.

– Puisque tu le dis.

– Très bien, dit-il d'une voix sèche, qui laissait clairement entendre que l'entretien était clos. Que vas-tu dire à Natalie ?

C'était là sa seule parade. Car elle était peut-être une piètre épouse et une partenaire sexuelle médiocre, mais elle n'en était pas moins une mère irréprochable.

– Rien dans l'immédiat. Je n'ai aucune envie de lui gâcher son voyage. Nous lui dirons... ce que nous avons à lui dire... quand elle rentrera.

– Très bien. J'enverrai quelqu'un demain pour prendre quelques affaires. Je te ferai ramener la Cadillac lundi.

Quelques affaires. Voilà à quoi se réduisaient désormais leurs vingt années de vie commune – une brosse à dents, une collection de disques, des bigoudis, quelques bijoux. Toutes ces choses allaient être triées, divisées et empaquetées dans des valises séparées.

Il ramassa l'enveloppe qui se trouvait sur la table et la lui tendit.

– Ouvre-la.

– Pourquoi faire ? Pour que je voie combien tu es généreux ?

– Annie...

Elle fit un geste de la main.

– Je me fiche éperdument de savoir qui aura quoi.

Il fronça les sourcils.

– Je t'en prie, Annie. Sois raisonnable.

39

Elle le regarda dans les yeux.

– C'est exactement ce que m'a répondu mon père quand je lui ai dit que je voulais épouser un gamin de vingt ans, qui n'avait que la peau sur les os et pas un sou en poche. *Sois raisonnable, Annie. Tu es trop jeune.* Suis-je encore trop jeune, Blake ?

– Annie, je t'en prie...

– Annie, je t'en prie, ne me rends pas la vie impossible, c'est ça ?

– Jette au moins un coup d'œil au protocole de séparation.

Elle s'approcha de lui, et, levant sur lui des yeux pleins de larmes, dit :

– Je ne souhaite garder qu'une chose, Blake. (Sa gorge se noua soudain, l'empêchant presque de parler.) Mon cœur. Je veux le récupérer intact. Est-ce que tu l'as inclus dans ton précieux protocole ?

Il leva les yeux au ciel.

– J'aurais dû m'en douter. Très bien. À compter d'aujourd'hui je vais habiter chez Suzannah. En cas d'urgence, tu peux me joindre à ce numéro, dit-il en griffonnant quelques chiffres sur un morceau de papier.

Mais elle refusa de prendre le papier qu'il lui tendait et celui-ci tomba à terre en tourbillonnant.

Étendue sur son grand lit vide, Annie écoutait les battements de son cœur. Elle n'osait pas appeler Terri, l'ayant déjà beaucoup sollicitée jusqu'ici.

Elles passaient chaque jour de longues heures au téléphone. Mais dès que leur conversation s'achevait, Annie se sentait à nouveau terriblement seule.

Sept journées interminables s'étaient écoulées depuis que son mari lui avait annoncé qu'il en aimait une autre. Et depuis sept jours elle avait l'impression de se recroqueviller sur elle-même, de devenir de plus en plus petite. Jusqu'au moment où elle finirait par disparaître complètement.

Parfois, elle se réveillait en hurlant d'un cauchemar, toujours le même. Elle se trouvait dans une pièce sombre, en présence d'un miroir au cadre doré – mais le miroir ne reflétait absolument rien. Il était complètement vide.

Rejetant ses couvertures, elle sortit du lit et se dirigea vers le dressing. Elle ouvrit le tiroir contenant sa lingerie et en sortit une grosse boîte grise. Puis elle regagna le lit en pressant la boîte sur son cœur. Celle-ci contenait ses photos préférées, une vie entière de photos, prises au fil des ans et jalousement conservées. Tout au fond de la boîte, elle trouva une petite boussole en bronze, un cadeau que lui avait fait son père des années auparavant. La boussole ne portait pas d'inscription, mais elle se souvenait encore des paroles qu'il lui avait dites quand il la lui avait donnée : *Je sais que tu es un peu désorientée pour l'instant, mais cela ne va pas durer éternellement. Prends cette boussole, elle te montrera le chemin chaque fois que tu en auras besoin...*

Saisissant la boussole, elle la passa lentement autour de son cou en songeant qu'elle n'aurait jamais dû s'en séparer.

Puis elle commença à regarder les photos en noir et blanc, tout le récit de son enfance. C'étaient de petites photos écornées, avec la date imprimée en noir sur le bord supérieur. Il y en avait des tas d'elle-même, posant seule, et quelques-unes en compagnie de son père. Ainsi qu'une photo d'elle avec sa mère.

Une seule.

Elle se souvenait encore du jour où elle avait été prise – sa mère et elle avaient fait des biscuits de Noël ce jour-là. Il y avait de la farine partout dans la cuisine, et Annie en avait plein la figure. En rentrant du travail, son père avait éclaté de rire en les trouvant ainsi.

– Ma parole, Sarah, tu en as fait pour un régiment. Je te rappelle que nous ne sommes que trois...

Mais quelques mois plus tard, ils n'étaient plus que deux.

Un homme taciturne, ravagé par le chagrin, et une petite fille plus taciturne encore.

Annie effleura du doigt la surface lisse de la photo. Sa mère lui avait beaucoup manqué par la suite – le jour de la remise des diplômes, le jour où Natalie était née – mais jamais autant qu'aujourd'hui. J'ai besoin de toi, maman, songea-t-elle. J'ai besoin que tu me dises que tout va s'arranger...

Elle replaça la précieuse photo dans la boîte, et en prit une autre, en couleurs, cette fois. On y voyait Annie portant dans ses bras un nouveau-né au visage renfrogné, enveloppé dans une couverture rose, et Blake, jeune et beau et fier, sa grande main posée sur le bébé en un geste protecteur.

Toute la vie de Natalie était contenue dans cette boîte, depuis sa naissance jusqu'à aujourd'hui. Il y avait une quantité inimaginable de photos de la petite fille blonde, à vélo, ou en compagnie de ses peluches ou de ses animaux domestiques. Au fil des ans, Blake se faisait de plus en plus rare sur les photos. Comment se faisait-il qu'Annie ne l'ait pas remarqué avant ?

Mais ce n'était pas Blake qu'elle cherchait.

C'était Annie. Elle savait qu'elle se trouvait quelque part parmi tous les souvenirs contenus dans cette boîte. Elle passa toutes les photos en revue, l'une après l'autre.

Il n'y avait pratiquement pas de photos d'elle. Comme la plupart des mères de famille, elle était presque toujours derrière l'objectif, et chaque fois qu'elle se trouvait l'air fatigué, trop grosse ou trop maigre... elle déchirait la photo et la jetait au panier.

Si bien qu'à présent elle avait l'impression de n'avoir pas vécu. Pas existé.

Cette pensée la terrifia, au point qu'elle se leva d'un bond en balayant les photos d'un revers de main. En passant devant les portes-fenêtres, elle aperçut le reflet d'une femme entre deux âges, l'air désemparé et les cheveux en bataille, enveloppée dans le peignoir de son mari. Une vision pathétique. Plus pathétique qu'elle ne l'avait jamais été.

Comment pouvait-il lui faire une chose pareille ? Il lui avait pris vingt ans de sa vie et maintenant il la jetait comme une vieille chaussette ?

Elle se mit à déambuler au hasard dans la maison, fracassant au passage des objets qui avaient appartenu à son mari, arrachant ses costumes de leurs cintres et les jetant à la poubelle. Puis elle alla dans son bureau, son cher bureau et, ouvrant le tiroir de son secrétaire d'un geste rageur, le vida entièrement de son contenu.

En découvrant que celui-ci était rempli de dizaines de reçus pour des fleurs et des dessous féminins, des notes d'hôtel, sa colère fit soudain place à une fureur aveugle. Elle jeta le tout – factures, reçus, relevés bancaires – dans un grand carton sur lequel elle écrivit en caractères gras son nom et l'adresse de son bureau. Puis en plus petit : *J'ai fait ça pendant vingt ans. À ton tour maintenant.*

Soudain soulagée, elle inspira profondément et jeta un coup d'œil autour d'elle, à sa grande maison vide et stérile.

Qu'allait-elle faire à présent ? Où allait-elle aller ?

Elle le savait. Elle l'avait toujours su.

Elle allait partir à la recherche de la petite fille qui posait sur les rares photos en noir et blanc... retourner à l'endroit où elle était quelqu'un avant de devenir la femme de Blake ou la mère de Natalie.

Deuxième partie

Au cœur de l'hiver, j'ai finalement compris qu'il y avait
en moi un été invincible

Albert Camus

4

Assise au volant d'une voiture de location, Annie traversait le grand pont suspendu qui relie la Péninsule d'Olympic au reste de l'État de Washington. D'un côté du pont on apercevait la masse écumante et frénétique de l'océan, de l'autre l'eau s'étirait paisiblement, brillante et lisse comme un sou neuf. Annie abaissa la vitre et coupa la climatisation. Une bouffée d'air frais chargé de pluie s'engouffra dans la voiture, faisant voleter ses cheveux autour de sa figure.

Petit à petit le paysage commençait à retrouver le bleu et le vert de son enfance. Elle quitta l'autoroute et s'engagea sur une petite route de campagne qui tournait le dos au littoral. Là-bas, tapie sous la brume pourpre, s'étirait la péninsule, un bras de terre en forme de côtelette bordé d'un côté par une chaîne montagneuse, et de l'autre par une succession de plages balayées par le vent. C'était un endroit primitif, imperméable aux turbulences de la vie moderne. Ici, le lichen enveloppait la forêt pluviale d'un cocon argenté, les criques déchiquetées étaient protégées des assauts de la mer par de gigantesques barrières rocheuses. Au cœur de la péninsule se trouvait le parc Olympic National, une étendue sauvage de près de un million d'hectares, régie par Mère Nature et les légendes indiennes.

Plus elle approchait de sa ville natale, et plus la forêt devenait sombre et épaisse, nimbée en ce début de printemps d'un voile de brume opalescent qui dérobait à la vue la cime dentelée des sapins. À cette époque de l'année, la forêt était encore en dormance, et la nuit tombait avant que la cloche de l'école n'ait sonné la fin des cours. Aucune personne sensée ne se serait aventurée hors de la grand-route avant le retour de l'été. La légende racontait que de nombreux enfants avaient disparu dans ces parages, et qu'à la nuit tombée, le Saskatch, l'abominable homme des montagnes, rôdait dans la forêt à l'affût de touristes égarés. Ici, le temps était plus changeant que le cœur d'une demoiselle. En un rien de temps le soleil faisait place à la neige, ne laissant derrière lui qu'un arc-en-ciel couleur sang bordé de noir.

Cette terre évoquait le temps qui passe. Ici, les cèdres rouges hauts comme des tours tombaient sans un murmure, pour mourir et se reproduire entre eux. Ici, le temps était marqué par les marées, les cernes du bois, le frai des saumons.

Lorsqu'elle atteignit la ville de Mystic, Annie ralentit pour s'imprégner de visions familières. C'était une petite bourgade de bûcherons, fondée il y avait fort longtemps par de vaillants pionniers, et dont la rue principale ne comptait guère plus de six pâtés de maisons. Annie n'avait pas besoin de la remonter entièrement jusqu'à Elm Street pour savoir qu'à son extrémité, la grand-rue débouchait sur une petite route de terre sinueuse.

Le centre-ville avait l'aspect pitoyable d'un vieillard blanchi qu'on aurait oublié sous la pluie. Un unique feu tricolore, à l'aspect vétuste, réglait le trafic inexistant dans l'artère principale où une poignée de boutiques à la devanture de bois se serraient les unes contre les autres. Il y a quinze ans, la pêche et le commerce du bois étaient florissants à Mystic. Mais les temps avaient changé, et les marchands avaient déserté Mystic pour des bourgades plus prospères, laissant derrière eux des échoppes vides.

Des camionnettes déglinguées étaient stationnées en épis derrière des horodateurs vieux de trente ans ; des hommes en salopette, enveloppés dans d'épais manteaux d'hiver, allaient et venaient à la devanture des magasins.

Les rares boutiques qui avaient survécu portaient des noms singuliers comme Le Chat et l'aiguille, Moïse le Roi du Beignet, À l'Enfant Gâté vêtements sur commande,

Chassé-croisé bowling, La Tenue d'Ève vêtements pour dames, Chez Vittorio, cuisine italienne. Dans chaque vitrine il y avait une pancarte proclamant : *Cet établissement vit grâce au commerce du bois*, pour rappeler aux politiciens qui vivaient sous d'autres cieux, dans des demeures à colonnades, que le commerce du bois était le pivot de l'économie locale.

C'était une petite bourgade exsangue, mais pour Annie, dont les yeux étaient habitués aux gratte-ciel de verre et de béton, c'était la plus belle de toutes. Le ciel était plombé pour l'instant, mais elle savait à quoi il ressemblait quand il n'était pas masqué par les nuages. Ici, à Mystic, le ciel prenait sa source au creux de la main de Dieu et se déversait aussi loin que l'œil pouvait voir. C'était une terre de paysages sublimes, où l'air embaumait la sève de pin, la brume et la pluie.

Si différente de la Californie.

À cette pensée, son cœur se serra, lui rappelant qu'elle était au seuil de la quarantaine et sur le point de divorcer. Et qu'elle revenait ici parce qu'elle n'avait nulle part où aller.

Elle essaya de ne pas penser à Blake ou à Natalie ni à sa grande maison vide sur le Pacifique. À la place, elle s'efforça de penser à toutes les choses qu'elle avait laissées derrière elle sans regrets – la chaleur étouffante qui vous donnait la migraine, les risques de cancer liés au rayonnement solaire, la pollution atmosphérique qui vous piquait les yeux et vous brûlait la gorge, à tel point que certains jours il était déconseillé de sortir de chez soi, les glissements de terrain, les incendies qui ravageaient en quelques heures un quartier entier.

C'est ici qu'Annie avait ses racines, des racines profondes et solides. Son grand-père était venu s'installer à Mystic soixante-dix ans auparavant. C'était un Allemand à la mâchoire puissante, assoiffé de liberté et déterminé à devenir scieur de long. Il avait su tirer parti de son métier, et appris à son fils Hank à en faire autant. Annie était la première Bourne depuis deux générations à avoir quitté cette terre, et la première à être allée à l'université.

Elle longea Elm Street et sortit de la ville. Des deux côtés de la route, des maisons en préfabriqué étaient entassées sur des parcelles de gazon encombrées de carcasses de voitures et de machines à laver qui avaient connu des jours meilleurs. Partout les signes de l'exploitation forestière étaient visibles – abatteuses-ébrancheuses, tronçonneuses...

La route escarpée serpentait sans fin le long d'une colline, s'enfonçant de plus en plus profondément dans la forêt. Une à une les maisons disparurent, faisant place aux arbres. De jeunes arbres chétifs, récemment plantés, s'alignaient à perte de vue derrière des pancartes indiquant : Coupe claire : 1992. Reboisement : 1993. Il y avait une de ces pancartes tous les cinq cents mètres environ ; seules les dates changeaient.

Elle atteignit enfin le croisement et ralentit la voiture avant de s'engager sur un petit sentier de terre qui cheminait au cœur de quinze arpents de forêt centenaire.

Enfant, cette forêt avait été son terrain de jeu. Elle y avait passé des heures à grimper aux arbres, à chevaucher les souches pourries, à chercher des trésors – un champignon blanc qui ne poussait qu'à la lune rousse, un faon nouveau-né qui attendait le retour de sa mère, la masse gélatineuse des œufs d'une grenouille dissimulée sous une fondrière.

Elle atteignit enfin la grande maison de bois dans laquelle elle avait grandi. Elle était exactement comme dans ses souvenirs : une maison à pignons, vieille de cinquante ans, à la façade gris perle rehaussée de festons blancs. Une véranda chaulée de blanc et ornée de géraniums courait tout autour de la maison. Une spirale de fumée s'échappait de la cheminée de brique pour se fondre dans le ciel gris et bas.

Derrière la maison, un bataillon d'arbres moussus dissimulait à la vue une mare secrète, bordée de fougères. La pelouse descendait en pente douce vers la boucle argentée d'une rivière à saumons. L'herbe rendait un léger gargouillis quand on la foulait aux pieds, et le ruisseau un son ronflant de vieillard endormi.

Annie gara la Mustang derrière la remise et coupa le moteur, puis elle saisit son sac à main et se dirigea vers la maison.

Quelques instants plus tard elle appuyait sur la sonnette. Son grand gaillard de père ouvrit presque aussitôt la porte, et demeura un instant interdit, les yeux écarquillés, en voyant sa fille. Puis un sourire fendit son visage à demi-enfoui sous une barbe blanche et une épaisse moustache.

– Annie, murmura-t-il de sa voix rauque et caverneuse.

Il ouvrit tout grands les bras et elle s'élança vers lui, enfouissant son visage dans les plis veloutés de son cou. Il sentait bon le feu de bois, et la savonnette, et les caramels qu'il gardait toujours dans sa poche de poitrine. Les parfums de son enfance.

Annie s'abandonna tout entière au réconfort des bras de son père. Au bout d'un moment elle finit par relâcher son étreinte, mais sans lever les yeux vers lui, de crainte qu'il ne voie les larmes dans ses yeux.

– Bonjour, p'pa.

– Annie, répéta-t-il, mais cette fois elle avait entendu la question qu'il n'osait pas poser.

Elle s'obligea à le regarder en face. Il avait toujours bon pied bon œil pour un homme de soixante-sept ans. Il avait toujours un regard vif et pénétrant de jeune homme, sous ses paupières roses et tombantes. Les drames qu'il avait vécus n'avaient pas laissé de traces sur son visage, si ce n'est parfois une ombre qui passait sur son front ridé quand la sirène d'une ambulance se mettait à rugir dans le brouillard.

Il glissa sa main mutilée – par la lame impitoyable d'une scie électrique, des années auparavant – sous le plastron de sa salopette.

– Tu es seule ?

Elle tiqua. Sa question en contenait tant d'autres. Et il y avait tant de façons d'y répondre...

Il posa sur elle un regard si intense qu'elle rougit. Elle

était sûre qu'il pouvait lire dans ses pensées et qu'il avait deviné ce que son mari lui avait dit, là-bas, dans leur grande maison au bord du Pacifique : *Je ne t'aime plus, Annie.*

– Natalie est à Londres, dit-elle d'une toute petite voix.

– Je sais. J'attendais que tu m'appelles pour me donner son adresse. Je voulais lui envoyer un petit mot.

– Elle est dans une famille d'accueil, les Roberson. Il pleut tous les jours, là bas, à ce qu'il paraît...

– Qu'est-ce qui se passe, Annie Virginia ?

Elle ravala le reste de sa phrase dans un hoquet. Elle n'avait plus le choix à présent, il fallait qu'elle se jette à l'eau.

– Il... il m'a quittée, papa.

Il la regarda d'un air incrédule.

– Quoi ?

Elle aurait voulu rire, faire comme si cela lui était égal, mais elle se sentait fragile et désemparée comme une petite fille.

– Que s'est-il passé ?

Elle haussa les épaules.

– Le coup classique. Il a quarante ans... elle en a vingt-huit.

La face ridée et rose de Hank s'allongea d'un seul coup.

– Oh ! ma pauvre chérie...

Elle voyait bien qu'il cherchait ses mots, et qu'il y avait de la tristesse dans ses yeux. S'approchant d'elle, il posa la paume calleuse de sa main contre sa joue. Et brusquement, le passé se mêla au présent. L'un et l'autre se souvenaient de ce jour où, il y avait très longtemps, Hank avait annoncé à sa fille de sept ans qu'il y avait eu un accident... et que sa maman était montée au ciel.

– Elle nous a quittés, chérie. Elle ne reviendra plus jamais.

Hank serra sa fille contre son cœur. Elle aurait voulu qu'il lui dise des paroles réconfortantes, mais Hank n'était pas à l'aise quand il s'agissait de dispenser des conseils. Il préférait faire comme si de rien n'était.

– Il reviendra, dit-il tout bas. Les hommes sont parfois

complètement inconscients. Mais Blake va réaliser qu'il a commis une erreur. Et il reviendra te supplier de lui donner une deuxième chance.

– Je n'y crois pas, papa.

Hank sourit, comme stimulé par ses propres paroles.

– Mais si, Annie, crois-moi. Il t'aime. Il reviendra. Et maintenant on va monter tes affaires dans ta chambre et je vais sortir le jeu d'échecs, d'accord ?

– D'accord.

Hank saisit la main de sa fille et ensemble ils traversèrent le séjour modestement meublé et gravirent l'escalier de bois qui menait à l'étage.

Arrivé devant la porte de la chambre, Hank tourna la poignée et entra. La chambre était tapissée de papier jaune d'or que les derniers rayons du soleil nimbaient de pourpre. C'était un papier à fleurs que sa mère avait choisi avec amour pour sa petite fille il y avait très longtemps. Ni Annie ni Hank n'aurait songé à le changer, même après qu'Annie était devenue une femme. Un lit en fer peint en blanc occupait le centre de la pièce, recouvert d'une profusion de couvre-pieds et d'édredons blancs et jaunes. À côté de la fenêtre se trouvait une chaise à bascule que son père avait fabriquée de ses mains pour elle quand elle avait eu treize ans.

– Tu es une femme, à présent, lui avait-il dit. Tu vas avoir besoin d'une chaise à bascule...

Elle avait passé toute sa jeunesse assise sur cette chaise, à scruter la nuit verte et sans fin des arbres, à découper les photos de ses chanteurs préférés dans les magazines.

Retrouver sa chambre d'enfant lui fit chaud au cœur. Ici, elle se savait en sécurité. « Il reviendra. » Elle aurait voulu s'envelopper tout entière dans ces paroles, et s'en protéger comme d'un bouclier contre ses pensées les plus sombres. Elle voulait croire de toutes ses forces que son père avait raison.

Parce que s'il n'avait pas raison et que Blake ne revenait pas, Annie ne savait pas ce qu'elle allait devenir.

5

La matinée était déjà bien entamée quand Annie se décida à sortir du lit. Elle avait passé une nuit agitée, et s'était réveillée en sanglotant dans des draps moites et entortillés. Depuis quatre jours elle errait dans la maison de son père comme une âme en peine, incapable de trouver le repos et refusant de s'aventurer au-dehors.

« *Je me suis trompé, Annie. Je te demande pardon, je t'aime. Si tu reviens vivre à la maison, je te promets de ne plus jamais chercher à revoir Suzannah.* » Ce coup de fil, elle l'attendait à longueur de journée, et quand arrivait le soir, elle sombrait dans un sommeil agité et peuplé de cauchemars.

Il fallait qu'elle réagisse, bien sûr, mais comment ? Toute sa vie durant, elle s'était occupée des autres, elle avait mis toute son énergie au service de leur bien-être. Et maintenant elle était seule, seule et désemparée.

Retourne te coucher. Oui, c'était ce qu'il y avait de mieux à faire. Se pelotonner sous les couvertures et dormir...

Il y eut un coup à la porte.

– Je descends dans une minute, balbutia-t-elle, en prenant son oreiller.

La porte s'ouvrit à la volée et Hank entra. Il portait une chemise de flanelle à carreaux rouges et bleus et une vieille salopette en jean délavée – sa tenue de bûcheron depuis près de quarante ans. Il portait un plateau chargé de victuailles. Il lui décocha un regard désapprobateur, puis posa son plateau et traversa la chambre.

– Tu as une tête de déterrée.

À ces mots, elle fondit bêtement en larmes. Elle savait qu'il avait raison. Elle était maigre, laide, pas lavée – et personne, pas même Blake, ne voudrait plus jamais d'elle. À cette pensée, son estomac se noua d'un seul coup. Elle mit une main devant sa bouche et se précipita vers la salle de bains. C'était humiliant de savoir que son père l'entendait vomir, mais elle n'y pouvait rien. Elle se brossa les dents et revint, les jambes tremblantes, dans la chambre.

Hank braqua sur sa fille un regard tranchant comme une lame.

– Cette fois, la coupe est pleine, dit-il en joignant énergiquement les mains. Je t'emmène chez le médecin. Habille-toi.

À l'idée de quitter la maison, d'affronter le monde extérieur, elle fut prise de panique.

– C'est impossible. Les gens vont...

Elle n'aurait même pas su dire ce qui lui faisait peur, mais elle savait qu'ici, dans sa chambre d'enfant, elle se sentait en sécurité.

– J'ai encore la force de te jeter par-dessus mon épaule, ma petite, et de t'emmener bon gré mal gré chez le médecin. Allons, habille-toi ou je t'emmène en pyjama.

Elle n'avait pas la force de protester. Elle savait que son père avait raison et, au fond, elle n'était pas mécontente qu'il s'occupe d'elle.

– Bon, bon, j'arrive.

Elle se dirigea lentement vers la salle de bains et enfila les mêmes habits fripés qu'elle portait le jour de son arrivée. Se coiffer demandait trop d'effort, aussi elle se peigna avec les doigts et cacha ses yeux gonflés et rougis derrière des lunettes de soleil.

– Je suis prête.

Annie regardait défiler le paysage. Derrière elle, le porte-fusils vide de son père brinquebalait contre la vitre.

Hank manœuvra habilement sa vieille Ford entre les nids-de-poule qui parsemaient la chaussée et s'arrêta devant une petite bâtisse en brique. Une pancarte peinte à la main annonçait : *Dispensaire de Mystic. Dr Gerald Burton médecin de famille.*

Annie sourit. Il y avait des années quelle n'avait pas revu ce cher vieux docteur Burton. Il l'avait vue naître et avait soigné ses rhumes et ses otites pendant près de vingt ans. Il faisait partie de son enfance, au même titre que les appareils dentaires, les concerts-promenades, et les plongeons dans le lac Crescent.

Hank coupa le moteur. La vieille Ford cracha et toussa puis tomba dans le silence.

– Ça me fait tout drôle de t'amener ici. La dernière fois c'était pour te faire vacciner contre la rougeole.

Annie sourit.

– Avec un peu de chance, si je suis courageuse, le docteur Burton me donnera un berlingot.

Hank se tourna vers elle.

– Tu es très courageuse, Annie. Ne l'oublie jamais.

Ses paroles ravivèrent des souvenirs douloureux, elle se revit soudain dans la grande maison sur le Pacifique où son mari lui avait annoncé qu'il aimait une autre femme. Avant que le chagrin n'ait pu la submerger totalement, elle rentra la tête dans les épaules et ouvrit la portière.

– Je te retrouve à...

Elle jeta un regard autour d'elle, cherchant des yeux un point de ralliement.

– À Riverpark. Tu adorais te promener là-bas.

– Va pour Riverpark, dit-elle avec un hochement de tête, en repensant à toutes les soirées qu'elle avait passées au bord de la rivière, à quatre pattes dans la boue, à la recherche de frai et de libellules.

Puis elle descendit de la camionnette, jeta son sac sur son épaule, et gravit les marches qui menaient au dispensaire.

À l'intérieur, une dame aux cheveux blancs l'accueillit.

– Bonjour. Puis-je vous aider ?

Annie eut soudain honte de sa tenue débraillée et de ses cheveux sales qui pendouillaient mollement autour de son visage. Dieu merci, elle avait des lunettes de soleil.

56

– Je suis Annie Colwater. Je voudrais voir le Dr Burton. Je crois que mon père a pris rendez-vous.

Après avoir rempli les formulaires d'usage, Annie alla s'asseoir dans la salle d'attente, et feuilleta distraitement un magazine. Un quart d'heure plus tard, le Dr Burton entra dans la salle d'attente. Malgré les années qui avaient passé, les plis de chair rose qui s'étaient formés sur son cou et son crâne largement dégarni, c'était toujours ce bon vieux Doc Burton, le seul homme de Mystic à porter une cravate pour travailler.

– Annie Bourne, ça par exemple !

Elle décocha un grand sourire au vieil homme.

– Ça fait un bail, n'est-ce pas ?

– Plutôt, oui. Viens, viens, dit-il en passant un bras autour de ses épaules et en l'entraînant dans la salle d'examen.

Elle grimpa sur la table d'examen et s'assit jambes pendantes et chevilles croisées.

Il s'assit face à elle, dans un fauteuil jaune, et la dévisagea longuement. Il portait de gros verres épais qui donnaient à ses yeux la taille de soucoupes. Et elle se demanda depuis combien de temps il portait ces lunettes.

– Tu n'as pas l'air en forme.

Elle eut un sourire forcé. Apparemment il y voyait encore suffisamment bien.

– C'est pour cela que je suis venue vous voir. Hank m'a dit que j'avais une tête de déterrée – d'après lui c'est une maladie.

Le médecin partit d'un gros éclat de rire et ouvrit un carnet d'ordonnances sur lequel il posa son stylo.

– C'est tout lui. La dernière fois que je l'ai vu, il avait la migraine et il était persuadé qu'il avait une tumeur au cerveau. Et toi, quel est ton problème ?

Elle ne savait pas par quel bout commencer.

– Je ne dors pas bien... et puis j'ai des maux de tête... des nausées... ce genre de choses.

– Tu ne serais pas enceinte par hasard ?

Elle aurait dû s'attendre à ce qu'il lui pose cette question. Mais elle ne s'y attendait pas et sa question la blessa profondément. Il y avait des années qu'un médecin ne la lui avait posée. Ses médecins traitants connaissaient la réponse, eux.

– Non.

– Des bouffées de chaleur, des cycles irréguliers ?

Elle haussa les épaules.

– J'ai toujours eu des cycles réguliers. L'année dernière j'ai eu deux mois d'aménorrhée. Honnêtement, ça n'est pas ce qui m'inquiète. Même si ma gynécologue m'a dit que la ménopause risquait de pointer le bout de son nez.

– Je n'en sais rien... il me semble que tu es encore un peu jeune pour...

Elle sourit.

– Vous êtes un flatteur.

Il ferma son bloc d'ordonnances, le posa sur ses genoux, puis la regarda à nouveau.

– Y a-t-il eu un événement dans ta vie qui aurait pu te conduire à la dépression ?

La dépression.

Un mot pour décrire une montagne de souffrance. Un mot qui éteignait le soleil que l'on porte dans son cœur, et qui vous laissait seule et désemparée dans un paysage de grisaille et de mélancolie, à la recherche d'une chose indéfinissable et qui n'avait pas de nom.

– Peut-être.

– Est-ce que tu as envie d'en parler ?

Elle considéra un instant le vieil homme, et vit de la bienveillance dans ses yeux larmoyants. Soudain, elle se sentit redevenir une petite fille de douze ans. La première de sa classe à avoir eu ses règles. Hank, qui ne savait pas comment lui expliquer la chose, l'avait prise par la main et emmenée chez le Dr Burton pour qu'il dissipe ses craintes.

Des larmes s'échappèrent de ses yeux, mais elle ne chercha pas à les essuyer.

– Mon mari et moi venons de nous séparer. Et je... j'ai accusé le coup.

Lentement, il ôta ses lunettes et se massa machinalement la racine du nez.

– Je suis navré, Annie. C'est devenu tellement fréquent de nos jours, malheureusement. Même ici, à Mystic. Et il n'y a rien d'étonnant à ce que tu sois déprimée – et la dépression explique la perte de sommeil et d'appétit, la nausée. Je peux te prescrire du Valium, et peut-être du Prozac. Quelque chose qui t'aide à tenir le coup jusqu'à ce que tu voies le bout du tunnel.

Elle voulut lui demander s'il avait jamais connu une femme qui avait vu le bout du tunnel... ou une femme dont le mari avait changé d'avis, mais c'étaient là des questions trop intimes et trop indiscrètes, si bien qu'elle ne dit rien.

Il rechaussa ses lunettes et la dévisagea longuement.

– Tu es dans une période d'extrême fragilité, Annie. Il faut prendre soin de toi. La dépression n'est pas une chose qui se traite à la légère. Et si les insomnies persistent, reviens me voir. Je te donnerai quelque chose.

– Est-ce qu'il y a des cachets capables de remplacer un mari ? dit-elle en se forçant à sourire. Si c'est le cas, je veux bien en prendre tout de suite, une pleine poignée, même.

Le médecin ne sourit pas.

– Une pleine poignée ? Le sarcasme ne sied guère à la bouche d'une jeune femme. Bon, combien de temps comptes-tu rester à Mystic ?

Elle se sentit brusquement rougir, comme une gamine de dix ans.

– Je vous demande pardon. Je repars... à la mi-juin.

À moins que Blake n'appelle entre-temps. À cette pensée elle frissonna intérieurement.

– Mi-juin, hum ? Très bien. Je veux que tu reviennes me voir le premier juin. Quoi qu'il arrive. D'accord ?

Voir que quelqu'un s'inquiétait de son avenir la réconforta.

– D'accord. Je suis sûre que j'irai mieux d'ici là.

Lorsqu'il eut raccompagné Annie à la porte, il lui tapota gentiment l'épaule en lui recommandant une fois de plus de prendre soin d'elle-même, puis il tourna les talons et regagna son bureau.

En quittant le cabinet, Annie se dirigea vers le parc. Elle se sentait mieux d'un seul coup. L'air frais et vif la revigorait, et le ciel était si bleu et lumineux qu'elle dut remettre ses lunettes de soleil. C'était une de ces rares journées de printemps qui contenaient en elles la promesse de l'été. Elle passa devant une immense statue d'un orignal taillée dans le bois et entra dans le parc, foulant aux pieds les dernières feuilles mortes amassées sur l'herbe humide.

Elle trouva Hank assis sur son banc favori, face à la rivière. Elle s'assit à côté de lui.

Il lui tendit un gobelet de café fumant.

– Je parie que tu n'en as pas bu d'aussi bon depuis que tu as quitté le lycée.

Elle saisit la tasse bien chaude à pleine main.

– Je te signale que j'ai une machine à express chez moi.

Ils burent leur café en silence. Annie écoutait le murmure familier et rassurant de la rivière.

Il sortit un croissant d'un sac en papier et le lui tendit. Son estomac se noua à l'idée de manger, et elle le repoussa d'un revers de main.

– Que t'a dit le docteur ?

– Tu ne le croiras jamais... je suis déprimée.

– Tu es toujours en colère ?

– Hier soir, j'ai imaginé Blake en train de se faire dévorer par des piranhas – c'est signe de colère, ça, tu crois ?

Comme il ne répondait pas, elle ajouta d'une voix radoucie :

– Je l'étais avant, mais maintenant... je suis complètement vidée, trop vidée pour me mettre en boule. (Elle sentit les larmes lui monter aux yeux sans pouvoir rien faire pour les arrêter. Vexée, elle détourna la tête.) Pour lui je n'existe pas, papa. Tout ce qu'il veut c'est que je signe son protocole d'accord et que je lui fiche la paix... pour lui, j'ai cessé d'exister.

– Et qu'est-ce que tu en penses ?

– Je pense qu'il a raison, dit-elle en serrant très fort les paupières. Dis-moi quelque chose, papa. Aide-moi.

– La vie continue.

Elle rit malgré elle. Elle s'était attendue à ce qu'il dise une chose comme celle-là.

– Merci, p'tit père. Je te demande un conseil, et toi, tu me sors un slogan publicitaire.

– Parce que tu crois que c'est facile de trouver un slogan publicitaire ? (Il lui tapota doucement la main.) Tout finira par s'arranger, Annie, tu verras. Blake t'aime encore. Il reviendra. Quant à toi, tu as besoin de sortir. De te changer les idées, en attendant que Blake revienne à de meilleurs sentiments.

– Encore faudrait-il que sa chérie lui en laisse l'occasion.

– Allons, petite. Tiens, j'ai un slogan pour toi, dit-il avec un sourire. Quand la vie te pince, mords-la à belles dents.

– Je n'ai plus de dents.

Il devint soudain sérieux.

– Je crois que tu devrais tout de même essayer. Tu n'as pas idée de la force que tu portes en toi.

Elle savait qu'il avait raison. Elle ne pouvait pas continuer à se morfondre à longueur de journée en attendant un coup de fil qui n'arriverait jamais.

– Il faut savoir prendre des risques parfois, ma chérie.

– J'en prends. Je ne me brosse pas les dents tous les jours, et il m'arrive de mélanger les rayures et les fleurs.

– Ça n'est pas ce...

Annie éclata de rire – son premier vrai éclat de rire depuis qu'elle avait touché le fond.

– La boule à zéro.

– Quoi ?

– Blake ne m'aimait qu'avec les cheveux longs.

Hank sourit.

– Bien, bien. Il y a toujours un peu de colère en toi, à ce que je vois. C'est bon signe.

Artis'tifs, le salon de coiffure de Lurlene, n'était pas de ceux qu'Annie avait coutume de fréquenter. C'était un petit salon de province, rose et blanc, à l'allure surannée de bonbonnière. Une véranda courait sur le devant de la maison, abritant trois rocking-chairs roses en osier.

Annie gara sa voiture sous une pancarte rose vif proclamant : *Parking réservé exclusivement à la clientèle de Lurlene. Les contrevenants s'exposent à une mise en plis forcée.*

Puis elle commença à longer l'allée pavée de dalles en forme de cœur qui menait au salon de coiffure. Une mélodie sirupeuse s'échappait d'un haut-parleur noir accroché au-dessus de la porte.

Soudain, elle hésita. Il y avait si longtemps qu'elle portait les cheveux longs. S'imaginait-elle que quelques coups de ciseaux suffiraient à lui rendre sa jeunesse ? *Calme-toi, Annie.* Elle inspira profondément pour chasser au loin ses hésitations, et gravit les dernières marches du perron.

Soudain la porte s'ouvrit à la volée, et une géante d'un bon mètre quatre-vingt-cinq à l'opulente chevelure rousse parut sur le seuil. Un caleçon rouge à paillettes (ou était-ce une couche de peinture brillante ?) moulait sa silhouette monumentale, tandis qu'un pull en laine angora, tout aussi ajusté, zébrait sa généreuse poitrine de noir et de blanc. D'énormes boucles d'oreilles assorties à son pull bringuebalaient de part et d'autre de son visage.

La femme fit un pas en avant – un tout petit pas qui fit vibrer entièrement la masse de son corps jusqu'aux sandales dorées « Barbie » qui ceignaient ses pieds de la taille de péniches.

– J'parie qu'vous êtes Annie Colwater, dit la géante avec un accent traînant du Sud. J'vous attendais, figurez-vous. Vot' papa a téléphoné pour dire que vous vouliez un

62

remaniement complet. Un remaniement complet, mazette ! On voit pas ça tous les jours à Mystic !

Elle dégringola les marches du perron avec la légèreté d'un char d'assaut.

– Bonjour, moi c'est Lurlene. Plutôt du genre costaud, mais attendez de voir ce que je sais faire avec mes ciseaux. Et maintenant, si vous voulez bien vous donner la peine d'entrer, j'vous promets qu'vous allez pas l'regretter.

Saisissant Annie par le bras, elle l'entraîna dans le salon entièrement tendu de rose et de blanc et garni de miroirs encadrés de rose. Des rideaux roses cachaient la vue du dehors et un grand tapis rose garnissait le plancher.

– Le rose c'est ma couleur préférée, proclama fièrement Lurlene. Rien de tel qu'un mélange de rose layette et de rose indien pour vous donner le moral et vous tranquilliser. J'ai lu ça dans un magazine. C'est vrai, non ?

Elles passèrent devant deux autres clientes – deux vieilles dames à la tête hérissée de petits piquets multicolores.

Tout en lavant les cheveux d'Annie, Lurlene continuait à parler à tort et à travers.

– Ma parole, ça faisait un bail que j'avais pas vu autant de cheveux. Vous pourriez en remontrer à la Barbie Disco.

Après avoir posé une serviette rose fuchsia sur les épaules d'Annie, elle la fit asseoir devant un miroir.

– Vous êtes sûre que vous voulez tout couper ? dit-elle en se penchant vers elle. J'en connais plus d'une qui donnerait n'importe quoi pour avoir des cheveux comme ça.

Mais Annie ne voulait pas céder aux papillonnements qu'elle éprouvait dans la région de son estomac. Fini les demi-mesures.

– Coupez tout, dit-elle calmement.

– Très bien, c'est vous la cliente, dit Lurlene avec un grand sourire. Vous les voulez jusqu'où ? Aux épaules... ?

– Non, non. Coupez tout.

La bouche rose vif de Lurlene s'ouvrit toute grande.

– Tout ? Vraiment tout... ?

Annie hocha la tête.

Lurlene reprit promptement ses esprits.

– Super. J'vous promets qu'vous allez pas l'regretter.

Annie essaya de ne pas penser à ce qui allait se passer. Un seul regard à son visage blême et fatigué dans le miroir, suffit à lui faire fermer les yeux... sans pouvoir les rouvrir.

Elle sentit un tiraillement sur son crâne, puis entendit le clip, clip des ciseaux. Une mèche de cheveux tomba à terre.

Clip, clip, clip.

– Je peux vous dire que ça m'a fait tout drôle quand vot'papa a appelé. Il y avait des années que j'avais entendu parler de vous. Kathy Johnson – vous voyez qui c'est ? Eh bien, elle et moi on a fait not' CAP de coiffure ensemble. Sauf que Kathy, elle l'a jamais fini. N'empêche qu'on est dev'nues copines, elle et moi. Elle m'a raconté des tas de choses qui vous sont arrivées quand vous étiez gosses. À l'en croire, Kathy, Nick et vous, vous formiez une sacrée bande.

Kathy Johnson.

Un nom qu'Annie n'avait pas entendu depuis des années. *Kathy et Annie, à la vie à la mort.* C'est ce que chacune d'elles avait écrit dans le livre d'or de l'autre, l'année du bac.

Annie aurait voulu garder le contact, entretenir leur amitié, mais malheureusement elle n'avait pas réussi. Comme c'est souvent le cas des amies d'enfance, elles s'étaient définitivement perdues de vue. Au début elles échangeaient des cartes de Noël, et puis très vite leur correspondance s'était arrêtée. Annie n'avait pas de nouvelles de Kathy et de Nick depuis des années. Les trois inséparables du lycée s'étaient séparés quand Nick avait demandé à Kathy de l'épouser.

Nick.

Annie se souvenait encore de la fois où elle l'avait vu pour la première fois, au collège. Il était entré dans la classe, l'air sûr de lui, en les toisant tous de ses yeux bleus. Il portait un vieux jean élimé, et un T-shirt blanc usé jusqu'à la corde, un paquet de cigarettes roulé dans sa manche. Il ne ressemblait à aucun des garçons qu'elle avait connus jusque-là, avec ses cheveux noirs qui lui tombaient sur les épaules et son air arrogant. Annie était tombée amoureuse au premier coup d'œil – comme toutes les autres filles de la classe, y compris Kathy, sa meilleure amie.

Mais pour finir il avait choisi Kathy, et ce jour-là, Annie avait découvert ce que c'est que d'avoir le cœur brisé.

Elle sourit à cette pensée, tout cela était désormais si loin. Et si elle allait leur rendre visite ? Elle pourrait essayer de renouer avec eux – Dieu sait combien elle aurait aimé avoir des amis en ces temps difficiles. Au même moment, elle ouvrit les yeux. *Oh, mon Dieu*, songea-t-elle en apercevant la femme pâle et hirsute qui la regardait dans le miroir. Elle referma aussitôt les paupières. Puis, quand les battements de son cœur se furent calmés, elle demanda de but en blanc :

– Comment vont Nick et Kathy ?

Les ciseaux s'arrêtèrent net.

– Comment, vous êtes pas au courant ?

– Au courant de quoi ?

Lurlene se pencha vers Annie, dans une bouffée de parfum à la rose :

– Kathy est morte il y a huit mois.

– Oh, mon Dieu...

– J'ai fait de mon mieux pour lui donner un coup de main – je garde la p'tite et autre, mais sa môme, Isabella, qu'elle s'appelle... elle tourne pas rond. Pas plus tard qu'hier elle a été virée de l'école. Non mais, si c'est pas malheureux ! Vous vous rendez compte, virer une gamine de six ans de l'école ! Ils sont pourtant au courant pour sa mère. Ils pourraient faire preuve de charité, tout de même. Et Nick a beau chercher, i'trouve personne pour garder la gosse.

– Comment est-ce arrivé ? dit Annie d'une voix blanche.

– Ils l'ont convoquée dans le bureau du principal, et voilà. Ils lui ont dit, ma petite, tu es virée. Tss ! Il manquait plus que ça. Cette gosse a besoin d'un vrai père pour s'occuper d'elle. J'aimerais bien pouvoir les aider davantage – mais il y a mon mari – il dit qu'il a assez donné comme ça – vous pensez, il en a élevé cinq, avec son ex-femme. Bref, Buddy veut rien savoir. Et moi, j'ai jamais eu d'enfants, alors j'y connais pas grand-chose. Je veux bien la garder après l'école – mais la vérité c'est qu'elle me fait peur, cette gamine, avec tous ses problèmes.

La nouvelle était arrivée de façon si brusque, Annie n'était pas sûre d'avoir bien réalisé. Kathy était morte.

Mais comment ? Hier encore, elles étaient les meilleures amies du monde, elles jouaient ensemble dans la cour de l'école, et se moquaient des garçons. Elles échangeaient leurs habits, se racontaient tous leurs secrets, et s'invitaient à dormir mutuellement chez l'une et chez l'autre. Elles s'étaient juré de rester toujours amies.

Et puis un beau jour leurs chemins s'étaient séparés... et voilà qu'aujourd'hui Kathy n'était plus.

– Nicky est en train de s'effondrer, dit Lurlene, en faisant exploser une grosse bulle de chewing-gum. Kathy et lui ont acheté la maison Beauregard, sur le lac...

La maison Beauregard. Une image surgie du passé s'imposa soudain à Annie.

– Oui, je vois où c'est. Mais vous ne m'avez toujours pas dit comment Kathy...

Le sèche-cheveux se mit brusquement en marche, emportant au loin la question d'Annie. Il lui sembla que Lurlene continuait de parler, mais elle n'arrivait pas à entendre ce qu'elle lui disait. Au bout d'un moment, le sèche-cheveux s'arrêta. Lurlene posa ses ciseaux avec un bruit métallique sur la surface carrelée du comptoir.

– Ouah, vous êtes superbe, dit Lurlene en lui pinçant doucement l'épaule. Ouvrez les yeux, et visez-moi ça.

Annie ouvrit les yeux et aperçut une inconnue dans la glace. Ses cheveux étaient coupés si court qu'il ne lui restait plus une seule boucle. La coupe accentuait sa pâleur crayeuse et sa mine fatiguée, et faisait ressortir ses yeux verts qui semblaient dévorer son petit visage de lutin. Sa bouche sans expression ressemblait à une ligne droite et incolore. Elle ressemblait à Kate Moss, à cinquante ans – et après un duel à la tondeuse à gazon.

– Oh ! mon Dieu...

Lurlene hocha la tête en souriant de toutes ses dents, comme un chien qui vous sourit à travers la vitre arrière.

– Vous ressemblez comme deux gouttes d'eau à la petite qui vient de mettre le grappin sur Warren Beatty. Vous voyez qui ? Celle qui joue dans *Le Président américain*.

– Annette Bening, dit l'une des vieilles dames depuis l'autre bout du salon.

Lurlene s'empara de son appareil photo jetable.

– Il faut absolument que je prenne une photo et que je l'envoie à Modern Coiff'. Avec ça, c'est sûr, je gagne le voyage à Reno.

Elle s'agenouilla devant Annie.

– Souriez !

Avant même qu'Annie ait eu le temps de réagir, elle appuya sur le déclencheur et se releva en mordillant le bout de son ongle synthétique.

– Je parie qu'il y a pas plus de cent femmes au monde qui peuvent se permettre de porter une coupe comme celle-là, ma jolie. Et vous faites partie du lot.

Mais Annie ne voulait qu'une chose : sortir de ce salon de coiffure au plus vite, avant d'éclater en sanglots. *Calme-toi, ça n'est pas dramatique. Ça repoussera.* Mais elle avait beau dire, elle ne pouvait s'empêcher de penser à Blake, et à ce qu'il allait dire quand il la verrait avec ses cheveux courts – s'il décidait de revenir un jour. Saisissant son sac d'une main tremblante, elle dit :

– Je vous dois combien ?

– Rien du tout, ma chère. Je sais ce que c'est de ne pas avoir le moral.

Annie se tourna vers Lurlene, et vit qu'elle était sincère.

Annie aurait voulu esquisser un sourire, mais elle en était profondément incapable.

– Merci, Lurlene. J'espère pouvoir vous le rendre un jour.

Sous son épaisse couche de maquillage, le visage de la coiffeuse se fendit d'un large sourire.

– Pas de problème. Si vous restez suffisamment long-temps à Mystic, l'occasion se présentera sûrement.

Elle se baissa et saisit une grosse boîte verte qu'elle posa sur le comptoir avec un claquement sec. Le couvercle s'ouvrit tout seul, révélant une quantité astronomique de maquillage, de quoi transformer Robin Williams en Courtney Love. Lurlene sourit de toutes ses dents et dit :

– Bien. Prête pour le ravalement de façade ?

Annie eut un haut-le-corps. Elle se voyait déjà ressortant du salon de coiffure avec une tête de nuancier pour les peintures Astral.

– N-non, merci. Je n'ai pas le temps.

Elle se leva d'un bond et fit un pas en arrière.

– Mais, mais – je vous aurais fait la tête de...

Annie bredouilla un rapide merci, puis s'élança vers la porte. Une fois dehors elle regagna sa Mustang à toutes jambes et démarra sur les chapeaux de roue dans un nuage de fumée et de gravillons. Elle n'avait pas fait cent mètres qu'elle sentit les larmes lui piquer les yeux.

Ce n'est qu'un bon quart d'heure plus tard, lorsqu'elle passa devant le terrain de golf, les mains crispées sur le volant, et le visage inondé de larmes, qu'elle réalisa qu'une question était restée en suspens.

Qu'était-il arrivé à Kathy ?

Annie erra un bon moment par monts et par vaux, sur les petits sentiers défoncés de Mystic, jusqu'à ce que les larmes cessent. Il ne fallait pas que son père la voie avec cette tête de cent pieds de long. Au bout d'un moment, ayant réussi à retrouver son calme, elle reprit le chemin de la maison.

Elle se gara à côté de la vieille camionnette rouge de son père, et commença à remonter lentement l'allée qui menait à la maison.

Prenant une profonde inspiration, elle ouvrit la porte avec un sourire.

Hank était assis à côté de la cheminée, un magazine de mots croisés sur les genoux. À son entrée, il releva la tête.

Dès qu'il l'aperçut son sourire retomba comme un soufflé qui sort du four.

– Doux Jésus, murmura-t-il.

Annie éclata de rire malgré elle.

– Ils m'ont offert le rôle de G.I. Jane, le Retour.

Hank rit à son tour. D'abord doucement, puis de plus en plus fort.

– C'est... c'est superbe, ma chérie.

– Oui, dans le genre balle de tennis, c'est pas mal. Je n'ai rien contre quelques années de moins, mais là j'ai carrément une tête de nourrisson.

Hank se leva de son fauteuil. Le magazine tomba à terre.

– Viens là, ma chérie.

Annie se précipita entre ses bras grands ouverts. Au bout d'un moment, il glissa une main dans sa poche de poitrine et en sortit un caramel. Un geste qui lui rappela son enfance. Il avait toujours un caramel prêt en cas de malheur. Quand sa mère était morte, il lui en avait donné un. Et pendant des années, après cela, à chaque fois qu'elle sentait une odeur de caramel, elle regardait autour d'elle, cherchant Hank des yeux.

Elle prit le bonbon en souriant, puis, l'ayant ôté de son papier, le mit dans sa bouche, en le faisant rouler sur sa langue. Il avait le goût délicieux de l'enfance et des souvenirs.

Son père lui caressa la joue.

– La vraie beauté est invisible pour les yeux.

– Ça c'est ce que se disent les bonnes femmes pour se remonter le moral. Mais les hommes ne voient pas les choses ainsi.

Hank lui décocha un petit sourire narquois.

– Mais moi, si. Et je te trouve absolument superbe avec les cheveux courts. Il faut que tu t'habitues, voilà tout.

– En tout cas, j'ai l'impression d'être une autre femme, et c'est ce que je voulais.

– Tu as bien fait. (Il lui tapota doucement l'épaule.) Bien, et maintenant que dirais-tu d'une bonne partie de Scrabble ?

Annie hocha la tête et il alla chercher la boîte de Scrabble dans l'armoire du salon – qu'elle n'avait probablement pas quittée depuis la dernière fois qu'ils avaient joué, vingt ans auparavant. Il épousseta le couvercle et posa le jeu sur la table basse.

Annie regardait fixement ses sept lettres de bois, en essayant de trouver un mot pour commencer le jeu.

– Au fait, papa, je n'étais pas au courant pour Kathy Johnson... Delacroix ?

Il releva la tête.

– Je ne te l'avais pas dit ? Il me semblait te l'avoir annoncé dans une de mes lettres.

– Non.

Il haussa les épaules sans relever la tête cette fois.

– Bah, maintenant tu sais. Cette Lurlene est une vraie pipelette. Désolé que tu l'aies appris par elle.

Annie voyait bien que son père était mal à l'aise. Il n'arrêtait pas de tirer nerveusement sur son col de chemise. Et il regardait ses lettres aussi fixement que s'il s'était agi des Dix Commandements. La mort était un sujet qu'il n'aimait pas aborder, en particulier quand il s'agissait de la mort d'une jeune femme qu'il avait vue grandir.

Annie n'insista pas. S'efforçant de sourire, elle choisit quatre lettres et entama la partie. Si elle voulait en savoir plus concernant la mort – ou la vie – de Kathy, il faudrait qu'elle s'adresse ailleurs.

6

Debout sous la pluie battante, Nick Delacroix contemplait le petit cerisier à demi mort qu'il avait planté l'année passée. Lentement, il se laissa tomber à genoux et baissa la tête.

Il n'avait pas versé une seule larme à l'enterrement de sa femme, ni même hier, quand sa fille de six ans avait été renvoyée de l'école, mais voilà qu'à la vue de ce petit arbre qui refusait de pousser, il se sentait pris d'une irrésistible envie de pleurer. Il se releva péniblement et, tournant le dos au cerisier, reprit lentement le chemin de la maison.

Hier, la journée avait été particulièrement pénible – la pire de toutes depuis huit mois.

Izzy avait été renvoyée de l'école.

À cette pensée son sang ne fit qu'un tour, puis sa colère fit place à un terrible sentiment de honte.

Hier, sa petite Izzy s'était présentée en larmes et les lèvres tremblantes dans le bureau de la directrice. Sa robe était sale et déchirée – et il avait eu un pincement au cœur en réalisant qu'elle l'était déjà le matin même quand elle l'avait mise pour aller à l'école. Ses beaux cheveux noirs – dont elle était si fière autrefois – étaient sales et emmêlés depuis que sa mère n'était plus là pour les coiffer.

Il s'était brusquement demandé où étaient passés tous les jolis rubans qu'elle mettait jadis.

Vous comprendrez aisément que nous ne pouvons pas la garder à l'école, monsieur Delacroix.

Izzy était restée clouée sur place, sans broncher – car depuis plusieurs mois déjà elle s'enfermait dans un mutisme absolu. C'était d'ailleurs pour cette raison qu'ils avaient décidé de la renvoyer... et pour autre chose aussi. Depuis quelques mois elle s'était mis en tête qu'elle disparaissait, morceau par morceau, un doigt après l'autre. À présent, elle portait un gant noir à la main gauche – la main qui avait disparu et dont elle ne pouvait plus se servir.

Elle n'avait pas levé les yeux, pas même cherché à croiser le regard de Nick. Mais il avait vu une larme rouler sur sa joue, puis tomber sur sa robe rose et former une minuscule tache grise.

Il avait eu envie de lui dire quelque chose de réconfortant, mais quoi ? Que pouvait-on dire à une petite fille qui a perdu sa maman ? Si bien qu'il s'était mis à broyer du noir, comme toujours, en songeant qu'il avait besoin d'un petit verre. Et pendant ce temps, sa fille était restée là, silencieuse, à le dévisager avec de grands yeux tristes.

Il se fraya un chemin à travers le séjour, enjambant les reliefs du dîner de la veille. Une mouche solitaire butinait tranquillement les restes, plus bruyante qu'une tondeuse à gazon.

Il jeta un coup d'œil à sa montre, en clignant des paupières pour chasser les larmes. Vingt heures trente.

Zut. Une fois de plus il n'avait pas vu l'heure passer.

L'idée d'aller chercher sa petite, de revoir ce petit gant noir...

Peut-être qu'avec un petit remontant. Rien qu'un seul...

Le téléphone sonna. À tous les coups c'était Lurlene qui s'impatientait.

– B'jour, Lurl, dit-il dans le combiné en s'adossant non-chalamment au mur. Désolé, je suis en retard. J'allais partir à l'instant.

– Y a pas le feu, Nicky. Buddy est de sortie avec ses copains, ce soir – et rassure-toi, Izzy va bien.

Il laissa échapper un soupir de soulagement.

– En fait, si j'appelle, dit Lurlene sur le ton de la confidence, c'est parce que j'ai une nouvelle qui devrait t'intéresser.

– Bon sang, Lurl. Tu sais bien que je n'aime pas les...

– Figure-toi que j'ai fait la connaissance d'une vieille copine à toi aujourd'hui – ça t'en bouche un coin, pas vrai ? Et franchement, je ne me l'imaginais pas du tout comme ça. À vous entendre, toi et Kath – oups ! je ne voulais pas prononcer son nom, désolée – en tout cas, c'est une fille absolument charmante. À la voir comme ça, on penserait jamais qu'elle est riche et célèbre. Elle est d'une simplicité. Le genre Sissy Spacek, si tu vois ce que je veux dire.

Nick s'efforçait non sans mal de garder le fil de la conversation.

– Tu veux dire que tu as eu la visite de Sissy Spacek au salon ?

Le rire musical de Lurlene retentit dans le combiné en gammes ascendantes et descendantes.

– Mais non. Tu n'as rien compris. On est à Mystic, ici, pas à Aspen ; je veux parler d'Annie Bourne. Elle est de passage en ville, en visite chez son père.

Nick n'était pas sûr d'avoir bien entendu.

– Annie Bourne est à Mystic ?

Lurlene se lança alors dans un récit sans queue ni tête, où il était question de cheveux coupés, de pulls en cachemire, de diamants gros comme des soucoupes. Nick avait du mal à garder le fil.

Bredouillant une vague excuse, il raccrocha.

Doux Jésus, Annie Bourne. Il y avait des années qu'elle n'avait pas remis les pieds à Mystic. Kathy avait vainement espéré recevoir un coup de fil de celle qui avait été sa meilleure amie.

Traversant à nouveau le séjour, il saisit la photo qui se trouvait sur le dessus de la cheminée. Cette photo, il l'avait vue chaque jour pendant des années, mais ne l'avait jamais vraiment regardée. Elle avait jauni avec le temps et les couleurs avaient passé. C'était une photo où ils posaient tous les trois, elle avait été prise à la fin de l'été, juste avant l'entrée en terminale. Annie, Kathy et Nick. Les trois inséparables.

Nick était au milieu, un bras passé autour des épaules de

chacune des deux filles. Il avait l'air jeune et insouciant et heureux – rien à voir avec le garçon qui, quelques mois seulement auparavant, vivait dans l'habitacle sale et étriqué d'une voiture. Cet été-là, pour la première fois, il avait connu le bonheur d'une vie « normale », et découvert ce que veut dire le mot amitié.

Et il était tombé amoureux.

La photo avait été prise en fin d'après-midi, sous un ciel d'un bleu pur et intense. Ils avaient passé la journée au bord du lac, à rire et à plonger du haut des rochers en poussant des cris de joie. C'était ce jour-là qu'il avait réalisé que son bonheur n'allait pas durer éternellement, et qu'il allait devoir choisir entre les deux filles dont il était amoureux.

Il n'avait jamais eu de doutes quant à celle qu'il allait choisir. Annie avait décroché une bourse pour aller étudier à Stanford. Elle allait partir à la conquête du monde. Mais pas Kathy. Kathy était une fille de la campagne, taciturne et mélancolique... Une fille qui avait désespérément besoin d'être aimée, choyée, réconfortée.

Il n'avait jamais oublié ce qu'il avait dit à Annie ce jour-là. Après la vie qu'il avait menée avec sa mère, il n'aspirait qu'à deux choses : le respect et la stabilité. Il voulait jouer un rôle constructif dans la société, améliorer le système judiciaire.

Il avait confié à Annie qu'il voulait devenir flic.

Oh, non, Nicky, lui avait-elle répondu dans un murmure, en le regardant dans les yeux. *Tu devrais viser beaucoup plus haut. Devenir juge, sénateur. Tu le pourrais si tu le voulais.*

Ses paroles l'avaient blessé, réduisant à néant son rêve le plus cher. *Je n'ai pas envie de siéger à la Cour suprême.*

Elle avait ri, de ce rire doux et cristallin qui lui serrait le cœur chaque fois qu'il l'entendait. *Tu devrais viser plus haut, Nicky. Il est encore trop tôt pour te décider. Attends au moins d'avoir commencé l'université.*

Mais l'université ne veut pas de moi, ma jolie. Je n'ai pas obtenu de bourse, moi.

L'expression de son visage avait subitement changé

lorsqu'elle avait réalisé qu'elle et lui n'avaient pas les mêmes rêves, qu'il ne pourrait jamais faire d'études, et qu'il n'avait pas le courage de bâtir de grands rêves. Tout ce qu'il voulait c'était secourir les gens, se rendre utile, la seule chose dont il se sentît capable.

Mais Annie ne l'avait pas compris. Comment l'aurait-elle pu – elle ignorait tout du cloaque infâme dans lequel il avait traîné étant gosse.

Oh, avait-elle dit d'une voix légèrement tremblante, comme quelqu'un qui vient de comprendre quelque chose d'important. Après cela, ils étaient restés allongés sans rien dire sur la couverture de laine, les yeux perdus dans les nuages, leurs deux corps désormais séparés par une distance infinitésimale.

Tout était si simple alors. Il aimait Annie... mais Kathy avait besoin de lui, et cela l'attirait énormément.

Quelques mois avant la remise des diplômes, il avait demandé à Kathy de l'épouser. Après leurs fiançailles, Annie et eux avaient essayé de rester amis, mais sans succès, et pour finir ils s'étaient perdus de vue. Et quand Annie était partie à l'université, le trio d'inséparables avait définitivement cessé d'exister.

Il était presque vingt et une heures trente, lorsqu'ils rentrèrent de chez Lurlene, mais Nick ne se sentit pas le courage de mettre Izzy au lit.

Izzy s'était assise en tailleur devant l'âtre noir et froid. C'était sa place préférée à l'époque où un bon feu crépitait dans la cheminée et lui réchauffait le dos. Elle tenait Miss Jemmie, sa poupée, dans un bras – ne pouvant plus se servir de l'autre depuis qu'il avait commencé à disparaître. Le silence de mort qui régnait dans la pièce était aussi épais et démoralisant que la poussière qui recouvrait les meubles.

En vain, Nick chercha un moyen d'engager la conversation avec sa fille. Izzy demeurait cloîtrée dans un mutisme obstiné.

– Je suis désolé pour ce qui est arrivé à l'école, ma chérie, dit-il maladroitement.

Elle leva sur lui ses yeux bruns, trop grands pour son petit visage pâle et frêle.

Il n'avait pas su trouver les mots qu'il fallait. Il n'était pas seulement désolé pour ce qui s'était passé à l'école, il était également désolé pour tout le reste. La vie, la mort, et toutes les choses qui les avaient conduits jusqu'ici, dans cette maison sordide. En gros, il était désolé d'être un raté, et de ne pas savoir quoi faire pour s'en sortir.

Lentement, il se leva et s'approcha de la fenêtre. Dehors, le jardin était enveloppé d'ombre. Un rayon de lune glissait à la surface du lac, et une unique ampoule jetait une lueur blafarde sur la véranda et les chaises à bascule sur lesquelles personne ne s'était assis depuis des mois. La pluie tombait du toit en rubans argentés, heurtant les marches de bois avec un clapotis régulier.

Il savait qu'Izzy l'épiait, inquiète de voir ce qu'il allait faire ensuite. Lui aussi savait ce que c'était que d'attendre, d'avoir l'estomac noué et le souffle si court qu'on a l'impression d'étouffer.

Il ferma les yeux. Le souvenir lui revint, malgré lui, ranimé par le clapotis monotone de la pluie. Il se rappela un jour où, il y avait très longtemps, la pluie martelait sauvagement le toit rouillé de la vieille Ford Impala de sa mère...

Il avait quinze ans, alors. C'était un grand gosse taciturne et secret. Debout au coin de la rue, il attendait que sa mère vienne le chercher à la sortie de l'école pendant que les autres gosses, insouciants, s'engouffraient en riant dans les cars de ramassage garés le long du trottoir. Comme il les enviait.

Puis les cars avaient démarré et disparu l'un après l'autre dans un nuage de fumée, pour regagner des quartiers de la ville où Nick n'avait jamais mis les pieds. Et la cour de l'école était devenue silencieuse. Le ciel plombé déversait des trombes d'eau glacée. Les voitures dévalaient la rue dans un concert de crissements de pneus et de coups de Klaxon.

76

Mais aucune ne s'arrêtait pour ramasser le garçon efflanqué, vêtu d'un jean troué et d'un T-shirt délavé.

Il n'avait pas de manteau d'hiver, et il avait si froid qu'il grelottait de la tête aux pieds.

Viens, maman, suppliait-il intérieurement, mais sans conviction et sans grand espoir.

Attendre sa mère avait toujours été pour lui un véritable supplice. Debout sur le trottoir, le menton rentré dans la poitrine pour essayer de se réchauffer, il se rongeait les sangs. Dans quel état allait-il la trouver ? D'humeur conciliante et tendre, comme lorsqu'elle était dans ses bons jours, ou d'humeur massacrante comme lorsqu'elle avait bu et faisait payer tous ses malheurs à son fils ?

L'ivresse était devenue son pain quotidien ces derniers temps. Sa mère ne faisait que se lamenter à longueur de journée parce que les allocations familiales ne suffisaient plus à payer le gin et qu'ils en étaient réduits à vivre dans une voiture – autant dire dans la rue.

Au premier coup d'œil il voyait si elle était soûle ou non. Un visage pâle et amer et des yeux vagues et larmoyants étaient signe qu'elle avait descendu une bouteille entière. Mais il avait beau fouiller minutieusement la voiture chaque jour pour essayer de débusquer une bouteille, il n'arrivait pas à l'empêcher de boire.

Il sautillait d'un pied sur l'autre pour essayer de se réchauffer, mais la pluie glacée lui martelait impitoyablement le dos. *Viens, maman, je t'en supplie.*

Mais sa mère ne vint pas ce jour-là. Ni le suivant. Et toute la nuit, il avait erré dans les rues de Seattle. Pour finir, il s'était endormi sous le porche d'un restaurant chinois miteux, à côtés des poubelles. Le lendemain matin, il s'était rincé la bouche et avait mangé quelques biscuits trouvés parmi les détritus, puis il était retourné à l'école.

Les flics étaient venus le chercher vers midi. Deux hommes en uniforme, au visage fermé. Ils lui avaient annoncé que sa mère avait été poignardée à mort. Ils ne lui avaient pas dit expressément dans quelles circonstances, mais Nick l'avait deviné. Elle avait essayé de vendre son corps maigre et malodorant pour le prix d'un quart de gin. Lorsque les flics lui avaient dit qu'il n'y avait pas de suspect, cela ne l'avait pas surpris. Personne, à part Nick, ne s'était jamais préoccupé du sort de sa mère – qui se serait inquiété d'une pauvresse, sale et sans domicile fixe, vieillie prématurément par l'alcool et les aléas de l'existence ?

Nick tenta de refouler ce sombre souvenir vers le bourbier nauséabond où il gardait enfouies toutes ses désillusions. Mais il avait beau faire, depuis la mort de Kathy, tout son passé lui revenait au galop.

Avec un soupir fatigué il se tourna vers la fillette silencieuse.

– C'est l'heure d'aller au lit, dit-il doucement, en songeant qu'il n'y a pas si longtemps elle aurait protesté vigoureusement à l'idée d'aller au lit sans avoir « joué avec papa ».

Mais plus maintenant. Docilement, elle se leva en saisissant sa poupée avec les deux doigts « visibles » de sa main droite. Puis sans même se retourner, elle commença à gravir lentement l'escalier. En entendant les marches grincer sous ses petits pieds, Nick sentit son cœur se serrer. Qu'allait-il faire à présent ? Izzy n'avait nulle part où aller, et personne pour s'occuper d'elle. Il avait son travail et ne pouvait pas rester à la maison pour la garder. Et Lurlene avait sa vie, elle aussi.

Qu'allaient-ils devenir ?

Par deux fois cette nuit-là, Annie s'éveilla et se mit à faire les cent pas dans sa chambre. La mort de Kathy lui avait rappelé combien la vie était courte et précieuse. Parfois la vie venait chambouler tous vos projets, elle vous ôtait toutes vos bonnes intentions, sans vous laisser la moindre chance de repartir de zéro.

Elle n'avait aucune envie de se mettre à penser à son mari – *J'aime une autre femme, Annie* – mais c'était plus fort qu'elle, les souvenirs explosaient dans sa tête, éblouissants comme des éclairs de chaleur. Elle se regarda dans la glace et examina attentivement sa nouvelle coupe de cheveux. Qui était-elle vraiment et qu'allait-elle devenir ? Au bout d'un moment, à force de se regarder fixement, elle eut l'impression que son visage se déformait et se teintait de gris, avant de se perdre dans un autre reflet, aux contours moins précis, celui d'une femme qu'elle ne connaissait pas.

Sans Blake c'était vingt ans de sa vie qui partaient en fumée. Plus personne ne se souviendrait à quoi elle ressemblait à vingt ans, ni même à trente, et il n'y aurait plus personne pour partager ses rêves envolés.

Arrête ton cinéma.

Elle jeta un coup d'œil à la pendulette qui se trouvait sur la table de chevet. Six heures du matin. Saisissant le téléphone, elle composa le numéro de Natalie, mais sa fille était déjà sortie pour la journée. Après quoi elle essaya Terri.

Terri décrocha à la cinquième sonnerie.

— J'espère que c'est sérieux, rugit-elle dans le combiné.

Annie éclata de rire.

— Désolée, ce n'est que moi. C'est trop tôt peut-être ?

— Non, non. J'adore me lever avant Dieu. Ça ne va pas ?

Ça n'allait pas du tout, mais la rengaine commençait à être lassante.

— Je fais aller.

— Vu l'heure, j'ai comme l'impression que tu n'arrives pas à dormir.

— Exact.

— Bah, je connais ça. Moi aussi j'ai pleuré et vomi pendant trois mois après que ce salopard de Rom m'a quittée. Il faut que tu te trouves des occupations.

— À Mystic, le choix est plutôt limité. À part descendre des canettes de bière. Remarque, il y a un grossiste pas loin. Ou je pourrais peut-être m'initier à la chasse au daim ou à la taxidermie.

— Ça fait plaisir de t'entendre plaisanter.

— C'est pour ne pas pleurer.

— Non, blague à part, Annie. Il faut absolument que tu

trouves à t'occuper. Tu devrais essayer, je ne sais pas moi, le shopping. T'acheter des fringues. Changer de look.

Annie passa une main dans ses cheveux courts.

– Oh, question look, j'ai radicalement changé. J'ai la boule à zéro.

Elles parlèrent pendant une bonne demi-heure encore. Lorsqu'Annie raccrocha, elle se sentait un peu mieux. Elle sortit du lit et prit une bonne douche chaude.

Puis elle s'habilla de blanc de la tête aux pieds. Pull en cachemire blanc et pantalon de lainage assorti, puis descendit préparer un petit déjeuner pantagruélique pour son père – œufs brouillés et dinde en salaison, jus d'orange, et crêpes chaudes. La bonne odeur de nourriture ne tarda pas à attirer son père au rez-de-chaussée.

Il entra dans la cuisine en resserrant la ceinture de son peignoir, gratta sa barbe en désordre et jeta un coup d'œil à sa fille.

– Déjà debout ? La migraine qui te clouait au lit aurait-elle enfin cédé ?

La pertinence de sa question rappela à Annie que son père était un vieux routard de la dépression, et qu'il avait lui-même traversé plus d'une crise. Elle alla chercher des assiettes dans le vieux buffet en chêne et mit promptement la table pour deux.

– À compter d'aujourd'hui, je reprends ma vie en main, papa. Assieds-toi.

Il fit ce qu'elle lui ordonnait.

– Il y a peut-être mieux à faire que la popote pour ton vieux papa.

Elle lui décocha un grand sourire, et vint s'asseoir en face de lui.

– En fait, j'avais l'intention d'aller faire du lèche-vitrines.

Il prit une bouchée d'œufs brouillés.

– À Mystic ? Je crains que tu ne rentres bredouille, à moins de vouloir t'acheter une canne à pêche.

Annie contempla un instant son assiette en silence. Elle

80

aurait voulu manger, mais la seule vue de la nourriture lui soulevait le cœur.

– J'avais pensé aller m'acheter quelques bouquins. C'est le moment ou jamais de parfaire ma culture générale. Je pourrais commencer par *Moby Dick*. Et puis les vêtements que j'ai apportés avec moi ne sont pas franchement adaptés.

– Je dois reconnaître que le blanc n'est pas ce qu'on fait de mieux pour patauger dans la gadoue.

Après s'être servi en ketchup, il poivra généreusement ses œufs, puis, saisissant sa fourchette, il jeta un coup d'œil à Annie en faisant de son mieux pour réprimer un sourire.

– C'est bien, ma petite fille. C'est bien, murmura-t-il doucement.

Un beau soleil de printemps illuminait Mystic. Il régnait dans les rues une activité inhabituelle. Fermiers, pêcheurs et ménagères s'empressaient de faire leurs emplettes avant que les petits nuages épars qui flottaient dans le ciel ne s'amoncellent pour déverser sur la ville une pluie torrentielle. Car ici, tous savaient combien le temps était changeant.

Annie remontait la grand-rue, s'attardant à la devanture des magasins, poussant de temps à autre la porte de l'un d'eux.

À chaque fois, une clochette se mettait à tinter au-dessus de sa tête, et une voix s'écriait :

– Bonjour, mademoiselle. Belle journée, n'est-ce pas ?

Elle fit une halte à la buvette pour acheter un double crème qu'elle sirota tout en faisant du lèche-vitrines.

Il y avait des magasins de souvenirs et d'articles de pêche, des quincailleries, des merceries, mais pas une seule librairie. Au drugstore, elle trouva le dernier roman de Pat Conroy, mais rien d'autre qui lui fît envie. Le choix était limité et elle se demanda à quoi elle allait bien pouvoir occuper son temps jusqu'à la fin de ses jours.

Pour finir, elle atteignit La Tenue d'Ève, vêtements pour

dames. Dans la vitrine, un mannequin vêtu d'un ciré jaune vif et d'un suroît assorti souriait de toutes ses dents. Sur une pancarte suspendue de guingois à son bras replié on pouvait lire : *Un air de printemps*. Des fleurs artificielles multicolores jaillissaient d'arrosoirs disposés à ses pieds chaussés de bottes en caoutchouc, et un râteau adossé à la paroi venait compléter le décor.

Annie poussa la porte de verre. Le tintement d'une clochette salua son entrée.

Au fond de la boutique, une voix de femme s'écria :

– Pas possible !

Puis Molly Block, son vieux professeur de littérature, fondit sur elle comme un boulet de canon, en agitant ses bras potelés.

– Annie Bourne ? dit-elle, en lui décochant un grand sourire. Ça par exemple !

– Madame Block ! Comment allez-vous ?

Molly posa ses mains sur ses hanches généreuses.

– Je t'en prie, appelle-moi Molly, j'ai l'impression d'avoir cent ans quand tu m'appelles Mme Block, dit-elle avec un sourire en redressant ses lunettes sur son nez. Tu ne peux pas savoir comme ça me fait plaisir de te revoir après toutes ces années.

– Moi aussi, ça me fait plaisir de vous revoir, Molly.

– Eh bien, raconte, qu'est-ce qui t'amène chez nous ? Je croyais que tu avais épousé un ténor du barreau et que tu menais la belle vie dans le smog californien ?

Annie laissa échapper un soupir.

– La roue tourne.

Molly pencha légèrement la tête de côté et toisa Annie du regard.

– Tu es superbe. Cette coupe te va à ravir. Qu'est-ce que je ne donnerais pas pour pouvoir porter la même. Malheureusement j'aurais l'air d'une montgolfière. En revanche, l'angora blanc n'est guère recommandé par chez nous. Une bonne averse et il ne te restera plus qu'une peau de lapin pour rentrer chez toi.

Annie se mit à rire.

– C'est bien possible.

Molly lui tapota doucement l'épaule.

– Viens, suis-moi.

Une heure plus tard, vêtue d'un jean à 19 dollars (qui aurait cru qu'on trouvait encore des jeans à ce prix-là ?), d'une paire de baskets, et d'un sweat-shirt gris tout ce qu'il y a de plus ordinaire, Annie s'admirait dans un miroir en pied.

Elle avait l'impression d'être une autre femme. Elle ne ressemblait plus à la future ex-femme d'un célèbre avocat californien, mais à une ménagère de province, une femme qui élevait des chevaux et repeignait elle-même son portail. Une femme avec une histoire. Et pour la première fois, elle trouva que sa nouvelle coupe de cheveux ne lui allait pas si mal.

– Ce genre de tenue te va comme un gant, dit Molly en croisant ses bras et en hochant la tête. On dirait une adolescente.

– Dans ce cas, je prends tout.

Tout en passant les articles en caisse, Molly lui raconta les derniers potins de Mystic : qui couchait avec qui, qui avait fait faillite, qui se présentait aux élections municipales.

Annie jeta un coup d'œil au-dehors. Elle écoutait Molly d'une oreille distraite, sans pouvoir se concentrer. Les paroles de Lurlene ne cessaient de lui revenir en mémoire. *Kathy est morte il y a huit mois.* Se tournant soudain vers Molly, elle dit :

– J'ai appris que... Kathy Johnson-Delacroix était...

Molly s'interrompit tandis que ses doigts boudinés tiraient nerveusement sur une étiquette.

– Quel malheur ! Vous étiez très proches, n'est-ce pas, quand vous étiez au lycée ? (Elle sourit tristement.) Je n'oublierai jamais le jour où toi, Nick et Kathy aviez monté un numéro pour le spectacle de fin d'année – un extrait de *South Pacific*, la comédie musicale. Nicky portait un soutien-gorge en noix de coco absolument désopilant, et au beau milieu de la chanson vous avez tous éclaté de rire. Vous étiez tellement écroulés de rire que vous n'avez jamais pu continuer.

– Je m'en souviens, dit-elle tout bas. Comment va Nick... vous avez des nouvelles ?

– Tss, dit Molly en coupant l'étiquette du jean d'un coup de ciseaux. Je n'en sais trop rien. Je sais qu'il fait toujours ses tournées – il est flic, tu n'es peut-être pas au courant ? Le moins qu'on puisse dire, c'est qu'il n'est pas très souriant. Sa gamine ne va pas très fort, à ce qu'il paraît. Et si tu veux mon avis, je crois qu'une petite visite ne leur ferait pas de mal.

Après avoir réglé ses achats et remercié Molly, elle regagna sa voiture et resta un moment assise derrière le volant à réfléchir.

Elle ne pouvait tout de même pas débarquer chez lui, comme ça, sans crier gare. On ne déboulait pas à l'improviste chez un inconnu. Car c'était ce qu'il était devenu : un inconnu. Elle ne l'avait pas revu depuis des années.

De plus, étant elle-même passablement déprimée, quel réconfort aurait-elle pu apporter à un homme qui venait de perdre sa femme ?

Cependant elle savait qu'elle irait le voir tôt ou tard. Elle l'avait su dès l'instant où Lurlene avait prononcé son nom. Et tant pis si ça n'avait aucun sens ; tant pis s'il ne se souvenait pas d'elle. Tout ce qu'elle savait c'est qu'il avait été jadis son meilleur ami. Et qu'elle n'avait personne d'autre vers qui se tourner.

Il faisait presque nuit quand Annie se décida enfin à aller lui rendre visite. Une petite route sinueuse, bordée d'arbres centenaires, menait à la vieille maison de Beauregard. Çà et là, à travers la masse sombre de la futaie, on apercevait un miroitement argenté sur le lac. Gris et comme nimbés de brume, les derniers rayons du soleil tombaient entre les branches gainées de mousse.

Il ne pleuvait pas, et pourtant des gouttelettes de rosée commençaient à se former sur le pare-brise. Dans ce pays aux mille cascades, l'air était chargé d'humidité et les lacs avaient des reflets d'aigue-marine. Certains, comme le lac Mystic, étaient si profonds qu'on n'en avait jamais touché le fond, et si tranquille qu'avec un peu de chance vous pouviez y apercevoir un couple de cygnes sauvages en migration venus chercher refuge en cette partie reculée du monde.

Après avoir longé la route sur une bonne distance, Annie déboucha sur une grande allée circulaire. Après s'être garée à côté d'une voiture de police, elle éteignit le moteur et jeta un coup d'œil à la maison. C'était une vieille demeure en bois, bâtie au début du siècle, dont chaque détail avait été sculpté avec amour par des menuisiers de talent.

Un pâle brouillard jaune apporté du lac par d'invisibles courants d'air enveloppait en partie la maison. Sous les fenêtres à meneaux, de longs rubans de brume formaient une flaque opalescente qui ondoyait au-dessus des marches de la véranda chaulée de blanc et s'enroulait autour des piliers de bois sculptés.

Cette maison, Annie se rappelait l'avoir vue une fois au clair de lune. À l'époque ce n'était qu'une ruine abandonnée dont tout le monde disait qu'elle était hantée. La lune projetait des ombres inquiétantes sur les carreaux cassés des fenêtres. Elle et Nick étaient venus ici ensemble à bicyclette, un soir de carnaval, un soir où Kathy était grippée.

Un jour, j'achèterai cette maison, avait dit Nick tandis que, tapis derrière une haie de rhododendrons sauvages, ils observaient la vieille demeure inhabitée.

Et puis il s'était tourné vers elle et, alors qu'elle ne s'y attendait pas le moins du monde, il l'avait embrassée. Et quand ses lèvres avaient effleuré les siennes, aussi douces et délicates que les ailes d'un papillon, elle avait fondu en larmes.

Il s'était reculé en fronçant les sourcils. *Annie ?*

Elle n'aurait pas su dire pourquoi elle s'était mise à

pleurer. Elle se sentait toute petite et idiote. C'était son premier baiser – et elle avait tout gâché.

Après cela, il avait détourné les yeux et était resté un long moment à contempler le lac, les bras croisés, une expression impénétrable sur le visage. Elle s'était approchée de lui, mais il s'était reculé et avait marmonné quelque chose comme quoi il devait rentrer à la maison. Après cela il n'avait plus jamais essayé de l'embrasser.

Balayant au loin ce souvenir, elle s'efforça de se concentrer sur le moment présent.

La vieille maison avait un air mélancolique.

Visiblement, Nick et Kathy l'avaient retapée – toutes les fenêtres avaient été remplacées, et elle avait été entièrement repeinte en jaune d'or. Une paire de volets vert sombre encadrait chaque fenêtre, mais malgré cela la maison avait un air... d'abandon.

Les géraniums et les campanules avaient séché dans leurs jardinières, ne laissant derrière eux que des tiges brunes et cassantes. La pelouse n'avait pas été tondue depuis longtemps et la mousse commençait à recouvrir l'allée pavée d'un fin duvet. Une vasque en ciment reposait de guingois sur la pelouse envahie par les rhododendrons sauvages.

Mais malgré cela c'était une des plus belles maisons qu'elle ait jamais vues. Un épais gazon d'un vert profond courait en pente douce depuis la maison jusqu'à la rive bleutée du lac. Derrière la maison, de gros nuages rebondis flottaient dans un ciel argenté et brillant comme un sou neuf.

Saisissant son sac à main, Annie traversa la pelouse et gravit les marches du perron. Arrivée devant la porte de chêne, elle s'arrêta et inspira profondément avant de frapper.

Pas de réponse.

Elle allait tourner les talons quand elle entendit un pas traînant de l'autre côté de la porte. Soudain la porte s'ouvrit et Nick parut.

Elle le reconnut au premier coup d'œil. Il était toujours aussi grand, un bon mètre quatre-vingt-cinq, mais son corps jadis agréablement musclé était aujourd'hui sec et décharné. Il ne portait pas de chemise et flottait dans un jean délavé qui semblait deux fois trop grand pour lui. Son visage était pâle et émacié. Ses cheveux trop longs étaient ébouriffés et – était-ce le temps ou le chagrin ? – ils avaient perdu leur couleur, pour ne garder qu'un éclat métallique.

Mais c'était surtout ses yeux – d'un bleu intense et profond – qui arrêtèrent son regard. Il la toisa brièvement des pieds à la tête sans omettre un seul détail, ni sa coupe de garçonnet, ni sa tenue toute simple de mère de famille de province. Et encore moins l'énorme diamant qui brillait sur sa main gauche.

– Annie Bourne, dit-il doucement, sans sourire. Lurlene m'a dit que tu étais de passage en ville.

Un silence inconfortable s'installa entre eux tandis qu'elle cherchait quoi dire. Elle fit basculer nerveusement le poids de son corps d'une jambe sur l'autre.

– Je... je suis navrée pour Kathy.

Il parut légèrement surpris, puis dit :

– Oui, moi aussi.

– Je sais combien tu l'aimais.

Il eut un moment d'hésitation comme s'il allait dire quelque chose. Elle attendit, légèrement penchée en avant, mais il ne dit rien. Il baissa simplement la tête et ouvrit grand la porte pour la laisser entrer.

À l'intérieur de la maison il faisait sombre – il n'y avait pas de lumière, et pas de feu dans la cheminée – et il flottait une odeur de renfermé.

Il y eut un cliquetis. Une lumière blanche jaillit d'une lampe sans abat-jour, l'aveuglant momentanément. Puis ses yeux s'habituèrent à la clarté.

Le séjour avait une allure de champ de bataille sur lequel on vient de jeter une bombe. Une bouteille de scotch gisait par terre à côté du sofa ; des boîtes de pizza vides jonchaient le sol çà et là et il y avait des vêtements empilés un peu partout par terre et sur les fauteuils. Une chemise bleue de policier pendait devant l'écran de télévision.

– Je n'ai guère le temps de faire le ménage, dit-il pour rompre le silence pesant.

Il se baissa pour ramasser une vieille chemise à carreaux qui gisait à terre et l'enfila.

Comme il ne disait rien, elle jeta un coup d'œil autour d'elle. Le rez-de-chaussée se composait d'une vaste salle de séjour parquetée de chêne et dominée par une grande cheminée de brique, noircie par le temps et la fumée et qui, de toute évidence, n'avait pas servi depuis longtemps. Quelques rares meubles – un vieux sofa de cuir, une table basse façonnée dans un tronc d'arbre, un fauteuil relax – étaient éparpillés au petit bonheur dans la pièce, le tout recouvert d'une fine couche de poussière. Un passage voûté menait à la salle à manger dans laquelle on apercevait une table ovale et quatre chaises garnies de coussins rouge et blanc. Tout au fond on apercevait une porte verte qui menait probablement à la cuisine. À gauche, un escalier en chêne plongé dans l'obscurité conduisait à l'étage.

Annie sentit les yeux de Nick se poser sur elle. D'un geste nerveux elle ôta un grain de poussière imaginaire de sa manche et dit :

– Il paraît que tu as une petite fille.

Il hocha la tête.

– Izzy. Isabella. Elle a six ans.

Au même moment, le regard d'Annie tomba sur la photo qui trônait sur le dessus de la cheminée. Se frayant un chemin à travers les cartons vides qui jonchaient le parquet, elle s'approcha de la photo.

– Les trois inséparables, dit-elle en souriant. Je ne me souvenais pas de celle-là...

Perdue dans ses souvenirs, Annie l'entendit vaguement aller et venir dans la pièce. Au bout d'un moment il s'approcha d'elle et dit :

– Est-ce que je peux t'offrir quelque chose à boire ?

Elle se retourna et vit qu'il tenait une bouteille et deux verres à la main. Elle eut un petit haut-le-corps, puis se rappela qu'ils étaient adultes et qu'il était donc parfaitement naturel qu'il lui offre à boire.

– Volontiers, dit-elle. Mais où est ta fille ? Tu ne vas pas me la présenter ?

Un regard étrange passa dans ses yeux.

– Elle dort chez Lurlene ce soir. Elle l'emmène au cinéma, avec les petites-filles de Buddy. Viens, on va aller s'asseoir au bord du lac.

Saisissant le plaid qui se trouvait sur le sofa, il l'entraîna au-dehors. Puis ils allèrent s'asseoir au bord de l'eau, à une distance respectueuse l'un de l'autre.

Annie trempa ses lèvres dans le vin que lui avait servi Nick. Le soleil couchant jetait des rayons rouge sang à travers les arbres. Une demi-lune pâle commençait à monter lentement dans le ciel, jetant une lueur diaphane sur les eaux bleu sombre du lac. Des vaguelettes argentées déferlaient sur le rivage, amenant avec elles une pluie de souvenirs. Comme il était loin le temps où ils étaient amis ; le temps où ils allaient assister ensemble au match de foot ou de base-ball, puis allaient dévorer des hamburgers et des frites dégoulinants de graisse ; le temps où elle lui confiait tous ses secrets.

Maintenant qu'ils se retrouvaient, après avoir cheminé pendant des années séparément sur la route chaotique de l'existence, elle ne savait plus comment renouer.

Elle soupira et prit une gorgée de vin. Elle n'aurait pas dû boire autant ni aussi vite, mais cela l'aidait à surmonter son embarras. Les étoiles commencèrent à parsemer le ciel pourpre de minuscules points de lumière. Soudain, n'y tenant plus, elle dit :

– C'est beau.

– Les étoiles...

Ils avaient parlé en même temps.

Annie éclata de rire.

– Quand on ne sait pas quoi dire on parle du temps ou du paysage.

– Mais je crois qu'on pourrait mieux faire, dit-il doucement. La vie est trop courte pour qu'on la passe à dire des bêtises.

Il se tourna vers elle, et pour la première fois elle remarqua les rides qui s'étaient creusées aux coins de ses yeux bleus. Il avait l'air triste et fatigué, et terriblement seul. Et c'est alors qu'elle comprit qu'ils étaient plus proches l'un de l'autre qu'il n'y paraissait, qu'ils étaient tous les deux victimes d'une guerre similaire. Si bien qu'elle décida de mettre les menus propos de côté, et de plonger dans le vif du sujet.

— Comment est morte Kathy ?

Il vida son verre d'un trait et le remplit à nouveau. Le liquide doré déborda légèrement et tomba sur sa jambe de pantalon.

— Elle s'est suicidée.

7

Annie écarquilla les yeux, trop abasourdie pour pouvoir répondre.

– Je...

Elle allait dire : *Je suis désolée,* mais la formule lui parut soudain trop creuse, d'une banalité presque obscène. Si bien qu'elle se tut et avala une longue gorgée de vin.

Nick ne semblait pas avoir remarqué qu'elle n'avait pas fini sa phrase – ou bien était-il soulagé qu'elle n'ait rien dit ? Il soupira en gardant les yeux fixés sur le lac.

– Tu te souviens comme il lui arrivait d'être mélancolique parfois ? Elle allait déjà très mal à l'époque, et pourtant aucun de nous ne s'en était rendu compte. Ou du moins, je ne m'en étais pas rendu compte... jusqu'à ce que les choses commençassent à se gâter sérieusement. Plus les années passaient et plus ça s'aggravait. Elle était maniaco-dépressive. Elle a commencé à avoir des crises peu après son vingtième anniversaire, six mois après que ses parents ont trouvé la mort dans un accident de voiture. Certains jours elle était adorable, et puis d'un seul coup, sans raison apparente, elle s'enfermait dans un placard et se mettait à pleurer comme une Madeleine. Elle refusait le plus souvent de prendre ses médicaments, parce qu'elle disait qu'elle avait l'impression de respirer à travers de la gélatine. (Sa voix se brisa, et il vida son verre d'un trait.) Un jour, à midi, en rentrant du boulot, je l'ai trouvée dans la salle de bains en train de pleurer et de se taper la tête contre les murs. Elle s'est tournée vers moi, le visage couvert de sang et de larmes, et elle m'a dit comme si de rien n'était :

– Bonjour, chéri. Tu veux que je prépare ton déjeuner ?

– C'est pour elle que j'ai acheté cette maison, parce que j'espérais qu'elle lui rappellerait les bons moments qu'on avait passés ensemble. Je me disais... si je lui donne une maison et des enfants, tout finira par s'arranger. Bon Dieu, moi, tout ce que je voulais c'était l'aider...

Sa voix se brisa à nouveau, et il prit une autre gorgée de vin.

– Pendant un temps ça a marché. On a retapé ce vieux mausolée en y mettant tout notre cœur, et toutes nos économies. Puis Kathy est tombée enceinte, et tout s'est arrangé. Elle prenait ses médicaments, faisait des efforts... des efforts surhumains, mais elle avait beau faire, elle était incapable de s'occuper d'Izzy. Elle a commencé à prendre la maison en grippe – le chauffage rudimentaire, la tuyauterie vétuste. Il y a environ un an, elle a renoncé définitivement à prendre ses médicaments... et c'est devenu l'enfer.

Il vida son troisième verre de vin et s'en resservit un quatrième. Puis il dit en hochant la tête :

– Et malgré cela, je n'ai rien vu venir.

C'était trop, Annie ne voulait plus l'écouter.

– Nick, tu n'es pas obligé de...

– Un soir, en rentrant du boulot, je l'ai trouvée morte. Elle s'était tiré une balle dans la tête... avec mon flingue.

Les doigts d'Annie se crispèrent sur son verre.

– Ne te sens pas obligé d'en parler.

– Mais je veux en parler. Tu es la première personne qui me pose la question. (Il ferma les yeux, et se renversa en arrière, les coudes repliés sous sa tête.)

Annie s'allongea à côté de lui, les yeux perdus dans les étoiles. Le vin lui faisait tourner la tête.

Il dit avec un sourire mélancolique :

– Un jour elle m'aimait de tout son cœur, et le lendemain elle se murait dans le silence. Et la nuit c'était pire encore, parfois elle m'embrassait et parfois elle me tournait le dos. Dans ces moments-là, si j'avais le malheur de la toucher, elle se mettait à hurler et m'envoyait au diable. Elle a commencé à raconter des choses insensées, que je la battais, qu'Izzy n'était pas sa fille, que j'étais un imposteur qui avait abattu son vrai mari de sang-froid. Pour le coup, moi aussi, je commençais à perdre les pédales. Plus elle s'éloignait et plus je cherchais à la retenir. C'était plus fort que moi. Je me disais que si je l'aimais suffisamment tout finirait par s'arranger. Mais à présent je réalise combien j'ai été stupide et égoïste. J'aurais dû écouter son médecin et la faire hospitaliser. Elle serait encore en vie à l'heure qu'il est...

Sans réfléchir, Annie tendit le bras et lui caressa doucement la joue.

– Tu n'y es pour rien.

Il la regarda tristement.

– Quand ta femme se fait sauter la cervelle dans son lit, alors que ta gamine est dans la pièce à côté, c'est qu'elle t'en veut à mort. (Il laissa échapper un petit sanglot étouffé, comme le gémissement d'un chiot.) Bon Dieu, faut-il qu'elle m'ait haï...

– Tu ne le penses pas vraiment.

– Non. Si. Parfois, dit-il, les lèvres tremblantes. Et le pire c'est qu'il m'arrivait de la haïr, moi aussi. De la haïr pour ce qu'elle nous faisait subir à Izzy et à moi. Elle commençait à se comporter de plus en plus comme ma mère... et au fond de moi-même, je savais que je ne pouvais rien pour elle. Ou alors c'est que j'ai arrêté d'essayer... je n'en sais rien.

Elle avait mal pour lui. Sans réfléchir, elle le prit dans ses bras, et se mit à le bercer comme un enfant.

– N'y pense plus, Nick...

Au bout d'un moment, il se recula. Il avait les larmes aux yeux.

– Et puis, il y a aussi Izzy. Ma... petite. Il y a des mois qu'elle n'a pas dit un mot... et voilà qu'elle s'est mis en tête qu'elle est en train de disparaître. Ça a commencé par un doigt, ensuite ça a été le pouce, puis la main tout entière, et maintenant elle porte un gant noir et elle refuse de parler.

Il essaya de sourire, en vain, puis ajouta au prix d'un effort surhumain :

– Que puis-je faire ? Ma petite s'est cachée sous le lit ce soir-là, quand elle a entendu la détonation. Dieu merci, elle n'est pas allée dans la chambre de sa mère pour qu'elle la rassure. Sans quoi, elle l'aurait trouvée dans un bain de sang, la cervelle pulvérisée.

Des larmes se mirent à rouler sur ses joues pas rasées.

Le chagrin de Nick lui alla droit au cœur, se mêlant aux eaux sombres de sa propre souffrance. Elle aurait voulu lui dire qu'il finirait par oublier, qu'il s'en sortirait, mais les mots lui manquaient.

Il la regarda à travers ses larmes, puis il lui toucha la joue et, passant sa main derrière sa nuque, l'attira à lui.

Annie comprit que cet instant resterait à jamais gravé dans sa mémoire. Un jour peut-être, elle se demanderait ce qui l'avait à ce point émue – si c'était les étoiles se reflétant sur le lac, ou ce mélange de clair de lune et de larmes qui donnait à ses yeux des reflets argentés. Ou le sentiment de solitude lové dans sa poitrine tel un serpent de glace étreignant son cœur brisé.

Elle murmura doucement son nom. Et dans l'obscurité, sa voix résonna comme une prière, une supplique.

C'est alors qu'elle posa un baiser sur ses lèvres, un baiser charitable, destiné à le réconforter. Mais quand leurs lèvres se rencontrèrent, douces et chaudes et baignées de larmes, tout bascula. Leur baiser devint soudain avide, désespéré. Elle pensait à Blake, et elle savait qu'il pensait à Kathy, mais cela n'avait pas d'importance. Plus maintenant. Ce qui importait désormais, c'était que leurs deux cœurs battent à l'unisson, et qu'à ce moment précis, ils cessent de se sentir seuls.

Elle commença à déboutonner fiévreusement sa chemise, puis laissa courir ses mains sur sa poitrine, ses épaules, son dos. Elle avait l'impression de commettre un sacrilège, de faire quelque chose de terrible et de dangereux, mais cela ne faisait qu'attiser son désir...

Avec un grognement, il arracha sa chemise et la jeta à

terre, puis les vêtements d'Annie s'envolèrent à leur tour pour atterrir dans l'herbe humide.

Elle ferma les yeux et laissa les mains de Nick courir partout sur sa peau nue. Tout au fond d'elle-même, elle savait qu'elle jouait avec le feu, qu'elle n'aurait pas dû se laisser emporter ainsi par le désir, mais il y avait si longtemps qu'un homme ne l'avait pas désirée avec autant de passion. Autant dire jamais. Et c'était si bon...

À présent, leurs deux corps ne formaient plus qu'un enchevêtrement passionné de membres et de bouches avides. Annie s'abandonnait tout entière à ses mains calleuses qui erraient sur son cou, ses seins, ses cuisses, explorant des parties de son corps qu'aucun homme n'avait encore jamais touchées. Sa respiration devint soudain précipitée, haletante. Elle le supplia :

– Oh, oui, viens... Viens ! en s'agrippant à lui avec force.

Elle sentait des larmes qui ruisselaient sur ses joues, mais elle n'aurait pas su dire si c'étaient les larmes de Nick ou les siennes, ou un mélange des deux. Et quand il la pénétra avec un long grognement, elle sentit la tête lui tourner, et crut qu'elle allait se mettre à pleurer...

Lorsqu'elle jouit, ce fut avec une violence inouïe. Il resserra son étreinte en poussant un grognement de plaisir, et quand elle sentit qu'il jouissait à son tour, elle eut à nouveau un orgasme. Elle cria son nom et enfouit sa tête contre sa poitrine baignée de sueur. Il la serra dans ses bras et lui murmura quelque chose à l'oreille. Mais son cœur battait si violemment, et son pouls résonnait si fort à ses oreilles qu'elle n'entendit pas ce qu'il lui dit.

Puis, d'un seul coup, Annie retomba sur terre. Étendue nue à côté de Nick, elle respirait par saccades précipitées et rauques. Au-dessus d'eux, le ciel d'encre était constellé d'étoiles, et la nuit embaumait le vin répandu et la passion consommée.

Lentement, Nick relâcha son étreinte. Soudain privée de la chaleur de ses mains, Annie sentit sa peau devenir moite et glacée. Il s'éloignait déjà.

Saisissant le coin de la couverture, elle la ramena sur ses seins nus, et s'écarta de Nick.

– Oh, mon Dieu, murmura-t-elle. Qu'avons-nous fait ?

Il se pencha en avant, la tête enfouie entre ses mains.

Elle étira la main pour saisir ses effets éparpillés dans l'herbe humide. Il fallait qu'elle parte tout de suite, avant de se mettre à sangloter.

– Il ne s'est rien passé, chuchota-t-elle d'une voix incertaine. Il ne s'est rien passé.

Sans même lui jeter un regard, il se rhabilla précipitamment puis se leva et se tourna de dos.

Tremblante, elle commença à se rhabiller en s'efforçant de retenir ses larmes. Il était probablement en train de penser à Kathy, de se souvenir combien sa femme était belle, et de se demander comment diable il avait pu faire l'...coucher avec cette femme, vieille et moche avec ses cheveux rasés, qui s'était laissé prendre comme une...

Pour finir elle se leva. Elle aurait voulu que la terre s'ouvre sous ses pieds et la happe tout entière.

– Je ferais mieux de rentrer à...

Elle allait dire, à la maison, mais elle n'avait plus de maison, ni de mari à présent. Elle avala sa salive, et dit :

– Rentrer chez mon père. Il doit se faire un sang d'encre.

Nick se retourna enfin, et lorsqu'il la regarda il y avait dans ses yeux une lueur de regret qui fit à Annie l'effet d'une gifle. Bon Dieu, elle aurait voulu disparaître dans un trou de souris...

– Je n'ai jamais couché avec une autre femme que Kathy, dit-il doucement sans la regarder en face.

– Oh, répondit-elle, ne sachant que dire, même si son aveu l'avait un peu soulagée. Pour moi aussi, c'est la première fois.

– Il faut croire que nous sommes passés à côté de la révolution sexuelle, toi et moi.

En d'autres circonstances, elle aurait trouvé sa remarque amusante.

– Bon, je ferais mieux d'y aller, dit-elle en faisant un signe de tête en direction de sa voiture.

Ils remontèrent l'allée en silence, et bien qu'elle prît garde de ne pas le frôler tandis qu'ils marchaient côte à côte, elle ne put s'empêcher de penser à ses mains sur son corps, à la passion qu'il avait ranimée en elle, une passion qu'elle croyait éteinte à jamais.

Brisant soudain le silence pesant, il dit :

– Si je comprends bien, Bobby Johnson a menti quand il a dit qu'il t'avait baisée après le match de foot.

Elle se figea sur place, réprimant une brusque envie d'éclater de rire.

– Baisée ?

Il haussa les épaules, puis dit avec un sourire :

– C'est lui qui l'a dit, pas moi.

Elle secoua la tête.

– Bobby Johnson a dit ça ?

– Oh, rassure-toi... il a dit que tu étais un bon coup.

Cette fois, c'était plus fort qu'elle, elle éclata de rire. Il lui ouvrit la portière, ce qui ne manqua pas de la surprendre. Il y avait des années qu'un homme ne s'était pas montré aussi galant avec elle.

– Annie ? dit-il doucement.

Elle leva les yeux vers lui.

– Oui ?

– N'aie pas de regrets, s'il te plaît.

Elle avala sa salive. En lui faisant l'amour, Nick l'avait fait se sentir belle et désirable. Comment aurait-elle pu le regretter ? Elle aurait voulu le prendre à nouveau dans ses bras, rester encore un moment avec lui. Faire n'importe quoi pour chasser le sentiment de solitude qui recommençait à s'emparer d'elle.

– Lurlene m'a dit que tu cherchais quelqu'un pour s'occuper de... d'Isabella. Je pourrais m'en occuper... dans la journée... si cela pouvait te rendre service...

Il fit la moue.

– Pourquoi ferais-tu une chose pareille ?

Le ton amer et soupçonneux de sa voix l'attrista.

– Pour moi, Nick. Parce que j'en ai besoin.

Il la dévisagea pendant un long moment. Puis lentement, délibérément, il lui prit la main et la leva vers le clair de lune. Le gros diamant qui ornait son annulaire scintilla dans la nuit.

– Tu n'as pas mieux à faire ?

À présent il allait découvrir qu'elle était revenue à Mystic parce qu'elle avait raté sa vie. Elle soupira tristement.

– Mon mari et moi venons de nous séparer...

Elle aurait voulu en dire plus, mettre une explication élégante au bout de cette horrible constatation, mais sa gorge se serra et elle sentit les larmes qui commençaient à lui picoter les yeux.

Il lâcha brusquement sa main comme si elle l'avait brûlé.

– Bon sang, Annie. Tu n'aurais pas dû me laisser geindre sur mon sort, comme si j'étais la seule personne au monde à avoir des problèmes. Tu aurais dû...

– Je n'avais vraiment pas envie d'en parler. (Voyant qu'il faisait la grimace, elle regretta immédiatement ses paroles.) Désolée. Je crois que nous nous sommes suffisamment apitoyés sur notre sort pour aujourd'hui.

Il hocha la tête et détourna les yeux.

– Un petit peu de compagnie ne ferait pas de mal à Izzy. Et moi, malheureusement, je n'ai pas le temps de m'en occuper.

– Ça tombe bien, moi aussi j'ai besoin de compagnie. Je suis un peu... déboussolée dans l'immédiat. Je crois que ça me ferait du bien de me sentir indispensable.

– Soit, finit-il par dire. Lurlene a besoin de souffler un peu. Elle et Buddy avaient l'intention de faire une virée à Branson, mais depuis qu'Izzy s'est fait renvoyer de l'école... (Il soupira.) Je dois passer chercher Izzy chez Lurlene demain. On pourrait se retrouver là-bas. Elle habite à

Raintree – tu vois où c'est ? Une maison toute rose, avec des nains de jardin sur la pelouse. Impossible de la manquer.

– Entendu. À quelle heure ?

– Treize heures ? C'est mon heure de déjeuner.

– D'accord.

Elle le dévisagea une dernière fois, puis monta en voiture et démarra.

Nick la regarda s'éloigner, puis il regagna la maison et gravit l'escalier d'un pas pesant. Arrivé devant la porte de sa chambre, il la poussa à contrecœur. Depuis huit mois il ne l'ouvrait presque plus, sauf quand il avait absolument besoin d'y prendre quelque chose. Il entra lentement, laissant à ses yeux le temps de s'habituer à l'obscurité. Il aperçut la forme vague du lit, les vêtements éparpillés un peu partout. Il aperçut la lampe que Kathy avait commandée chez Spiegel, et la chaise à bascule qu'il avait faite pour la naissance d'Izzy. Elle était immobile à présent, vide et couverte de toiles d'araignée.

Il ramassa un T-shirt qui gisait à terre, puis ressortit aussitôt et referma la porte dans un claquement. Après quoi il regagna le sofa du séjour et se servit une grande rasade de whisky. Il jouait avec le feu, il le savait. Ces derniers temps, il avait pris l'habitude de noyer ses soucis dans l'alcool.

Étendu sur le sofa, il prit une longue gorgée de whisky. Puis il vida son verre et le remplit à nouveau.

Ce que lui et Annie avaient fait ce soir ne changeait rien. Le désir qu'elle avait éveillé en lui s'était déjà dissipé, fugace et insaisissable. Bientôt elle s'en irait, et il serait à nouveau seul. Il serait à nouveau le père d'une gamine traumatisée, qui essayait tant bien que mal de tenir le coup.

Il était deux heures du matin quand Annie se gara devant la maison de son père. Son cœur se serra lorsqu'elle vit qu'il y avait encore de la lumière dans le salon. Elle n'avait pas envie qu'il la voie dans cette tenue débraillée. Bon Dieu, et s'il sentait qu'elle avait fait l'amour ?

Elle sortit de la voiture et se dirigea vers la maison. Hank l'attendait. Un feu de bois crépitait joyeusement dans l'âtre, jetant une lueur dorée dans la pièce obscure.

Elle entra et referma la porte sans bruit.

Hank leva les yeux du livre qu'il était en train de lire.

— Tss-tss, fit-il en ajustant ses lunettes à double foyer.

Annie tenta de remettre un peu d'ordre dans ses vêtements fripés et se passa nerveusement une main dans les cheveux.

— Tu n'aurais pas dû m'attendre.

— Ah non ?

Il referma son livre.

— Tu n'as pas de raison de t'inquiéter. Je n'ai plus seize ans.

— Oh, je n'étais pas inquiet... après avoir appelé la police et l'hôpital.

Annie s'assit dans le gros fauteuil jaune au coin du feu.

— Je te demande pardon, papa. J'ai perdu l'habitude de signaler mes allées et venues. Blake se fiche éperdument de... (Elle ravala de justesse une remarque mordante et s'obligea à sourire.) Je suis allée rendre visite à un vieil ami. J'aurais dû t'appeler.

— Oui, tu aurais mieux fait. Qui es-tu allée voir ?

— Nick Delacroix. Tu te souviens de lui ?

Les gros doigts de Hank se mirent à tambouriner nerveusement sur la couverture de son livre.

— J'aurais dû m'en douter. Vous vous entendiez comme larrons en foire, tous les trois, à l'époque. Il a des problèmes à ce qu'on raconte.

Annie réalisa soudain que les langues allaient bon train à Mystic.

— Je vais lui donner un coup de main. Je vais garder sa fille pendant qu'il est au travail. Je crois qu'il a besoin de souffler un peu.

— Vous n'aviez pas eu une idylle, lui et toi, quand vous

100

étiez au lycée ? (Son regard se fit soudain scrutateur.) Aurais-tu l'intention de te venger de Blake ?

– Bien sûr que non, répliqua-t-elle un peu trop vivement.

– Ce garçon va t'attirer des ennuis, Annie Virginia. C'est un bon à rien. Il file un mauvais coton et il va t'entraîner avec lui sur la mauvaise pente.

Annie sourit doucement.

– Ne te fais donc pas tant de souci, papa. Je vais faire un peu de baby-sitting, rien de plus.

– Vraiment ?

– C'est toi-même qui m'as dit que je devais trouver à m'occuper. Qu'est-ce que je peux faire d'autre ? Me lancer dans la recherche contre le cancer ?

Elle se pencha en avant, honteuse de sa propre faiblesse.

– On ne se refait pas à mon âge, papa. Et si je ne trouve pas quelque chose à faire pour m'occuper, je vais craquer. Or, il se trouve que Nick a besoin d'un coup de main.

– C'est toi qui as besoin d'un coup de main pour l'instant.

Elle lui répondit par un petit rire résigné.

– Oh, moi, tu sais, je ne compte pas.

8

Annie rejeta les couvertures et sortit du lit en titubant. Elle venait de faire un cauchemar, un cauchemar qui la poursuivait depuis des années : elle se voyait errant seule dans une grande maison vide dont elle n'arrivait pas à sortir.

Dès qu'elle s'éveilla, elle pensa à Blake. Mais bien sûr, il n'était pas là pour la rassurer, et elle avait de plus en plus de mal à croire qu'il allait lui revenir un jour.

Plus le temps passait et plus elle était seule et inutile.

Elle sentit les larmes qui commençaient à lui piquer les yeux. Hier soir, pour la première fois, elle avait rompu le vœu de fidélité qu'elle avait fait au seul homme qu'elle ait jamais aimé. Et le pire de tout c'est qu'il s'en fichait.

Nick s'apprêtait à aller déjeuner quand un appel urgent tomba : une querelle domestique à Old Mill Road.

Nick soupira et demanda à la standardiste d'appeler Lurlene pour la prévenir qu'il ne pourrait pas retrouver Annie et Izzy chez elle.

Il alluma les gyrophares, mit la sirène et s'élança sur la route défoncée qui menait hors de la ville. Puis il longea la route de la forêt de Simpson, traversa le pont qui enjambait les rapides de Hoh River, et atteignit enfin la maison de Sally et Chuck.

Une boîte aux lettres toute rouillée et cabossée pendouillait de guingois au sommet d'un piquet vermoulu. Il s'engagea prudemment dans l'allée privative : un sentier étroit et tortueux qui cheminait au cœur d'une forêt épaisse et sombre où la lumière du soleil ne pénétrait jamais, même à midi.

Au bout de l'allée, s'ouvrait une clairière d'un demi-arpent adossée à une colline boisée. Tapi à l'autre bout de la clairière, un vieux mobile home branlant reposait dans la gadoue, son toit noirci par les feuilles mortes. Des chiens invisibles jappèrent et aboyèrent à son arrivée.

Nick rappela la standardiste, pour lui confirmer son arrivée, puis bondit hors de la voiture de patrouille. Une main posée sur la crosse de son revolver, il se fraya un chemin parmi les flaques de boue qui constellaient le sentier et gravit d'un bond les caisses de bois qui servaient de marchepied. Il allait frapper à la porte, quand un cri strident lui parvint depuis l'intérieur du mobile home.

– Police ! hurla-t-il en poussant violemment la porte.

Celle-ci s'ouvrit d'un seul coup en claquant contre la paroi, faisant vibrer toute la pièce.

– Sally ? Chuck ?

Dehors les chiens redoublaient de fureur. Il les imaginait tirant sur leurs chaînes et s'entre-dévorant l'un l'autre, faute de pouvoir attaquer l'intrus qui s'était introduit chez leurs maîtres.

Il jeta un coup d'œil à la pièce. La moquette vert épinard était jonchée de canettes de bière et de cendriers. Il continua d'avancer sans bruit.

– Sally ?

Un petit gémissement lui répondit.

Nick traversa en deux pas la cuisine et enfonça la porte de la chambre à coucher.

Chuck tenait sa femme serrée contre la mince paroi de contreplaqué. Celle-ci poussait des cris stridents en essayant de se protéger le visage. Saisissant Chuck par la nuque, Nick le poussa violemment de côté. L'ivrogne laissa échapper un cri de surprise et tituba, heurtant au passage le coin d'un bureau. Nick fit volte-face et lui passa aussitôt les menottes.

Chuck cligna des paupières, les yeux dans le vague.

– Bon Dieu, Nick, geignit-il d'une voix traînante. Qu'esch-tu fais là ? On a un compte à régler, elle et moi...

103

Nick réprima une furieuse envie de lui écraser son poing sur la figure.

– Ne bouge pas, dit-il en le poussant si violemment que Chuck tomba à la renverse entraînant une lampe de chevet dans sa chute. L'ampoule se brisa, plongeant brusquement la petite pièce dans une semi-obscurité.

Une main prudemment posée sur sa matraque, Nick s'approcha de Sally qui se tenait toujours contre la paroi. Sa robe sale et déchirée était éclaboussée de sang et elle avait la lèvre inférieure fendue. Un hématome violacé commençait à s'étendre sur sa mâchoire.

Nick n'aurait pas su dire combien de fois il avait été appelé ici, combien de fois il avait empêché Chuck de tuer sa femme. Depuis qu'il s'était fait virer de la scierie, Chuck passait ses journées chez Zoe, à descendre des bières qu'il ne pouvait pas payer. Le soir venu, quand il sortait du bar en titubant, il était d'une humeur de pitbull et rentrait chez lui en zigzag pour rosser sa femme.

Nick toucha l'épaule de Sally.

Elle fit la grimace en poussant un petit gémissement.

– Non...

– Sally, c'est moi. Nick Delacroix.

Elle ouvrit lentement les paupières, et il vit une honte et un désespoir incommensurables au fond de ses yeux. Elle leva une main tremblante vers son visage pour ôter une mèche de cheveux collée par le sang. Les larmes jaillissaient de ses yeux pochés, et ruisselaient sur ses joues tuméfiées.

– Oh, Nick... c'est les Roberts qui vous ont prévenus ? dit-elle en s'écartant de lui et en se redressant d'un air digne. Ce n'est rien, il fallait pas. Chuckie a eu une mauvaise journée, voilà. L'usine de papier n'embauche pas.

Nick soupira.

– Ça ne peut pas continuer comme ça, Sally. Un de ces jours il va finir par vous tuer.

Elle essaya de sourire, mais ne réussit qu'à esquisser une grimace pitoyable, et Nick sentit son cœur se serrer. Sally

104

lui rappelait sa mère, toujours prête à trouver une excuse dès qu'il était question d'alcool.

– Oh, non, pas mon Chuckie. Il est un peu à bout, voilà tout.

– Cette fois, je vais le coffrer, Sally. Et je veux que vous portiez plainte.

Chuck se releva tant bien que mal et se laissa tomber comme une masse sur le lit.

– Tu vas pas me faire ça, hein, chérie ? Elle sait bien que j'lui veux pas d'mal, au fond. C'est juste qu'elle me tape sur les nerfs parfois. Il y avait rien à bouffer dans cette putain de tôle quand j'chuis rentré. Mais j'ai faim, bon Dieu. Un homme, ça a besoin de manger, pas vrai, Nick ?

Sally jeta un coup d'œil apeuré à son mari.

– J'suis désolée, Chuckie. J'pensais pas qu't'allais rentrer si tôt.

Nick baissa les épaules, vaincu, tandis qu'un frisson glacé le parcourait des pieds à la tête.

– Laissez-moi vous aider, Sally, dit-il doucement en se penchant vers elle.

Elle lui tapota le bras.

– J'ai pas besoin qu'on m'aide, Nick. Mais merci quand même.

Nick la dévisagea un moment en silence. Il avait l'impression qu'elle rétrécissait à vue d'œil. Elle semblait flotter dans sa robe de coton déchirée qui pendait lamentablement autour d'elle comme un chiffon. Il se dit que, tôt ou tard, il allait se présenter ici et la trouver morte.

– Sally...

– Je vous en prie, Nick, dit-elle d'une voix tremblante, tandis que ses yeux se remplissaient de larmes.

Nick n'insista pas. Il savait qu'il ne pouvait rien pour elle, même si cette idée le mettait au supplice. Mais pourquoi diable faisait-il ce boulot ? Il n'essuyait que des échecs, ou presque. Et il ne pouvait rien faire contre Chuck, sauf si ce dernier tuait sa femme, auquel cas il serait trop tard.

Enjambant un panier de linge sale, il saisit Chuck par la peau du cou.

– Allez, viens, Chuck, tu vas cuver ta bière au poste.

Ignorant les faibles protestations de Chuck, il se dirigea vers la porte, sans même jeter un regard à Sally. À quoi bon ? Cette scène, il l'avait jouée si souvent qu'elle lui revenait la nuit en rêve. Sally allait les suivre en bredouillant des excuses à son mari qui l'avait battue comme plâtre, en lui promettant que « le dîner serait prêt » la prochaine fois qu'il rentrerait.

L'attitude de Sally ne le surprenait pas. Il avait agi comme elle quand il était gosse, rampant derrière sa mère comme un petit chien qui mendie l'affection de son maître, prenant tout ce qu'elle voulait bien lui donner.

En fait, il ne la comprenait que trop bien. Il savait pourquoi Sally restait avec Chuck. Et il savait également que cela finirait mal pour tous les deux. Mais à part enfermer Chuck en attendant qu'il ait cuvé sa bière, il n'y avait rien à faire.

Izzy Delacroix était roulée en boule sur le lit. L'oreiller avait une drôle d'odeur chez tata Lurlene – une odeur bizarre. C'était une des choses qui faisaient pleurer Izzy chaque soir. Depuis que sa maman était montée au ciel, plus rien ne sentait comme avant, ni les draps ni les oreillers, ni les vêtements.

Ni même Miss Jemmie, sa poupée.

Izzy serra sa poupée contre son cœur, en caressant ses cheveux jaunes avec les deux doigts qui lui restaient à la main droite.

Au début, elle avait eu peur, quand elle avait réalisé qu'elle était en train de disparaître. Un jour, elle avait voulu prendre un crayon de couleur, et juste au moment où elle tendait la main, elle avait remarqué que son petit doigt était tout gris et brouillé. Le lendemain il avait disparu. Lorsqu'elle l'avait dit à son papa et à Lurlene, ils l'avaient regardée d'une drôle de façon, et elle avait bien vu qu'ils avaient peur, eux aussi. Et puis le vilain docteur... il l'avait regardée comme une bête curieuse.

Elle regarda les deux doigts qui lui restaient à la main droite. *Ils sont en train de disparaître, maman.*

Elle attendit une réponse, mais rien ne vint. Souvent elle s'imaginait que sa mère était assise à côté d'elle, et qu'elle pouvait lui parler.

Elle aurait voulu que cela se produise tout de suite, mais cela n'arrivait qu'à certaines heures – à l'heure violette, quand il ne faisait ni jour ni nuit.

Elle aurait voulu parler à sa maman de ce qui lui était arrivé l'autre jour. Une chose terrible. Elle était en train de regarder le livre d'images quand tout à coup un grand cri avait jailli de sa poitrine. Elle savait qu'il ne fallait pas crier quand on était à l'école – parce que les autres enfants pensaient que vous étiez stupide – si bien qu'elle avait essayé de toutes ses forces de garder la bouche fermée. Elle avait serré très fort ses poings et ses paupières jusqu'à ce qu'elle voie des étoiles dans le noir. Mais ça n'avait pas marché.

Et brusquement, elle avait eu si peur et s'était sentie si seule qu'elle n'arrivait plus à respirer. Le cri avait commencé comme un petit jappement qui s'était échappé de ses lèvres. Elle avait posé une main sur sa bouche pour essayer de le retenir, mais en vain.

Les autres enfants la regardaient, en pointant du doigt et en riant.

Mais le cri continuait à sortir. De plus en plus fort. Alors elle avait mis ses mains sur ses oreilles pour ne plus l'entendre et puis elle s'était mise à pleurer sans pouvoir s'arrêter.

La maîtresse l'avait prise par la main, en serrant très fort son petit gant vide. Et Izzy avait hurlé encore plus fort parce qu'elle ne sentait plus sa main.

– Oh, balivernes, avait dit Mme Brown. Elle n'est pas invisible.

Et puis elle avait emmené Izzy dans le couloir.

Et le cri continuait de sortir.

Elle avait crié comme ça jusque dans le bureau de la

directrice. Et les grands l'avaient regardée avec un drôle d'air – comme si elle avait été stupide ou folle – mais elle avait beau faire, elle ne pouvait pas s'arrêter de crier. Elle était en train de disparaître, un doigt après l'autre, mais personne n'avait l'air de s'en soucier.

Et puis le cri s'était brusquement arrêté, la laissant toute tremblante au beau milieu du bureau de la directrice.

Tout le monde la regardait comme une bête curieuse. Les grandes personnes parlaient d'elle comme si elle n'avait pas été là.

Alors elle s'était blottie dans un coin, entre le vilain divan vert et la fenêtre. Les grands continuaient à parler entre eux. Ils parlaient d'elle, en la montrant du doigt et en chuchotant si bien qu'elle s'était demandé si une autre partie de son corps avait disparu.

Tout le monde voulait savoir pourquoi elle ne parlait plus. Le Dr Schwaabe aussi, et même tata Lurlene et tonton Buddy. Et comme elle ne parlait pas, ils faisaient comme si elle n'entendait rien. Et tata Lurlene l'appelait sa « pauvre petite chérie » tout le temps – et chaque fois qu'elle l'appelait comme ça, Izzy se rappelait de la « chose ».

Et puis soudain, son papa était arrivé dans le bureau de la directrice. Et les grands s'étaient tus aussitôt.

Il ne serait pas venu à l'école, si elle n'avait pas crié. Alors au fond elle se disait qu'elle avait bien fait de crier, même si c'était mal, car elle était contente de voir son papa.

Elle avait voulu se jeter dans ses bras et lui dire : « Bonjour, papa », comme elle le faisait avant, quand elle avait une voix, mais il avait l'air si triste qu'elle n'avait pas osé.

Elle avait de la peine quand elle le regardait. Il était si beau, même après que ses cheveux avaient changé de couleur. Après la « chose ». Il était quand même le plus bel homme du monde. Elle se souvenait de son rire, et comment elle se mettait à rire, elle aussi, quand il riait...

Mais il n'était plus vraiment son papa. Il ne lui racontait plus d'histoires, le soir, pour l'endormir, et il ne la lançait plus en l'air pour la rattraper dans ses bras en riant. Et parfois la nuit, il sentait une drôle d'odeur de médicaments et il marchait tout de travers, comme un pantin.

– Izzy ? avait-il dit à voix basse en s'approchant d'elle.

Et l'espace d'un court instant, elle avait cru qu'il allait la toucher. Elle était sortie tout doucement de sa cachette et s'était approchée de lui. Et puis elle s'était penchée vers lui, juste un peu, en pensant qu'il verrait peut-être combien il lui avait manqué.

Il avait soupiré et s'était tourné vers les grands, et puis il avait dit :

– Qu'est-ce qui se passe, Bob ?

Izzy aurait presque voulu que le cri recommence à sortir, mais tout ce qu'elle avait senti c'était un petit picotement, et quand elle avait baissé les yeux, elle avait découvert qu'un autre doigt avait disparu. Il ne lui restait plus que le pouce et l'index à la main droite à présent.

Les grands avaient recommencé à parler entre eux, à dire des choses qui ne l'intéressaient pas. Puis son papa était parti, et Izzy était rentrée avec tante Lurlene. Encore une fois.

– Izzy, ma chérie, tu es là ?

C'était la voix de sa tante derrière la porte de la chambre.

– Izzy, sors, tu veux ? Il y a quelqu'un que j'aimerais te présenter.

Izzy aurait voulu faire comme si elle n'avait rien entendu, mais elle savait que c'était inutile. Elle espérait simplement que tata Lurlene n'allait pas encore lui donner un bain – avec de l'eau trop froide, en lui mettant plein de savon dans les yeux.

Elle soupira.

Allons, on y va, Miss Jemmie.

Saisissant sa poupée, elle roula hors du lit. En passant devant la coiffeuse, elle aperçut une petite fille maigre dans la glace, avec des cheveux noirs, pas coiffés, et un seul bras. Et les yeux tout gonflés d'avoir trop pleuré.

Elle n'avait jamais cette tête-là quand maman était là.

La porte s'ouvrit soudain et tata Lurlene parut sur le seuil, ses deux grands pieds posés l'un à côté de l'autre, son corps plié en deux à la taille.

– Bonjour, ma chérie.

Elle tendit la main et ramena une mèche de cheveux derrière l'oreille d'Izzy.

Izzy la regarda sans rien dire.

– Viens, ma chérie.

Et Izzy la suivit dans le couloir.

Annie attendait dans le vestibule tapissé de moquette rose.

Affalé sur le fauteuil relax en velours grenat, une revue de sport étalée sur la poitrine et une canette de bière dans la main droite, le mari de Lurlene toisait Annie des pieds à la tête.

Celle-ci se balançait nerveusement d'un pied sur l'autre. Elle s'apprêtait à prendre sous son aile une petite fille gravement traumatisée, alors qu'elle n'avait pas la moindre notion de psychologie et qu'elle était elle-même complètement désemparée.

Elle savait que l'amour était une chose essentielle – la plus importante de toutes – mais elle savait également que l'amour ne faisait pas de miracles. Et quand sa mère était morte, elle avait appris que certaines souffrances étaient incurables, et que certains traumatismes ne pouvaient pas être dépassés.

– Nick ne peut pas venir. Lurlene vous a prévenue ?

Annie fronça les sourcils.

– Ah, non. Je l'ignorais.

– Il n'est jamais là quand on a besoin de lui. (Buddy prit une longue gorgée de bière, en reluquant Annie par-dessus sa canette.) Vous allez vous mettre une fichue responsabilité sur le dos, ma p'tite dame. La pauvre gosse est complètement déjantée.

– Nick m'a dit qu'elle ne parlait plus, et il m'a également parlé de... ses doigts qui disparaissaient.

110

– S'il n'y avait que ça. Elle est tellement atteinte qu'elle vous entraînera par le fond vous aussi, si vous n'y prenez pas garde.

Sous-entendu : *Vous êtes complètement à côté de vos pompes, ma pauvre fille.* Avec son jean tout neuf et ses baskets d'un blanc immaculé, Annie sentait qu'elle n'était pas à sa place ici. Elle fit un geste machinal pour ramener une mèche de cheveux derrière son oreille, puis réalisa qu'elle n'avait plus de cheveux. Gênée, elle se força à sourire.

– L'averse qui est tombée hier a fait sortir les fleurs, on dirait. Ce matin, le jardin de mon père était rempli de jonquilles. J'ai pensé que...

– Annie ?

C'était la voix de Lurlene. Annie se tut brusquement, et se mit à mordiller nerveusement sa lèvre. Puis elle se retourna.

Lurlene parut à l'autre bout du couloir. Vêtue d'un pull vert fluo et d'un caleçon violet imitation peau de serpent, elle jurait avec le mobilier.

Une fillette se tenait serrée contre elle, une petite fille avec de grands yeux bruns et des cheveux noirs comme la nuit. Elle portait une robe rose trop courte qui révélait deux petites jambes frêles comme des piquets, et des chaussettes dépareillées – l'une rose, l'autre jaune – et une paire de baskets en piteux état.

Une petite fille. Et non pas un amas de problèmes psychologiques, ou la victime d'un traumatisme. Juste une petite fille comme les autres, mais à qui il manquait sa maman.

Annie sourit. Sans doute ne connaissait-elle pas grand-chose au mutisme post-traumatique ni aux traitements préconisés par les médecins psychiatres, mais elle savait ce que c'était que d'avoir peur, et elle savait ce que c'était de perdre sa maman pour toujours.

Lentement, elle tendit la main et s'approcha de la fillette.

– Bonjour, Izzy, dit-elle doucement.

Izzy ne répondit pas, mais Annie ne fut nullement

111

surprise, car elle savait qu'Izzy parlerait le jour où elle serait prête. En attendant, Annie allait se comporter comme si de rien n'était. Quand on avait vécu un tel traumatisme, le silence était peut-être une chose normale.

— Je m'appelle Annie, dit-elle en s'agenouillant devant la petite fille, et en plongeant ses yeux dans ses grands yeux tristes. J'ai bien connu ta maman, tu sais ?

Une petite lueur traversa les yeux d'Izzy.

Annie y vit un encouragement.

— Ta maman et moi, on est allées à la maternelle ensemble.

Elle sourit à Izzy, puis se releva et demanda à Lurlene :

— Vous croyez qu'elle va accepter de me suivre ?

Lurlene haussa les épaules en murmurant :

— Qui sait ? La pauvrette.

Elle s'agenouilla dans un craquement d'articulations.

— Tu te souviens de ce que je t'ai dit ? C'est Annie qui va s'occuper de toi maintenant, pendant que ton papa travaille. Tu vas être gentille, n'est-ce pas ?

— Oh, mais elle n'est pas obligée d'être gentille, si elle n'en a pas envie, dit Annie en décochant un clin d'œil à Izzy.

La petite écarquilla les yeux.

— Ah. (Lurlene se releva et sourit à Annie.) Dieu vous bénisse.

— Oh, vous savez, si je le fais c'est parce que ça me fait plaisir. Bon, on y va.

Annie regarda Izzy.

— J'ai hâte que tu me montres ta chambre à coucher. Je parie que tu as des tas de jouets fantastiques. J'adore jouer à la poupée.

Puis elle l'entraîna vers la voiture et la fit monter à l'avant.

Une fois installée dans la voiture, sa ceinture de sécurité soigneusement verrouillée, Izzy pencha la tête de côté comme un oiseau, et garda les yeux fixés sur le pare-brise.

Annie mit le contact et sortit prudemment en marche arrière en ayant soin de ne pas percuter un nain de jardin

112

au passage. Tout en conduisant, elle se mit à parler de tout et de rien, des Indiens Quinault, des étalages de saumon et de crabe qui bordaient la route, des feux d'artifice, de l'importance de préserver les forêts, de l'art du mime, de ses films préférés, du camp de scouts qu'elle avait fait avec Kathy et des soirées autour d'un feu de camp – et pendant ce temps-là, Izzy regardait fixement le pare-brise.

Tout en longeant la route sinueuse bordé d'arbres centenaires qui menait au lac, Annie eut soudain l'impression de remonter dans le temps. Une fois arrivée à Beauregard, elle s'arrêta et resta un long moment assise derrière le volant de la Mustang, à contempler la vieille maison. La maison de Nick à présent.

Un jour j'achèterai cette maison.

Cette phrase lui avait paru ridicule à l'époque, comme un rêve de jeune homme, une phrase qu'on dit au clair de lune pour épater les filles.

Mais maintenant, elle voyait les choses différemment, il y avait de la magie dans ces mots. Et son cœur se serra lorsqu'elle réalisa qu'elle n'avait jamais eu de rêve semblable quand elle était adolescente.

La maison occupait le centre d'une clairière bordée de grands sapins vert sombre. De tous côtés des rhododendrons et des azalées étalaient leurs feuilles vernissées, larges comme des soucoupes. Des feuilles mortes, noires et gluantes, jonchaient la véranda et la pelouse.

Le soleil, pâle et larmoyant, illuminait la façade jaune d'or de la maison et jetait des ombres sur la pelouse verdoyante. Elle semblait triste et abandonnée, cette grande belle demeure victorienne. Par endroits la peinture s'était écaillée et les ardoises du toit s'étaient envolées, mais ce n'étaient que de petits détails extérieurs, faciles à réparer.

– Je parie que c'était un fortin, dit Annie en apercevant les restes d'une cabane entre les branches d'un aulne. Ta maman et moi, on avait un...

La ceinture d'Izzy se défit avec un claquement sec et s'enroula prestement. La boucle de métal percuta la vitre.

La petite ouvrit la portière et partit en courant vers le lac. Elle s'arrêta net devant un espace clôturé, au pied d'un gigantesque érable au tronc gainé de mousse.

Annie s'empressa d'aller rejoindre la fillette. Derrière la clôture blanche à demi effondrée, s'étiraient les restes de ce qui avait dû être autrefois un jardin magnifique. Contrairement au reste de la propriété, il n'était pas complètement envahi par les herbes folles. Ce qui laissait supposer qu'il avait été entretenu avec amour.

– C'était le jardin de ta maman, n'est-ce pas ? dit-elle doucement.

Izzy resta immobile, tête baissée.

– Les jardins ne sont pas comme les personnes. Ils ont des racines solides et profondément enfoncées dans la terre, et si on est suffisamment patient et qu'on fait ce qu'il faut, on peut les faire revenir à la vie.

Izzy se tourna lentement vers Annie, inclina légèrement la tête et leva les yeux vers elle.

– Ce jardin-là, je crois qu'on pourrait le sauver, Izzy. Ça te plairait ?

Très lentement, Izzy étira la main, puis, saisissant la tige morte d'un chrysanthème entre son pouce et son index, elle tira de toutes ses forces.

Elle tendit la fleur à Annie.

– Oh, Izzy, dit doucement Annie, sentant les larmes lui monter aux yeux.

Cette vieille fleur toute desséchée au bout de sa tige pleine de terre était le plus beau cadeau qu'elle ait jamais reçu.

Car il signifiait qu'Izzy était encore du côté de la vie.

9

Izzy prit Miss Jemmie sous son bras, ne pouvant guère faire mieux sans s'aider de ses doigts, puis elle suivit la jolie dame aux cheveux courts.

Elle était contente d'être de retour à la maison, même si elle savait que ça ne durerait pas. Quand elle allait voir le désordre de papa, la jolie dame allait s'enfuir en courant. Les dames n'aimaient pas le désordre.

– Viens, Izzy, appela la dame depuis la véranda.

Izzy commença à gravir les marches. Elle aurait voulu que son papa ouvre brusquement la porte et dégringole en quatrième vitesse les marches de la véranda pour la prendre dans ses bras, comme il le faisait autrefois, et qu'il l'embrasse dans le cou à l'endroit où ça chatouillait.

Mais cela n'arriverait pas. Cela n'arrivait jamais.

Elle se souvint de la première fois où son papa les avait amenées ici. À l'époque il avait encore les cheveux noirs, et il ne rentrait jamais avec cette vilaine odeur sur lui.

Il l'avait prise dans ses bras en riant. C'était merveilleux. *Non, mais est-ce que tu te rends compte, Kath ? On va planter un verger là-bas... et mettre des chaises à bascule sur la véranda pour les soirs d'été... et quand les beaux jours arriveront on pourra manger sur l'herbe...* Il avait embrassé Izzy sur la joue. *Qu'est-ce que tu en dis, mon petit rayon de soleil ? Poulet rôti, milk-shakes et dessert à volonté ?*

Elle avait répondu : *Oh, oui, papa*, mais ils n'avaient jamais mangé sur l'herbe, ni ici ni ailleurs...

La porte d'entrée grinça. Se souvenant que la dame l'attendait, Izzy gravit les marches à contrecœur. La dame – qui s'appelait Annie – alluma la lampe qui se trouvait à côté du sofa. La lumière tomba sur le désordre de papa. Des bouteilles vides, des cartons de pizza, des affaires sales éparpillées dans tous les coins.

– Eh bien, ton père et Monsieur Propre, ça fait deux !

Ça y est, songea Izzy en se renfrognant. On allait la renvoyer chez Lurlene. Mais Izzy ne voulait pas retourner là-bas, dans cette maison où le lit avait une drôle d'odeur et où les gens l'appelaient « ma pauvre petite ».

Mais Annie ne se sauva pas en courant. Se frayant un chemin à travers le fouillis, elle s'approcha des deux grandes portes-fenêtres et ouvrit tout grands les rideaux. Un nuage de poussière s'envola. Le soleil inonda aussitôt le séjour.

– Ah, voilà qui est mieux, dit-elle en jetant un coup d'œil autour d'elle. J'imagine que tu ne sais pas où sont les balais etc. ? Encore qu'un bulldozer ferait l'affaire. Voire un lance-flammes.

Le cœur d'Izzy se mit à battre plus vite, et elle sentit quelque chose se serrer dans sa poitrine.

– Je reviens, dit Annie en lui décochant un petit clin d'œil.

Puis elle disparut dans la cuisine.

Izzy se tint immobile, respirant à peine, écoutant attentivement les battements précipités de son cœur.

Annie revint dans le séjour, un grand sac-poubelle dans une main, et un balai et un seau dans l'autre.

Le cœur d'Izzy se mit à battre encore plus vite. Elle pouvait à peine respirer. Lentement, elle s'approcha d'Annie, craignant que la dame ne lève les bras au ciel en s'écriant : *Cette fois la coupe est pleine, Nicky*, comme le faisait sa maman.

Mais Annie ne fit rien de tout cela, elle se pencha en avant et commença à ramasser les détritus, et à les mettre un à un dans le sac-poubelle.

Lentement, Izzy se rapprocha encore un peu plus.

Sans lever les yeux, Annie dit :

– Ça n'est jamais que du fouillis. Il n'y a pas de quoi en faire un drame. Un bon coup de balai et il n'y paraîtra plus. Si tu avais vu le désordre dans la chambre de ma fille !

Remarque, ça ne l'empêchait pas d'être la plus adorable des filles.

Elle parlait, parlait, sans s'arrêter, et sans attendre de réponse, et petit à petit Izzy commençait à se détendre.

– Je venais ici, parfois, la nuit, quand j'étais plus jeune, avec ta maman et ton papa. On regardait à l'intérieur de la maison par les vitres cassées, et on s'amusait à inventer des histoires sur les gens qui habitaient dans cette maison autrefois. Moi, j'ai toujours pensé qu'il s'agissait d'un couple de gens riches venus de la côte Est, elle portait des robes du soir et lui des smokings. Ton papa, lui, disait que c'était des gens qui jouaient au poker et qui avaient tout perdu au cours d'une partie de cartes. Et ta maman, tiens, c'est drôle, je ne me souviens plus de ce qu'elle disait. C'était probablement quelque chose de romantique. (Elle s'arrêta de parler, juste le temps d'un sourire.) Quand les beaux jours reviendront on pourra manger sur la pelouse. Ça te dirait ?

Izzy eut soudain envie de pleurer. Elle aurait voulu dire : *Oui, on mangera du poulet rôti avec des milk-shakes et des desserts à volonté*, mais elle ne le fit pas. De toute façon, ça n'était qu'un rêve. Une promesse de grand qui ne se réaliserait jamais. Et c'était dommage.

– Tiens, mais j'y pense, pourquoi on ne pique-niquerait pas aujourd'hui ? enchaîna Annie. Quand j'aurai fini le ménage, on ira s'installer dehors avec des biscuits et du jus de fruits. Qu'est-ce que tu en dis ? Oh, oui, Annie, c'est une EX-cellente idée ! Natalie, c'est ma fille – c'est une grande à présent – elle adorait les Frosties. Je parie que toi aussi tu les aimes ?

Izzy réprima un sourire inattendu. Elle aimait cette façon qu'Annie avait de ne pas attendre de réponse. Car ainsi Izzy ne se sentait pas différente, parler ou se taire, cela revenait au même.

Lentement, pas à pas, elle s'éloigna et alla s'asseoir sur le sofa pour regarder travailler Annie. Petit à petit les détritus disparaissaient, et la maison commençait à ressembler à une vraie maison.

Annie frappa doucement à la porte de la chambre d'Izzy. Pas de réponse. Elle entra. La chambre, petite et sombre, était mansardée. Une lucarne, habillée de rideaux de dentelle à travers lesquels filtraient les derniers rayons du soleil, donnait sur le jardin. Les murs étaient tapissés d'un joli papier rayé bleu lavande et un couvre-pieds assorti recouvrait le lit. Une lampe de chevet Winnie l'ourson était posée sur la table de nuit.

Chaque détail de cette chambre avait été pensé avec soin, cela sautait aux yeux. Nick et Kathy avaient voulu créer un endroit idéal pour leur enfant et, de toute évidence, ils y avaient mis beaucoup d'amour et d'argent. Annie se rappela les rêves et les projets qu'elle faisait quand elle était enceinte. Tout commençait avec la chambre du bébé.

Annie ne savait pas grand-chose de la psychose maniaco-dépressive, ni dans quelles circonstances elle était survenue chez Kathy, mais il était évident que Kathy aimait sa fille. Cette chambre en était la preuve.

Se frayant un chemin à travers les vêtements éparpillés sur le plancher, elle s'approcha du lit. Le profil délicat d'Izzy se découpait comme un camée sur la taie d'oreiller jaune pâle. Une couverture violette moelleuse, soigneusement bordée, recouvrait la petite jusqu'au menton. Sa poupée de chiffon – Miss Jemmie, lui avait dit Lurlene – gisait à terre, ses grands yeux noirs regardant fixement le plafond. La petite main gantée de noir d'Izzy reposait comme une tache d'encre sur le couvre-lit crocheté.

Bien qu'elle eût scrupule à réveiller la petite, Annie savait qu'il fallait fixer des limites. Les enfants avaient besoin de mener une vie réglée. Elle avait mis Izzy au lit à deux heures et demie – et à son grand étonnement, la fillette s'était endormie aussitôt. À présent il était quatre heures, l'heure de se lever.

Se penchant au-dessus de la fillette, elle lui secoua doucement l'épaule.

– Réveille-toi, mon petit loir.

Izzy émit un petit miaulement et se blottit plus profondément sous les couvertures.

– Oh, non. Pas question. Allons, Izzy, debout.

Un œil brun s'ouvrit. S'aidant des deux doigts de sa main droite, Izzy repoussa ses couvertures. Clignant des yeux et bâillant, elle s'assit dans le lit, la moitié du visage caché par une longue mèche de cheveux noirs emmêlés.

– Je pense que tu devrais prendre un bain avant que ton papa ne rentre à la maison, dit Annie en souriant et en brandissant un sac plein de surprises qu'elle avait apporté avec elle. Je t'ai acheté de nouveaux habits, et plusieurs autres petites choses – Lurlene m'avait donné ta taille. Allons, viens.

Elle aida Izzy à sortir du lit, puis l'entraîna vers la salle de bains. Puis elle ouvrit les robinets pour remplir la baignoire.

Elle s'agenouilla ensuite devant la petite fille.

Izzy la dévisageait d'un air méfiant.

Annie regarda la main gantée de l'enfant et dit :

– N'est-ce pas que c'est désagréable de sentir qu'on disparaît par morceaux ? Allez, les bras en l'air.

Izzy leva docilement le bras droit, tandis que son bras gauche et sa main gantée pendaient mollement le long de son corps.

Annie s'assit sur ses talons.

– Comment fait-on au juste pour déshabiller les parties invisibles ? Peut-être qu'en ôtant ton pyjama un bras après l'autre...

Lentement elle ôta la manche du bras « invisible ». Puis elle saisit le gant.

Izzy eut un geste brusque de recul.

– Oh, désolée. Le gant ne se retire pas ?

Izzy gardait les yeux fixés sur un point situé quelque part derrière l'oreille gauche d'Annie.

– Je comprends. Il n'y a pas de gant, c'est ça ?

Izzy se mordit la lèvre inférieure en continuant de regarder fixement ailleurs.

Annie se releva. Saisissant délicatement Izzy par les épaules, elle l'amena à la baignoire et l'aida à s'installer dans l'eau chaude. Izzy s'agrippa fermement au rebord de la baignoire par-dessus lequel reposait son bras gauche.

– Ce n'est pas trop chaud, au moins ? demanda Annie. Mais non, Annie, c'est parfait. Il est exactement comme je les aime.

Izzy leva sur elle un regard étonné.

Annie sourit.

– Je suis capable de tenir une conversation toute seule. Quand j'étais petite – j'étais fille unique, moi aussi – je le faisais tout le temps.

Annie versa une dose de bain moussant sous le robinet. Izzy regarda, ébahie, le tapis de mousse blanche qui commençait à se former autour d'elle.

Puis Annie alluma des bougies qu'elle avait trouvées à la cuisine. Une bonne odeur de vanille se répandit dans l'air.

– Les petites filles aiment bien les atmosphères romantiques, n'est-ce pas ?

Elle glissa la main dans le sac qu'elle avait apporté.

– Tiens, regarde un peu ça. Du shampooing pour bébé, une savonnette Pocahontas, une serviette du Bossu de Notre-Dame, et un peigne de la Belle et la Bête. Et cette ravissante salopette. Lavande avec de petites fleurs jaunes – exactement comme les fleurs que nous allons planter dans le jardin de ta maman – et un petit chapeau jaune assorti.

Elle continua de parler sans interruption, posant des questions auxquelles elle répondait elle-même, pendant qu'elle lavait Izzy. Pour finir elle l'aida à sortir du bain et l'enveloppa dans un grand drap de bain aux couleurs chatoyantes, puis elle commença à lui peigner les cheveux.

– Je me souviens, quand ma fille Natalie avait ton âge. Rien que de la regarder, mon cœur se serrait.

Elle tressa ensuite les cheveux d'Izzy en deux nattes parfaites au bout desquelles elle noua deux rubans de satin jaune.

– Tourne-toi.

120

Consciencieusement, Izzy pivota sur elle-même.

Annie lui enfila ensuite des sous-vêtements en coton blanc tout neufs puis lui enfila la chemisette et la salopette assortie qu'elle lui avait achetées. Après quoi elle entraîna Izzy vers le miroir en pied qui se trouvait dans un coin de la salle de bains.

La petite fille se dévisagea pendant un long moment dans la glace. Puis, très lentement, elle leva la main droite et effleura les nœuds de satin du bout du doigt. Sa petite lèvre se mit à trembler, et une larme se mit à rouler sur sa joue rouge d'émotion.

Annie avait compris.

– Je parie que tu étais exactement comme ça avant, Izzy ?

Elle déposa un petit baiser sur le front de la fillette qui sentait bon la savonnette, à présent, et le shampooing pour bébé. Comme toutes les autres petites filles.

Annie la regarda dans les yeux et dit :

– C'est beaucoup plus amusant de jouer à deux que toute seule, tu ne trouves pas ? C'est la même chose avec le chagrin. Parfois, quand on le partage avec quelqu'un il finit par s'en aller.

Izzy ne répondit pas.

Annie sourit.

– Bien, maintenant, je crois que je vais avoir besoin d'un coup de main. J'ai préparé le dîner mais malheureusement, je ne sais pas où sont les assiettes. Tu veux bien m'aider ?

Izzy cligna des yeux.

Annie prit cela pour un oui.

Ensemble elles descendirent à la cuisine. Izzy s'approcha docilement de la table et s'assit, ses petits pieds pendant dans le vide.

Tout en tournant la pâte à beignets, Annie dit :

– Est-ce que tu sais mettre la table ?

Izzy ne répondit pas.

– Hum. Ça ne marchera jamais, mamz'elle Izzy. (Annie saisit une cuillère et la tendit à la fillette.) Tiens, prends ça.

Izzy saisit la cuillère entre le pouce et l'index, puis leva les yeux vers Annie en fronçant les sourcils.

– Tu secoues la cuillère une fois pour dire oui. Et deux fois pour dire non. Ça s'appelle un code... comme ça on n'a pas besoin de parler. Maintenant, est-ce que tu peux me montrer où sont rangées les assiettes ?

Izzy regarda longuement la cuillère sans bouger. Puis, très lentement, elle la secoua une seule fois.

– Salut, Nick, il paraît que la fille de Hank Bourne est de retour en ville ?

Nick leva nonchalamment les yeux de son verre. Une migraine lancinante lui martelait les tempes et il avait du mal à fixer son regard. En quittant Old Mill il avait emmené Chuck au bloc, même s'il savait que c'était peine perdue. Sally s'était aussitôt présentée au poste de police pour s'assurer qu'aucune charge n'avait été retenue contre son mari. Après quoi elle avait raconté au flic de service qu'elle avait fait une chute dans un escalier.

Nick s'était arrêté chez Zoe pour prendre un verre – rien qu'un seul pour se détendre un peu – avant de rentrer à la maison et d'affronter Annie et la petite. Mais comme toujours, un verre en appelait un autre, et ainsi de suite...

Nick resserra ses doigts autour de son verre et prit une longue gorgée de whisky.

– Ah, ouais !

Joel Dermot se rapprocha de lui.

– Je me souviens d'Annie Bourne. Elle était chez les scouts avec ma fille.

Nick ferma les yeux. Il n'avait pas envie de penser à l'époque lointaine où ils avaient été les meilleurs amis du monde, à l'époque bénie où ils allaient tous les trois aux matches de base-ball en se serrant sous un grand parapluie rouge, car alors il se mettait à penser à l'autre soir, quand ils avaient fait l'amour au bord du lac. Et cela le conduisait immanquablement à se demander pourquoi il avait choisi Kathy.

122

Il l'avait choisie parce qu'elle avait besoin de lui... mais il n'avait pas été à la hauteur, et il avait brisé leurs vies à tous les deux. Et voilà qu'il était assailli par des pensées dangereuses – qu'aurait été sa vie s'il avait choisi Annie, et que serait-elle si Annie décidait de rester à Mystic ?

Tu oublies qu'elle est mariée avec un autre homme.

Nick jeta un billet de vingt dollars sur le comptoir et sortit en titubant du bar. Puis il monta dans sa voiture de patrouille et prit la direction de la maison. Quand il s'engagea sur l'allée privative, sa migraine lancinante ne l'avait toujours pas quitté, et il avait l'impression d'avoir parcouru dix mille kilomètres sur une route défoncée. Il avait mal partout. Il ne voulait qu'une chose : boire et oublier.

Lentement, il sortit de la voiture, remonta l'allée puis gravit les marches branlantes de la véranda.

Annie était allongée sur le sofa. En entendant la porte se refermer avec un petit claquement sec, elle se redressa et se tourna vers lui, un sourire endormi sur les lèvres.

– Oh, dit-elle, je crois bien que je me suis assoupie.

Elle était si belle qu'il en resta un moment sans voix. Il recula d'un pas, mettant le plus de distance possible entre eux, puis il dit, en évitant son regard :

– Désolé d'être en retard. Je n'ai pas pu aller chez Lurlene, j'ai été appelé d'urgence, et, bref...

Elle rejeta la couverture et se leva. Ses habits étaient fripés, et sa joue droite striée de petits plis roses.

– Ce n'est pas grave. Izzy et moi avons passé une excellente journée. Je crois que nous allons bien nous entendre, elle et moi.

Il aurait voulu dire quelque chose pour soulager sa conscience, lui donner une bonne image de lui-même. Mais rien ne lui venait à l'esprit. Il avait une envie absurde de lui raconter sa journée, de lui dire combien il avait été ébranlé par la scène à laquelle il avait assisté. Mais c'étaient-là des choses trop intimes et il ne s'en sentit pas le courage.

Saisissant son sac à main sur la table basse, elle dit :

– Si tu veux... demain soir, je pourrais vous préparer un bon dîner. Je crois que ça ferait plaisir à Izzy.

– Bonne idée. Je serai de retour à six heures.

Elle se dirigea vers la porte, mais juste au moment de sortir, elle se retourna et dit :

– Dorénavant... j'aimerais que tu m'appelles quand tu sais que tu vas être en retard.

– Oui, bien sûr, je suis désolé.

Elle lui sourit et sortit de la maison.

Il la regarda s'éloigner, puis quand les points rouges de ses feux arrière eurent disparu dans la nuit, il monta lentement l'escalier et regagna la chambre d'amis où il dormait depuis huit mois quand il ne s'endormait pas sur le canapé. Après avoir ôté son uniforme, et enfilé un vieux survêtement, il se dirigea vers la chambre d'Izzy. Une fois devant sa porte, il fit une pause et inspira profondément.

Une petite veilleuse était allumée à côté du lit. Saisissant le livre d'histoires préféré de sa fille, il s'assit tout doucement au bord du lit. Izzy se retourna dans son sommeil, mais sans se réveiller.

Il ouvrit le livre. Autrefois, quand il venait lui faire la lecture le soir, elle se blottissait contre lui et, inclinant légèrement la tête, lui demandait avec un grand sourire :

– Dis papa, qu'est-ce que tu vas me lire ce soir, papa ?

Il ferma les yeux et serra les paupières. Il fut un temps où elle disait *papa* au début et à la fin de chaque phrase. Il se pencha tout doucement vers elle et déposa un baiser sur son front satiné. Elle sentait bon la savonnette, et il se souvint de l'époque où il lui donnait son bain...

Il laissa échapper un long soupir. À présent, il se contentait de lui lire quelques pages de son livre quand elle était assoupie. En espérant que les mots pénétreraient dans son esprit endormi. C'était une façon futile et bête de lui dire qu'il l'aimait, certes. Mais il ne pouvait guère faire mieux.

Il lut le livre d'une voix chantante et douce, puis il le reposa tout doucement sur la table de nuit.

– Bonsoir, Izzy chérie, murmura-t-il, en déposant un dernier baiser sur son front.

De retour au rez-de-chaussée, il alla à la cuisine et se versa un grand verre de whisky. Après quoi, ouvrant la porte d'un coup de pied, il sortit sur la véranda et se laissa tomber dans un fauteuil.

Brusquement, la scène de Weaver House lui revint à l'esprit, l'odeur de bacon et de désinfectant, le lino de la cuisine qui commençait à se décoller. Il se rappela l'hématome, sur la joue de Sally, qui s'étalait à vue d'œil, comme une tache de sang sur un mouchoir en papier.

Autrefois, il y a très longtemps, il s'imaginait qu'il pouvait sauver les gens comme Sally. Il s'imaginait qu'il lui suffisait d'enfiler son uniforme pour devenir invincible. Fallait-il qu'il soit naïf pour croire à l'honneur, au respect, à la justice, à toutes ces formules ronflantes qui ne voulaient rien dire. Il s'entêtait à vouloir sauver des gens qui n'avaient aucune envie d'être sauvés.

Mais la vie lui avait beaucoup appris. Son boulot d'un côté, et Kathy de l'autre, avaient petit à petit rogné toutes ses illusions, des illusions sans lesquelles il aurait eu l'impression de ne pas exister.

Il but une longue gorgée et se renversa dans son fauteuil. Au-dehors tout était parfaitement calme. Le lac miroitait au clair de lune. La nuit enveloppait doucement les collines et les arbres alentour. Bientôt l'aube allait revenir, chassant l'obscurité vers des contrées lointaines.

Jadis, il posait un regard émerveillé sur toutes ces choses. Il croyait que ses rêves étaient modestes et faciles à réaliser. Il ne voulait rien de plus qu'une famille, un emploi et une maison. Il s'était imaginé coulant des jours paisibles dans cette maison, assis sous cette véranda, à regarder ses enfants grandir puis s'en aller faire leur vie de leur côté. Il ne savait pas que ses cheveux noirs allaient devenir blancs avant l'âge, du jour au lendemain, sous l'effet du chagrin et des remords.

Il but jusqu'à ce que la tête se mette à lui tourner, jusqu'à ce que sa vision se brouille. La bouteille vide glissa entre ses doigts engourdis et roula à terre, dégringolant bruyamment les marches une à une avant de tomber sans bruit dans l'herbe.

Le lendemain matin, Izzy s'éveilla au son de la voix de sa mère. Repoussant ses couvertures d'un coup de pied, elle s'assit en clignant des paupières. *Maman ?*

Tout d'abord, il lui sembla entendre le bruit de la pluie. Autrefois – avant l'accident – elle aimait bien ce bruit, ce clapotis sur le toit. Elle jeta un coup d'œil à la fenêtre, mais fut déçue de constater qu'il faisait soleil.

Maman ?

Pas de réponse, à part le grincement du plancher. Izzy enfila ses pantoufles et sortit tout doucement de sa chambre. Puis elle descendit au rez-de-chaussée sans faire de bruit pour ne pas réveiller son papa qui dormait sur le canapé, un bras étalé sur la table de salon et ses pieds nus sortant de dessous sa couverture bleue.

Le cœur battant, elle s'approcha de la porte d'entrée et sortit, puis elle la referma silencieusement derrière elle. Dehors, une brume rose flottait sur le lac. *Maman ?*

Elle traversa la pelouse et s'approcha de la rive. Elle ferma les yeux, et s'imagina que sa maman se tenait à côté d'elle. Quand elle rouvrit les yeux, sa maman était là, debout au milieu du lac, trop loin pour qu'Izzy puisse la toucher.

Maman n'avait pas l'air de bouger, et pourtant, en un clin d'œil, elle fut à côté d'Izzy, si près qu'Izzy pouvait sentir son parfum.

Tout ira bien, à présent, Izzy. La voix de sa maman se mêlait à la chanson du vent. Quelque part un oiseau poussa un cri rauque et s'envola d'un fourré en battant des ailes.

Il se mit à pleuvoir pour de bon, de grosses gouttes éparses qui éclaboussaient les cheveux et les lèvres d'Izzy. C'était une pluie irisée, un million de gouttelettes colorées qui tambourinaient à la surface du lac. Mais sur l'autre rive il ne pleuvait pas.

126

Tout ira bien, désormais, Izzy, répéta sa maman. *Il faut que je parte, maintenant.*

Izzy fut prise de panique. Elle avait l'impression de perdre à nouveau sa maman. *Maman, ne pars pas. J'essaye de disparaître le plus vite possible.*

Mais sa maman était déjà partie. La pluie irisée cessa, et la brume se dissipa.

Izzy attendit, attendit, mais rien ne se passa. Au bout d'un moment, elle décida de regagner la maison. Elle traversa le séjour et se rendit à la cuisine et commença à préparer son petit déjeuner. Elle sortit les céréales et le lait.

Dans la pièce voisine, elle entendit son papa qui se réveillait. C'était chaque fois la même chose quand il avait dormi dans le salon. D'abord il s'asseyait sur le sofa, puis il prenait sa tête entre ses mains en gémissant. Après quoi il se levait, et se cognait à la table basse en poussant un juron.

– Nom de Dieu !

Izzy se dépêcha de mettre la nappe rose sur la table de la cuisine – celle que sa maman mettait toujours pour le petit déjeuner. Elle voulait que son papa remarque combien elle était intelligente, et mûre pour son âge. Peut-être qu'ainsi il finirait par la regarder, la toucher... peut-être qu'il lui dirait : *Bonjour, mon rayon de soleil, tu as bien dormi ?* C'est ce qu'il disait, avant, quand il se réveillait, et peut-être qu'un jour elle finirait par retrouver sa voix, et qu'elle pourrait lui répondre : *Oui, mon papa chéri*, et il éclaterait de rire. Elle avait tellement envie de l'entendre rire.

C'est tout ce qu'elle voulait. Peu lui importait qu'il lui dise qu'il l'aime, ou qu'il l'embrasse sur le front, ou l'emmène en pique-nique, ou qu'il la lance en l'air et la rattrape dans ses grands bras costauds. Elle voulait simplement qu'il la regarde comme il la regardait avant, comme si elle était la chose qui comptait le plus au monde.

À présent, il la regardait rarement. Parfois, il détournait si vite les yeux qu'elle prenait peur, et se disait qu'elle avait peut-être complètement disparu. Mais ça n'était qu'une impression. Car, en fait, elle était toujours là, même s'il lui manquait une main et quelques doigts.

Il entra dans la cuisine en titubant, et dit :

– Izzy, qu'est-ce que tu fais là ?

Elle cligna des yeux, surprise.

Tu le peux, songea-t-elle. Réponds-lui. *Je suis en train de préparer le petit déjeuner, papa.* Mais les mots restèrent collés dans sa gorge, puis disparurent.

– Des céréales ? dit-il en souriant vaguement. Annie va adorer.

Il ouvrit le réfrigérateur et se servit un verre de jus d'orange.

Il s'approcha d'elle, et l'espace d'un court instant son cœur s'arrêta de battre, elle crut qu'il allait lui tapoter l'épaule et la féliciter d'avoir mis la table. Ou bien lui dire qu'elle était jolie – exactement comme avant, avec ses tresses. Elle se pencha légèrement vers lui.

Mais il passa à côté d'elle sans la regarder, et elle dut faire un effort pour ravaler ses larmes.

Il jeta à nouveau un coup d'œil à la table. Mais pas à elle.

– Je n'ai pas le temps de déjeuner, Izzy chérie.

Il se massa le front en fermant les yeux.

Il avait la migraine – il avait toujours la migraine depuis que maman était montée au ciel. Elle avait peur quand elle y songeait. Elle avait toujours peur le matin, quand elle voyait que son papa avait l'air malade.

Elle aurait voulu lui dire qu'elle allait faire tout ce qu'elle pouvait pour lui faire plaisir, qu'elle allait arrêter de disparaître et recommencer à parler, et qu'elle mangerait tous ses légumes et finirait son assiette.

Son papa sourit – mais ça n'était pas son vrai sourire. C'était un sourire fatigué et tremblant, le sourire d'un homme aux cheveux blancs qui ne la regardait jamais.

– Tu t'es bien amusée, hier, avec Annie ?

Izzy essaya à nouveau de toutes ses forces, mais ne réussit pas à lui répondre. Il lui sembla que son papa la regardait

128

comme s'il allait se mettre à pleurer, et elle sentit son cœur se serrer.

Pour finir, il soupira.

– Je vais prendre une douche. Annie devrait arriver d'une minute à l'autre.

Il attendit une seconde – comme si elle allait lui répondre – mais elle ne répondit pas. Elle ne le pouvait pas. Si bien qu'elle resta plantée là, sans rien dire, les deux bols de céréales à la main.

Plus tard, bien après qu'il fut parti travailler, Izzy s'assit sur le sofa, les jambes serrées l'une contre l'autre, et Miss Jemmie posée sur ses genoux. Annie était arrivée de bonne heure et elle avait recommencé à nettoyer la maison. Et pendant qu'elle faisait le ménage, elle parlait à Izzy. Elle parlait tellement parfois qu'Izzy n'écoutait pas toujours tout ce qu'elle disait.

Izzy aimait bien la maison maintenant qu'Annie l'avait nettoyée.

Elle s'y sentait en sécurité.

Elle ferma les yeux, et écouta le bruit rassurant du balai. Ça lui rappelait les fois où elle regardait un livre d'images pendant que sa maman faisait le ménage.

Brusquement, sans le vouloir, un son lui échappa. Un tout petit bruit, *chk-chk*, un bruit semblable au frottement du balai sur le plancher.

Elle ouvrit les paupières, stupéfaite d'entendre sa propre voix après tous ces mois de silence. Même si ça n'était pas des mots, c'était Izzy. C'était sa voix qu'elle croyait disparue, exactement comme son bras et sa main. Elle n'avait pas voulu s'arrêter de parler, mais un jour, en sortant de chez le médecin, elle avait ouvert la bouche et aucun son n'était sorti. Rien du tout.

Elle avait eu très peur, surtout quand elle avait réalisé qu'elle ne pouvait rien y faire. Après cela, les gens s'étaient mis à la traiter comme un bébé, comme si elle ne pouvait pas entendre ce qu'ils disaient. Et elle avait pleuré, mais même ses pleurs étaient silencieux.

Avec Annie c'était différent. Annie ne regardait pas Izzy comme si elle n'était qu'un vieux jouet cassé tout juste bon à mettre à la poubelle.

Annie la regardait comme son papa et sa maman la regardaient avant.

Izzy sourit, et le son recommença à sortir, tout doucement, à peine plus fort que sa respiration. *Chk-chk-chk.*

10

Le palais de justice de Mystic avait été construit cent ans auparavant. À cette époque l'économie était florissante, la rivière charriait les rondins par milliers et les scieries tournaient à plein. L'élégant édifice en pierre de taille percé de fenêtres à la française se dressait, majestueux, au centre d'une pelouse verdoyante. Des haies de rhododendrons et d'azalées parfaitement entretenues bordaient les allées pavées. Le drapeau de l'État de Washington flottait fièrement au vent.

Adossé à l'une des colonnes qui flanquaient l'entrée principale du tribunal, Nick feuilletait le petit calepin sur lequel il avait pris des notes concernant une arrestation qui avait eu lieu un mois plus tôt. Aujourd'hui, Gina Piccolo passait en jugement, et il était venu témoigner en qualité de représentant de la force publique, une corvée dont il s'acquittait à contrecœur lorsque le prévenu était un mineur, car cela voulait généralement dire qu'il était issu d'une famille éclatée ou défavorisée.

Il connaissait Gina depuis toujours. Il y a quelques années, elle avait tenu le premier rôle dans *Oklahoma!* le spectacle de fin d'année du collège. C'était une gamine vive alors, et pleine d'entrain, avec des yeux pétillants et des cheveux noirs de jais. Mais depuis elle avait mal tourné. À quatorze ans, elle avait commencé à fréquenter des voyous et s'était transformée en harpie mal fagotée, qui jurait comme un charretier et se livrait au vandalisme. Depuis qu'elle s'était acoquinée avec un garçon de dix-sept ans, les choses n'avaient fait qu'empirer. Ses parents ne savaient plus à quel saint se vouer.

Nick jeta un coup d'œil à sa montre. L'audience allait reprendre dans dix minutes. Il feuilleta à nouveau son calepin.

Depuis quatre jours – en fait depuis qu'Annie Bourne avait fait irruption dans sa vie – il n'arrivait plus à se concentrer.

Déjà Izzy commençait à faire des progrès. Certes, elle ne parlait toujours pas, et elle continuait de croire qu'elle était en train de disparaître, mais Nick avait remarqué qu'elle semblait plus présente, elle écoutait les conversations, souriait... et la raison de ce changement était évidente.

Annie était tellement adorable. C'était d'ailleurs là tout le problème, car Nick n'arrêtait pas de penser à elle, elle le fascinait – cette façon qu'elle avait de plisser les paupières quand elle souriait, et de ramener une mèche de cheveux imaginaire derrière son oreille, ou de hausser comiquement les épaules quand elle avait fait une gaffe.

La plupart du temps, il s'efforçait de ne pas la regarder, il avait trop peur qu'elle ne voie le désir pétiller dans ses yeux.

Avec un soupir, il referma son calepin et se dirigea vers la salle d'audience.

Gina attendait devant la porte, vêtue d'un jean trop grand pour elle et d'un sweat-shirt noir qui lui arrivait presque aux genoux. Jadis noirs, ses cheveux étaient aujourd'hui striés de mèches roses et violettes, et sa narine percée était ornée d'un anneau en argent.

Dès qu'elle l'aperçut elle plissa les yeux.

– Va te faire foutre, Delacroix, dit-elle. Tu es là pour me faire plonger, hein ?

Où diable ces gosses allaient-ils chercher tant de haine ? songea-t-il en soupirant.

– Je suis venu dire au juge McKinley ce qui s'est passé le vingt-six février.

– Comme si tu en savais quelque chose. J'ai été victime d'un coup monté. La coke était pas à moi.

– Tu veux dire qu'on l'a glissée dans ta poche à ton insu ?

132

– Parfaitement.

– Parce que tu t'imagines que tu vas t'en tirer comme ça ? Tu ferais mieux de jouer franc jeu, Gina.

Elle se mit à tambouriner nerveusement des doigts sur sa cuisse.

– Ah, les flics ! Toujours à prêcher l'honnêteté ! Vous me faites gerber.

– Tu es encore jeune, Gina...

– Va te faire foutre.

– Et comme tous les jeunes, tu t'imagines que tu es la seule à détenir la vérité. Mais je te connais, Gina. Et je sais que tu files un mauvais coton.

– Qu'est-ce que tu en sais, pauv' flic ?

Elle sortit une cigarette et l'alluma. Son regard tomba sur le panneau d'interdiction de fumer qui se trouvait derrière elle, et elle décocha un sourire plein de défi à Nick à travers une bouffée de fumée.

Ce dernier fit un signe de tête en direction de l'entrée principale.

– Suis-moi.

Sans même jeter un regard en arrière, il traversa le hall et sortit sur le perron. À son étonnement, il constata que Gina l'avait suivi. Il s'assit sur la première marche.

Elle s'assit jambes croisées à quelques pas de là.

– Ouais ? Et alors ?

– Quand j'avais ton âge, je vivais dans la rue.

Elle renifla.

– Ouais, c'est ça ! Et moi je suis une Spice Girl.

– Ma mère était alcoolique et elle se prostituait pour s'acheter à boire. Une vie de rêve, quoi... la vie normale pour une alcoolique sans instruction et sans qualification professionnelle. Elle avait quitté l'école à seize ans, alors qu'elle était enceinte de moi. Mon paternel l'avait plaquée – et elle n'avait nulle part où aller.

Gina s'était figée sur place. Sa cigarette pendait de ses lèvres peintes en noir.

– Ça me ferait mal, dit-elle, mais sans conviction cette fois.

– On n'avait pas de quoi payer un loyer – le problème avec l'alcool, c'est que l'argent vous file entre les doigts à toute vitesse, et la dignité aussi. Alors on finit par se faire à l'idée qu'on habite dans une vieille Ford Impala, et que votre fils n'a pas un manteau convenable à se mettre sur le dos. Tout ce qu'on veut c'est boire et oublier. Tant pis si on dort sur un banc public et qu'on se réveille dans une mare de vomi.

– Tu voudrais me fiche la trouille, hein ?

– Et comment ! La route que tu as choisie ne mène nulle part, Gina – à part les bancs publics, la prison ou le cimetière.

Elle leva lentement les yeux vers lui, et il vit qu'il avait réussi à lui fiche la trouille. L'espace d'une seconde, il crut qu'elle allait lui demander de l'aider.

Vas-y, Gina, essaye, songea-t-il. *Tu peux le faire.* Il sortit une carte de visite de sa poche et la lui tendit.

– Appelle-moi quand tu veux.

– Je...

– Salut, Gina, t'as pas honte de causer avec ce fumier de flic ?

Gina se recula aussitôt, comme piquée au vif, et bondit sur ses pieds. La carte de visite tomba en voltigeant sur les marches de granit. Elle se tourna et fit signe au garçon aux cheveux verts qui gravissait en sautillant les marches du palais de justice. Des chaînes pendaient à ses oreilles et à ses poches, et un petit anneau argenté scintillait à son sourcil. Passant un bras autour de Gina, il l'attira contre lui. Puis prenant la cigarette qu'elle avait à la bouche, il en tira une longue bouffée et la recracha lentement.

– T'es venu pour faire coffrer Gina, hein ?

Nick dévisagea un instant le garçon, Drew Doro. Une forte tête qui à dix ans déjà avait eu à faire à la justice, parce qu'il avait mis le feu au garage de ses parents. Depuis deux

134

ans, ses parents avaient renoncé à essayer de lui faire entendre raison. Ce gosse allait finir au pénitencier, c'était sûr.

– Je suis venu ici pour témoigner, Drew. C'est tout. Il n'y aura pas de procès. (Il jeta un coup d'œil à Gina.) Pas encore, tout au moins.

Gina fit un pas en direction de Nick. L'hésitation qu'il vit dans ses yeux rappela à Nick que sous son mascara et ses allures de fier-à-bras elle n'était encore qu'une gamine qui essayait de faire son chemin dans un monde qu'elle ne comprenait pas.

– Qu'est-ce que tu vas dire au juge ?

Il aurait aimé pouvoir lui mentir, lui dire les choses qu'elle avait envie d'entendre.

– Je vais lui dire que tu représentes une menace pour toi-même et pour les autres. Je n'ai pas le choix.

Le doute fit place à un éclair de rage écumante.

– Va te faire foutre, Delacroix. C'était pas ma coke.

Lentement, Nick se releva.

– Si tu as besoin d'aide, Gina... tu sais où me trouver.

– Parce que tu t'imagines qu'elle a besoin de ton aide ? ricana Drew. Elle a des amis pour s'occuper d'elle. Et toi, t'es qu'un minable, un flic paumé dans une petite ville de merde. T'es tout juste bon à ramasser les chiens écrasés. Viens, Gina.

Nick les regarda s'éloigner.

Il avait croisé des dizaines d'adolescents depuis qu'il faisait ce métier, et essayé de leur parler, mais jamais aucun d'eux ne l'avait écouté. Aucun d'eux ne voulait changer. La plupart mouraient jeunes, d'une mort violente, loin de leur famille.

Juste une fois, songea-t-il tristement. Une fois seulement, avoir le sentiment de pouvoir aider quelqu'un.

Apercevant Gina qui finissait de fumer sa cigarette à l'extérieur de l'entrée principale, il lui lança :

– Souviens-toi du banc public.

Il n'obtint pour toute réponse qu'un geste obscène et malheureusement trop familier.

Lorsque Nick regagna enfin son domicile, il était en retard – comme d'habitude – et Annie était exténuée. Elle rentra aussitôt chez elle et se mit au lit sans demander son reste. Elle sombra presque aussitôt dans un sommeil sans rêves. Cependant au milieu de la nuit elle se réveilla en sursaut, cherchant Blake.

Une fois réveillée, plus moyen de se rendormir. Elle avait beau être fatiguée, conséquence de son état dépressif, elle n'arrivait pas à faire des nuits complètes.

Elle s'efforça de ne pas penser à la grande maison vide qu'elle avait laissée en Californie, et à l'homme qui avait partagé sa vie pendant si longtemps. L'homme qui lui avait dit : *J'aime une autre femme, Annie.*

Elle descendit à la cuisine et mangea un bol de céréales, puis elle téléphona à Natalie – un coup de fil surprise. Elle laissa parler sa fille pendant plusieurs minutes et lui raconter sa vie à Londres, puis glissa discrètement qu'elle était allée à Mystic. *Pour voir Hank, mais aussi pour aider un vieux copain.*

Natalie n'avait posé qu'une seule question :

– Qu'en dit papa ?

Annie avait laissé échapper un petit rire forcé.

– Oh, ton père, du moment que je suis contente, il est content.

– Vraiment ?

Cette question banale et toute simple la fit soudain se sentir terriblement vieille. Après cela elles parlèrent pendant près d'une heure, et petit à petit Annie eut l'impression de reprendre vie.

Pour finir, elle s'assura que Natalie avait bien le numéro de Hank, en cas de problème, puis elle raccrocha.

Ensuite, étendue sur son lit solitaire, les yeux fixés sur la fenêtre et l'obscurité qui régnait au-dehors, Annie attendit que le jour se lève, emportant avec lui les souffrances de la nuit.

C'est parce qu'elle pensait à Izzy qu'Annie trouva le courage de se lever, de s'habiller et de grignoter un morceau.

La fillette était devenue sa planche de salut. Izzy touchait en elle ce qu'il y avait de plus profond, de plus sensible. Et elle n'avait pas besoin de consulter un psychiatre à deux cents dollars de l'heure pour comprendre pourquoi. Quand elle plongeait ses yeux dans les yeux bruns et tristes d'Izzy, Annie y voyait un reflet d'elle-même.

Elle savait ce qu'Izzy avait enduré. Il n'y avait rien de pire au monde que de perdre sa mère, surtout quand on était enfant, et une fille par-dessus le marché. Au fil des ans, Annie avait appris à parler de la mort de sa mère avec détachement, comme on parle du temps. *Ma mère est morte... s'est éteinte... est décédée... a disparu... un accident... quand j'étais petite... je ne me souviens plus vraiment d'elle...* Parfois, elle arrivait à dire ces choses sans souffrir, mais parfois il suffisait d'une odeur, d'un parfum, ou même de quelques notes d'un air des Beatles entendues à la radio pour qu'elle se mette à pleurer comme une petite fille.

Ma mère est morte.

Quatre petits mots de rien du tout, mais qui contenaient en eux toute la tristesse du monde, un besoin inassouvi de caresses et de paroles rassurantes. Aucun mot n'était assez fort pour décrire ce qu'éprouvait un enfant qui perdait sa mère. Comment s'étonner, dès lors, que la petite ait choisi de s'enfermer dans le silence ?

C'est ce qu'Annie aurait voulu dire à Nick, afin qu'il comprenne ce qu'éprouvait Izzy. Mais une certaine gêne persistait entre eux. Pour Annie, tout au moins. Le souvenir de leurs ébats était présent dans chacun de leurs regards, chacun de leurs gestes, et elle n'osait pas aborder avec lui des sujets trop intimes de peur de perdre ses moyens. Il semblait tout aussi mal à l'aise qu'elle, de telle sorte qu'ils tournaient en rond, échangeant des sourires embarrassés et des propos sans intérêt.

Mais progressivement, les choses commençaient à s'arranger. Hier, à la cuisine, pendant qu'Izzy prenait son petit déjeuner, ils avaient parlé pendant dix minutes, et bu un café ensemble. De temps à autre ils puisaient dans leurs souvenirs d'enfance pour alimenter la conversation. Et au bout d'un moment ils s'étaient détendus et s'étaient souri.

Après ce bref instant d'amitié retrouvée Annie avait repris courage, de telle sorte qu'aujourd'hui, elle était arrivée une demi-heure plus tôt que de coutume chez Nick. Elle se gara, puis, saisissant le paquet de croissants qu'elle avait achetés en route, elle sortit de la voiture et alla frapper à la porte.

Au bout d'un long moment, Nick vint lui ouvrir, vêtu d'un vieux pantalon de survêtement élimé. Titubant légèrement, il posa sur elle un regard injecté de sang.

Elle brandit le sac de croissants.

– J'ai pensé que ça te ferait plaisir pour le déjeuner.

Il se recula pour la laisser entrer, et elle remarqua qu'il avait du mal à tenir sur ses jambes.

– Je ne mange jamais le matin, mais merci quand même.

Elle le suivit dans le séjour. Il disparut dans la salle de bains et s'en revint quelques minutes plus tard, vêtu de son uniforme de policier. Il avait l'air malade, et tremblant, et les rides sous ses yeux étaient si profondes qu'elles semblaient avoir été gravées à la pointe sèche.

Sans même réfléchir, elle tendit la main et lui toucha le front.

– Tu devrais peut-être rester à la maison...

Il se figea sur place, comme s'il avait été choqué par l'intimité de son geste. Elle ôta précipitamment sa main, sentant le feu lui monter aux joues.

– Je suis désolée. Je ne voulais pas...

– Ce n'est pas grave, dit-il doucement. J'ai mal dormi, c'est tout.

Elle faillit presque insister, puis renonça et changea de sujet. Mieux valait s'en tenir strictement à Izzy.

– Tu seras de retour pour le dîner ?

Il tourna les talons.

– Mon emploi du temps...

– Je crois que ça ferait très plaisir à Izzy.

– Parce que tu t'imagines que je ne le sais pas ?

Il se retourna, et elle vit dans ses yeux une lueur de désespoir qui lui étreignit le cœur.

– Je te demande pardon...

Il secoua la tête et leva une main comme pour la tenir à distance.

– Je serai là pour dîner, dit-il, puis il sortit de la maison sans ajouter un mot.

Les journées avec d'Izzy s'écoulaient tranquilles et sans surprises. Annie arrivait tôt le matin et passait la journée à jouer, à lire, à se promener dans la forêt avec la fillette. Le soir, elles dînaient ensemble, puis elles jouaient aux dames, ou regardaient un film jusqu'à l'heure du coucher.

Chaque soir, Annie mettait Izzy au lit et l'embrassait pour lui souhaiter le bonsoir.

Nick arrivait systématiquement en retard, n'appelait jamais pour prévenir, et rentrait aux alentours de neuf heures, empestant le tabac et l'alcool. Même quand il promettait d'être rentré à l'heure, il ne tenait pas parole.

Annie en avait assez de lui chercher des excuses. Ce soir encore, la petite allait se coucher sans que son papa soit venu l'embrasser.

Depuis près d'une demi-heure, Izzy se tenait à côté de la fenêtre, à guetter le retour de son père.

S'approchant d'elle, Annie s'agenouilla et, choisissant ses mots avec soin, dit :

– Quand j'étais petite, ma maman est morte. Et mon papa était très triste. Chaque fois qu'il me regardait, mon papa pensait à ma maman, et ça lui faisait tellement de peine qu'il a cessé de me regarder.

Les yeux d'Izzy se remplirent de larmes et sa lèvre inférieure se mit à trembler.

Annie tendit la main et essuya délicatement une larme du bout du doigt.

– Et puis au bout d'un certain temps, les choses se sont

arrangées. Et mon papa a fini par me regarder à nouveau. Parce qu'il m'aimait. Ton papa à toi t'aime aussi, Izzy.

Annie fit une pause, pour voir si Izzy réagissait. Puis elle lui sourit et se releva d'un geste énergique.

– Allons, au lit, ma poupée jolie.

Puis elle commença à monter l'escalier.

Izzy lui emboîta le pas. Annie ralentit pour laisser à la petite le temps de la rattraper. À mi-chemin, Izzy se rapprocha imperceptiblement d'Annie et glissa sa main dans la sienne. C'était la première fois qu'elle touchait Annie.

Annie saisit les doigts de la fillette dans les siens et les serra doucement. *C'est bien, Izzy... donne-moi la main. Je te promets de ne pas te lâcher.*

Après qu'Izzy se fut lavé les dents, elles s'agenouillèrent au bord du lit, et Annie récita une prière. Puis elle mit la fillette au lit et l'embrassa sur le front. Après quoi elle alla s'asseoir sans faire de bruit sur la chaise à bascule qui se trouvait à côté de la fenêtre.

La chaise, en se balançant, faisait *ka-tomp, ka-tomp*, sur le parquet.

Bercée par la respiration régulière de la petite fille, Annie se mit à penser à sa mère. Quand celle-ci était morte Annie était beaucoup trop jeune pour comprendre vraiment ce qui lui arrivait. Elle n'avait compris qu'une chose : du jour au lendemain, le monde merveilleux et plein d'amour qui était le sien était devenu triste et sombre, et plein de larmes.

Après cela sa vie avait changé. Elle était devenue une petite fille modèle, une petite fille qui ne pleurait jamais, ne se plaignait jamais, ne posait jamais de questions embarrassantes.

Des années plus tard, quand elle était allée à l'université, la première année qu'elle avait passée loin du giron familial lui avait paru particulièrement dure. Il n'était pas facile de faire sa place à Stanford quand on était la fille d'un ouvrier originaire d'une petite ville de province. Et pour la première fois de sa vie, elle avait réalisé qu'elle était issue d'une famille pauvre et sans instruction. Si elle était restée dans cette prestigieuse université où elle se sentait si seule, c'était uniquement pour Hank. Parce qu'elle savait combien cela comptait pour lui que sa fille fasse des études supérieures.

Un jour en démarrant sa « coccinelle », le ronronnement du moteur avait déclenché en elle une réaction inattendue : elle s'était revue assise à côté de sa mère dans leur vieille camionnette. Puis soudain, elle avait réalisé qu'elle ne se souvenait plus du son de sa voix, et son cœur s'était serré. Plus elle essayait de se replonger dans le passé, plus ses souvenirs lui semblaient plats et sans relief.

Elle avait éclaté en sanglots en songeant à tout ce qu'elle avait perdu – les baisers et les caresses, les moments de pur bonheur qu'elle ne connaîtrait plus jamais. Mais ce qu'elle regrettait le plus c'était l'insouciance de l'enfance. Du jour au lendemain, en découvrant combien la vie pouvait être injuste et cruelle, elle avait cessé d'être une enfant.

Il lui avait fallu plusieurs jours pour surmonter son chagrin, et se refaire une carapace. Comment s'étonner dès lors qu'elle soit tombée aussitôt amoureuse ? Quand on a le cœur à vif, aimer est la seule façon de combler le vide qui vous ronge intérieurement. Lorsqu'elle avait fait la connaissance de Blake, elle avait aussitôt déversé sur lui tout l'amour qu'elle portait en elle.

Annie se leva doucement et s'approcha du lit. S'étant assurée qu'Izzy dormait à poings fermés, elle sortit de la chambre.

Elle était presque arrivée en bas de l'escalier quand le téléphone sonna. Dégringolant d'un bond les dernières marches, elle bondit vers le téléphone. Elle décrocha à la troisième sonnerie.

– Nick ?

Il y eut un moment de silence, puis une voix de femme s'écria :

– Nick ?

Annie fit la grimace.

– Ah, c'est toi, Terri.

– On ne me la fait pas à moi. Et pour commencer, qui

141

est ce Nick et où es-tu ? J'ai appelé ton père et il m'a donné ce numéro.

Annie se laissa tomber sur le sofa.

– C'est un vieux copain... Je garde sa fille, le soir, en attendant qu'il rentre du boulot.

– Et moi qui croyais que tu avais changé. Un petit peu, tout au moins.

– Comment cela ?

– Tu as passé vingt ans de ta vie à attendre un homme – et voilà que tu recommences, avec un autre ? C'est inouï.

Inouï, oui, Terri avait raison. Comment était-il possible qu'Annie ne l'ait pas réalisé d'elle-même ? Elle se sentit soudain gagnée par la colère. Ce qu'elle avait subi pendant des années aux côtés de Blake, elle le tolérait chez Nick. Des excuses et des mensonges.

– Oui, marmonna-t-elle en guise de réponse, c'est plus fort que moi, chaque fois que je suis amoureuse, je me laisse mener par le bout du nez.

– Bien, à présent je sais à quoi m'en tenir. Mais dis-moi...

– Désolée, Terri, il faut que je file. Je te rappelle plus tard, dit Annie en raccrochant sans laisser à son amie le temps de finir sa phrase.

Puis elle composa aussitôt un autre numéro.

Lurlene décrocha à la seconde sonnerie.

– Allô ?

– Lurlene, c'est Annie...

– Il y a un problème ?

– Non, non, tout va bien. Mais Nick n'est toujours pas rentré.

– Il est probablement chez Zoe, en train de se pinter.

Annie hocha la tête en silence. C'est bien ce qu'elle avait craint.

– Est-ce que vous pourriez venir garder Izzy, le temps que j'aille là-bas ? J'ai deux mots à lui dire.

– Vous allez vous faire recevoir comme un chien dans un jeu de quilles.

– Tant pis, je cours le risque.

142

– Donnez-moi dix minutes et j'arrive.

Dix minutes plus tard, comme convenu, Lurlene arriva, vêtue d'un peignoir rose en maille chenille et chaussée de mules en plastique vert.

– C'est moi, chuchota-t-elle en poussant la porte.

– Merci d'être venue, dit Annie, en saisissant aussitôt son sac à main. Je ne serai pas longue.

11

Une enseigne lumineuse rose suspendue de guingois clignotait à la devanture de *Chez Zoe*.

Empoignant son sac d'un geste résolu, Annie entra. Le bar était plus grand qu'elle ne s'y attendait. Une vaste salle rectangulaire avec, à main droite, un long comptoir de bois surmonté d'un miroir et d'enseignes lumineuses jaunes et rouges vantant des marques de bière. Juchés sur des tabourets, des hommes et des femmes buvaient et parlaient en fumant. De temps à autre, on entendait le bruit sourd d'un verre heurtant le comptoir.

Tout au fond de la salle, des joueurs s'affairaient autour d'une table de billard dans un crépitement de boules d'ivoire.

Rasant les murs, Annie partit à la recherche de Nick. Elle le trouva attablé seul dans un recoin obscur. Elle se fraya un chemin à travers la foule.

– Nick ?

Dès qu'il la vit il se leva en titubant.

– Est-ce qu'Izzy a...

– Izzy va bien.

– Ouf !

Il recula d'un pas chancelant, puis se laissa retomber lourdement sur sa chaise. Après quoi il saisit son verre et le vida d'un trait.

– Va-t'en, Annie. Je n'ai pas...

Elle s'agenouilla à ses côtés.

– Tu n'as pas quoi ?

Il parlait si bas qu'Annie dut faire un effort pour comprendre ce qu'il disait.

144

– Je n'ai pas envie que tu me voies dans... cet état.

– Est-ce que tu sais qu'elle guette ton retour chaque soir, Nick, qu'elle monte la garde devant la porte jusqu'à tomber de sommeil ?

– Ne me fais pas ça, je t'en prie...

Elle sentit son cœur se serrer, mais tant pis. Maintenant qu'elle avait trouvé le courage de lui parler, elle irait jusqu'au bout.

– Rentre chez toi, Nick. Prends soin de ta fille pendant qu'il en est encore temps. Car un jour viendra, beaucoup plus vite que tu ne l'imagines, où elle pliera bagage et s'envolera loin de toi.

Il posa sur elle un regard triste et désespéré.

– Je suis incapable de m'occuper d'elle, Annie. Je ne suis bon à rien. (D'un geste maladroit et hésitant, il se mit sur ses pieds.) Mais puisque tu insistes je vais rentrer et faire semblant.

Sans même lui adresser un regard, il jeta un billet de vingt dollars sur la table et sortit du bar.

Elle lui emboîta le pas, tout en réfléchissant à ce qu'elle allait lui dire ensuite. Une fois dans la rue, il s'arrêta au bord du trottoir et dit :

– Est-ce que tu peux me rendre un dernier service ?

– Tout ce que tu voudras.

En le voyant plisser le front, Annie réalisa qu'il s'attendait à ce qu'elle dise non. Pourquoi refusait-il obstinément de voir qu'elle voulait l'aider ?

– Ramène-moi à la maison.

Elle sourit.

– Volontiers.

Le lendemain matin, Annie arriva chez Nick une heure plus tôt qu'à l'accoutumée. Elle poussa doucement la porte et monta sans bruit au premier. Elle alla d'abord s'assurer qu'Izzy dormait à poings fermés, puis elle alla dans la chambre de Nick. Celle-ci était vide. Elle longea le couloir jusqu'à la chambre d'amis et entra tout doucement.

Les rideaux étaient tirés, et aucune lumière ne filtrait à travers la lourde étoffe à motifs navajo. Un vieux lit à colonnes était adossé au mur. Elle devina la forme de Nick sous un monticule de couvertures rouges.

Elle aurait dû se douter qu'il ne dormait plus dans sa chambre à coucher.

Annie savait qu'elle courait un risque en entrant dans sa chambre, un lieu où elle n'avait pas sa place. Mais c'était plus fort qu'elle. Elle s'approcha du lit et l'observa un moment en silence. Il avait l'air jeune et innocent dans son sommeil, il ressemblait davantage au jeune homme qu'elle avait connu et aimé jadis...

Jusqu'au soir où elle l'avait surpris en train d'embrasser Kathy.

Elle a besoin de moi, Annie. Est-ce que tu peux le comprendre ? lui avait-il dit après coup. *Kathy et moi, nous sommes faits l'un pour l'autre.*

Nous aussi, Nicky, nous sommes faits l'un pour l'autre, avait-elle répondu doucement.

Non. Il lui avait touché la joue, avec une telle douceur qu'elle en avait eu les larmes aux yeux. *Ça n'est pas quelqu'un comme moi qu'il te faut, Annie Bourne. Ta place est à Stanford. Tu vas faire des étincelles là-bas, tu verras...*

– Qu'est-ce que tu fiches ici ?

Annie sursauta lorsqu'elle réalisa qu'il était réveillé et qu'il la regardait.

– Je... J'ai pensé que tu aurais peut-être besoin de moi.

Il s'assit en faisant la grimace, révélant son torse nu couvert d'une épaisse toison noire.

Elle attendit qu'il dise quelque chose, mais il resta assis dans le lit sans rien dire, les paupières closes. Sa peau avait un éclat jaunâtre qui contrastait singulièrement avec ses cheveux grisonnants et ses cils noirs. De fines gouttelettes de sueur perlaient sur son front et au-dessus de sa lèvre supérieure.

Elle approcha une chaise et s'assit à côté du lit.

– Nick, il faut que nous parlions.

– Pas maintenant.

– Il faut que tu fasses un effort pour Izzy.

Il se décida enfin à ouvrir les yeux.

– Je ne sais pas comment m'y prendre, Annie. Elle me fiche la trouille.

Il avait dit cela d'une voix à peine audible et si triste qu'elle sentit son cœur se serrer.

– Le soir, après le boulot, je me dis que je vais boire un coup avec les copains, et puis je me mets à penser à ma maison vide, à ma fille qui devient invisible, et je commence à vider un verre après l'autre...

– Tu pourrais t'arrêter de boire.

– Non. De toute façon, je n'ai jamais été fichu de prendre soin des femmes que j'aime. Demande à Kathy.

Annie eut soudain envie de repousser une mèche de cheveux qui tombait devant ses yeux – une façon de lui faire comprendre qu'il n'était pas aussi seul qu'il le croyait.

– Tu n'y es pour rien, Nick. Elle était malade.

Il laissa échapper un long soupir.

– Écoute, je n'ai pas envie d'en parler pour le moment. Je ne suis pas dans mon assiette. J'ai besoin de...

– Nick, je sais que tu as le cœur brisé, et je me mets à ta place – si tant est que ce soit possible – mais tu n'as pas le droit de t'effondrer. Tu as une fille qui a besoin de toi ici, à ses côtés.

– Je sais. Tiens, vendredi soir, je te promets que je serai là pour dîner. D'accord ? C'est ça que tu veux ?

Encore une promesse d'ivrogne, Annie le savait. Nick avait perdu confiance en lui-même. Il était en train de partir à la dérive sur une mer déchaînée, sans rien ni personne à qui se raccrocher.

– Ce que je veux n'a pas la moindre importance, Nick, dit-elle doucement.

À condition de rester complètement immobile, Izzy pouvait sentir la présence de son papa dans la maison. Elle pouvait sentir son odeur, une odeur de tabac qui lui donnait toujours envie de pleurer.

Elle serra Miss Jemmie contre son cœur et sortit tout doucement de sa chambre. Il y avait des voix dans la nouvelle chambre de papa, comme avant, comme quand la « chose » n'était pas encore arrivée.

Mais ça n'était pas maman qui parlait avec lui.

Maman était au ciel, avec les anges, et dans un trou sous la terre, et une fois qu'on était dans ces deux endroits-là, c'était fini, on ne pouvait plus revenir. C'était son papa qui le lui avait dit.

Elle se faufila sans bruit dans le couloir et descendit au rez-de-chaussée. Tout était bien rangé ; il y avait un vase avec des fleurs sur la table et les fenêtres étaient ouvertes. Sa maman aurait aimé voir la maison comme ça.

Elle ouvrit la porte et sortit sur la véranda.

Un soleil rose flottait au-dessus des arbres. Izzy savait qu'il allait bientôt monter dans le ciel bleu. Mais pour l'instant il était encore trop tôt, et une nappe de brume planait encore sur les bords du lac et se glissait entre les arbres. Son cœur se mit soudain à battre plus vite, et elle eut du mal à respirer.

Jetant un rapide coup d'œil par-dessus son épaule pour s'assurer que personne ne la regardait, elle poussa la porte de la véranda et sortit dans le jardin. Dehors les oiseaux gazouillaient gaiement au sommet d'un grand arbre. Elle traversa en hâte la pelouse mouillée de rosée et alla se blottir dans sa cachette parmi les arbres. Puis elle se mit à scruter attentivement le brouillard. *Maman ?*

Elle tendit l'oreille et écouta de toutes ses forces. Au bout d'un moment, elle finit par l'entendre, la voix de sa maman, plus douce qu'un murmure.

Bonjour, Izzy, qu'est-ce que tu fais de beau ?

Ses yeux s'ouvrirent d'eux-mêmes, et dans la brume elle aperçut une silhouette de femme aux cheveux blonds.

Je fais comme toi, maman, je disparais.

La voix de sa maman était pareille au soupir du vent dans les feuilles. Elle sentit sa main, comme une caresse, sur ses cheveux.

Oh, Izzy.

Pour la première fois sa maman lui sembla triste. Elle scruta à nouveau l'horizon et vit les yeux bleus, oh, si bleus, de sa maman dans la brume. Des larmes rouges comme des gouttes de sang s'échappaient de ses yeux.

Il m'est de plus en plus difficile de venir te voir, Izzy.

Le cœur d'Izzy se serra dans sa poitrine. *Mais je fais tout ce que je peux pour venir te rejoindre le plus vite possible !*

Elle sentit à nouveau la main de sa maman qui la caressait à travers la brise matinale. *C'est inutile, ma chérie. Tu ne peux pas me rejoindre.*

Izzy sentit les larmes lui monter aux yeux, brouillant tout le paysage jusqu'à ce qu'elle ne vît plus rien. Elle cligna des paupières.

Le brouillard commençait à se dissiper.

Elle s'élança à sa poursuite, pourchassant le pâle nuage jusqu'au bord de l'eau.

Maman, maman, ne t'en va pas. Je serai gentille, cette fois... je te le promets. Je rangerai ma chambre et je me laverai les dents et j'irai me coucher sans ronchonner... maman, je t'en supplie...

Mais au même moment la brume se dissipa et le soleil heurta la surface de l'eau.

Izzy tomba à genoux sur la rive froide et graveleuse et se mit à pleurer.

Nick sortit de sa chambre d'un pas chancelant. Il lui avait fallu une éternité pour enfiler son uniforme ; quant à son col de chemise, il avait renoncé à le boutonner. S'appuyant d'une main à la paroi lambrissée du couloir, il se dirigea vers l'escalier puis, s'agrippant fermement à la rampe, commença à descendre péniblement les marches une à une.

Son corps tout entier lui donnait l'impression d'être aussi

sec et cassant qu'une feuille morte. La sueur ruisselait sur son front et dans son dos en longues traînées froides et humides.

C'était un miracle qu'il ait réussi à atteindre le bas de l'escalier sans se fracasser le crâne ou vomir ses tripes. Sans lâcher la main courante, il s'arrêta pour inspirer profondément et refouler le flot de bile amère qui lui remontait dans la gorge.

Clignant des paupières, il réussit à chasser la sensation nauséeuse.

Puis il rouvrit les yeux, et vit les changements apportés par Annie. Un feu de bois crépitait joyeusement dans la grande cheminée de brique. Les deux fauteuils de cuir avaient été époussetés et disposés face au sofa. Entre eux, la table de salon rustique était parfaitement astiquée. Sur la table de la salle à manger trônait un pichet argenté rempli de fougères et de fleurs blanches.

Il avait souvent rêvé d'une pièce exactement comme celle-ci, remplie de joyeux éclats de rire... et non pas de silences et de chuchotements ou d'éclats de voix hystériques, comme c'était le cas avec Kathy.

Il soupira.

Au même moment il aperçut Izzy. Elle se tenait debout à côté de la grande baie vitrée qui donnait sur le lac ; un rayon de soleil formait un halo doré autour de son visage. Le temps suspendit un instant son vol, et Izzy lui apparut telle qu'elle était jadis : une poupée de porcelaine toujours parfaitement habillée, ses deux nattes brillantes retenues par des rubans de satin.

Elle le dévisagea avec de grands yeux depuis l'autre bout de la pièce.

– Salut, Izzy, dit-il, en s'efforçant de sourire. Tu es superbe ce matin.

Elle cligna des yeux, sans bouger.

Il passa sa langue sur ses lèvres sèches. Une goutte de sueur perla sur sa tempe.

Au même moment Annie arriva de la cuisine, avec une

cafetière fumante et un plat couvert. Dès qu'elle le vit, elle se figea sur place.

– Nick, c'est merveilleux ! Tu vas pouvoir déjeuner avec nous.

À l'idée de manger, son estomac se révolta.

– Izzy, conduis ton papa dans la véranda. J'ai tout installé là-bas. Je vais rajouter un couvert.

Elle n'avait visiblement pas réalisé qu'il allait vomir. Elle continuait à aller et venir entre la cuisine et la véranda en parlant à tort et à travers. Il avait l'impression d'entendre une nuée de moustiques lui bourdonner dans les oreilles.

– Annie, je...

– Izzy, aide ton papa, il ne se sent pas très bien, répéta-t-elle en se hâtant vers la véranda.

Lorsqu'ils furent à nouveau seuls dans la pièce Izzy leva sur lui de grands yeux bruns hésitants.

– Je n'ai pas besoin que tu m'aides, Izzy, dit-il. Je peux me débrouiller tout seul, ne t'inquiète pas.

Elle le considéra un petit moment encore en silence, puis s'avança lentement vers lui. Il crut qu'elle allait passer à côté de lui, mais au dernier moment, elle s'arrêta et le regarda.

Il y avait de la peur dans ses yeux, et puis ce fichu gant noir qu'elle portait à la main droite lui donnait le bourdon. Annie avait raison. Il fallait qu'il se ressaisisse ; il fallait qu'il arrête de boire et qu'il prenne soin de sa fille. Il lui sourit d'un air mal assuré et dit :

– Viens, Izzy, chérie. Allons-y.

Lentement, il prit sa petite main dans sa grosse main calleuse, et ensemble ils se dirigèrent vers le jardin d'hiver, elle qui ne parlait pas et lui qui ne savait que dire.

Annie les accueillit avec un grand sourire. Le jardin d'hiver était méconnaissable, digne de figurer dans un magazine de décoration. Une jolie nappe bleue recouvrait la vieille table bancale ; en son centre trônait un vase de faïence rempli de branches de myrtilles et de cornouillers. Il y avait un plat avec des œufs brouillés et un autre avec des galettes chaudes. À côté de chaque assiette, un verre de lait et un de jus d'orange avaient été disposés.

– Assieds-toi, dit-elle, tandis qu'elle aidait Izzy à s'asseoir.

Nick se laissa tomber lentement sur sa chaise, ignorant les tambours qui battaient sous ses tempes.

– Pour moi, ce sera juste du café, dit-il d'une voix cassée. J'ai la gu... (Il jeta un coup d'œil à Izzy.) Je ne suis pas dans mon assiette. J'ai mal au crâne.

Mais à la façon dont elle le regardait, il vit bien qu'Izzy n'était pas dupe. Un sentiment de culpabilité mêlée de honte s'empara de lui. Il tendit le bras pour saisir le pichet de jus d'orange, mais rata sa cible et renversa le vase qui se répandit sur la nappe, éclaboussant les œufs brouillés avant d'aller rouler à terre avec un grand craaac.

– Oh, non, gémit Nick en fermant les yeux et en prenant sa tête entre ses mains.

– Allons, ce n'est rien, dit Annie en se levant et en épongeant la nappe avec sa serviette.

Il se tourna vers Annie, prêt à lui dire qu'il déclarait forfait, mais lorsqu'il vit son sourire il s'arrêta net. Elle était tellement... enthousiaste. Il ne se sentait pas le cœur de la décevoir. Il avala la grosse boule qu'il avait dans la gorge et essuya la sueur qui lui perlait au front d'une main tremblante.

Annie lui décocha un grand sourire et commença à se servir une portion gigantesque d'œufs brouillés et une montagne de galettes chaudes.

S'efforçant d'oublier la migraine qui lui martelait la tête et les tremblements qui lui agitaient les mains, il dit :

– Tu as vraiment l'intention de manger tout ça ?

Elle rit.

– Tu oublies que j'arrive de Californie. Il y a quinze ans que je n'ai pas mangé un œuf et depuis quelque temps je mange comme quatre. J'ai tout le temps faim.

Sans cesser de sourire, elle aspergea son assiette d'une

généreuse rasade de sirop d'érable et commença à manger tout en parlant. Nick saisit sa tasse à deux mains, puis lorsqu'il se sentit suffisamment sûr de lui, il l'approcha de ses lèvres et prit une longue gorgée de café. Le liquide chaud apaisa ses nerfs à vif et ôta le plus gros de sa migraine. Lentement, très lentement, il se renversa sur sa chaise et se laissa bercer par le bourdonnement apaisant de la voix d'Annie. Au bout d'un moment, il réussit à manger un peu. Pendant ce temps-là, Annie parlait et riait et se comportait comme s'ils avaient formé une famille. Une famille normale et non pas un père alcoolique et sa fille muette qui disparaissait par petits bouts.

Il n'arrivait pas à quitter Annie des yeux. Chaque fois qu'elle riait, son rire le faisait frissonner. Et il en vint à se demander depuis combien de temps Izzy et lui n'avaient pas ri ensemble... depuis combien de temps ils n'avaient pas partagé un moment de bonheur...

– J'ai pensé qu'on pourrait aller acheter des plants au supermarché aujourd'hui, dit Annie gaiement. C'est la journée rêvée pour remettre un peu d'ordre dans le jardin. En s'y mettant à trois, ça ne devrait pas prendre bien longtemps.

Jardiner. Nick aimait jardiner autrefois, planter des bulbes, ratisser les feuilles mortes, tailler les rosiers. Ce qu'il aimait par-dessus tout c'était voir éclore les premiers bourgeons de printemps. Mais cette année il ne les avait même pas vus pousser. Il était obsédé par le cerisier chétif qu'il avait planté après les funérailles de Kathy.

– Qu'est-ce que tu en penses, Izzy ? demanda Annie, brisant l'épais silence. Est-ce que tu es d'accord pour que ton papa nous donne un coup de main ?

Izzy saisit sa cuillère entre deux doigts – les deux seuls qui lui restaient – et la secoua si fort qu'elle cogna contre la table.

– Cela veut dire que ta fille a très envie de jardiner avec son papa, Nick Delacroix. Est-ce qu'elle peut compter sur toi ?

153

Nick aurait voulu entrer dans son jeu, faire comme si quelques mots échangés autour de la table du petit déjeuner suffisaient pour que tout rentre dans l'ordre. Mais il n'était pas suffisamment naïf pour cela. Et il avait beau hocher la tête, il savait qu'il s'agissait une fois de plus d'une promesse d'ivrogne.

12

Assis dans la voiture de patrouille, Nick contemplait la cime enneigée du mont Olympus qui se découpait au loin sur le ciel chargé de gros nuages gris. Les feuilles mortes balayées par le vent glacé tourbillonnaient sur l'asphalte. Comme toujours, la ville avait un aspect délaissé et mort. Au loin, les usines crachaient continuellement une fumée blanche qui laissait derrière elle une odeur âcre de pulpe de bois.

Jadis, Nick adorait se promener dans ce quartier. Il connaissait par cœur la vie des gens dont il avait pour tâche d'assurer la sécurité : il savait quand leurs filles se mariaient, quand leurs fils faisaient leur *bar mitzvah*, quand leurs parents partaient en maison de retraite, quand leurs enfants entraient à la crèche. Il mettait un point d'honneur à s'acquitter consciencieusement de sa mission. Il savait qu'en leur rendant visite chaque jour, il contribuait à leur bien-être.

Mais depuis quelque temps il avait pris l'habitude de se laisser aller, et l'avenir lui fichait une trouille bleue. Izzy avait besoin de lui, mais c'était plus fort que lui, Nick avait la sale manie de faire faux bond aux êtres qui lui étaient chers. S'il avait eu plus de volonté, s'il avait été plus consciencieux, il aurait pu aider sa fille à oublier son chagrin, mais il était incapable de se prendre en charge lui-même. Alors comment aurait-il pu aider les autres ?

Annie avait raison : il était temps qu'il se remette sur le droit chemin. Pour la première fois depuis des mois, il commençait à entrevoir une lueur d'espoir.

Il sortit de la voiture et se fondit dans la foule des badauds qui entraient et sortaient des magasins avec des paquets plein les bras. Il écouta les bruits de la vie quotidienne. Une portière qui claque, un coup de Klaxon, une pièce de vingt-cinq cents qui tombe dans la fente d'un parcmètre.

Tous les gens qu'il croisait le saluaient d'un : *B'jour, Nick*, et chaque fois il avait l'impression de revenir à la vie. C'était presque comme dans le bon vieux temps. Quand son uniforme était toujours propre et bien repassé, et que ses mains ne tremblaient pas.

Il saluait tous les commerçants d'un geste amical. En passant devant la boutique de vêtements pour enfants il tomba en arrêt devant une petite robe rose adorable. Exactement la taille d'Izzy. Il poussa la porte. La sonnette tinta.

En l'apercevant Susan Frame poussa un petit cri de joie et accourut au pas de charge en agitant ses mains roses et potelées.

– Doux Jésus, je n'arrive pas à en croire mes yeux.

– Salut, Susan, dit-il en lui décochant un grand sourire. Ça faisait une paye, pas vrai ?

Elle partit d'un rire qui fit trembler son triple menton.

– Ça faisait une éternité qu'on ne t'avait pas vu par ici, dit-elle en lui donnant une tape amicale sur le dos.

– Oui, euh...

– Comment ça va ?

– Mieux. Il y a une robe dans la vitrine...

Elle joignit ses deux grosses mains.

– Ah, oui. N'est-ce pas qu'elle est chou ? Parfaite pour mam'zelle Isabelle. Quel âge ça lui fait, déjà ?

– Six ans.

– Je parie qu'elle pousse à vue d'œil. Je ne l'ai pas vue depuis la mort de...

Elle s'arrêta au milieu de sa phrase et le prit par le bras pour l'entraîner à l'autre bout du magasin. Il se laissait porter par le flot continu et rassurant de son bavardage mais ne l'écoutait pas vraiment. Susan s'en était aperçue mais cela lui était égal. La venue de Nick dans ce magasin était un événement à marquer d'une pierre blanche.

156

Elle ôta la robe de son cintre. Celle-ci était en vichy rose et blanc avec un petit jupon de dentelle et un empiècement bleu ciel brodé de petites fleurs roses et blanches. Elle lui rappela le jardin de Kathy.

Viens voir, Nick... les tulipes sont sorties...

Il ferma brusquement les yeux en serrant les paupières.

Oublie les fleurs... ne pense plus à elle...

– Nick, ça ne va pas ?

D'un geste mal assuré, il sortit un billet de vingt dollars et le jeta sur le comptoir.

– La robe est parfaite, Susan. Est-ce que tu peux me faire un paquet cadeau ?

Elle répondit quelque chose, mais il ne l'écoutait pas. Il ne pensait qu'à une chose : aller chez Zoe boire un verre – rien qu'un seul – pour calmer les tremblements qui lui agitaient les mains.

– Et voilà.

Une seconde plus tard, Susan agitait un gros paquet bleu sous son nez. Il passa sa langue sur ses lèvres sèches en s'efforçant de sourire.

Elle lui donna une tape sur l'épaule.

– Nick ? Tu es sûr que ça va ?

Il hocha la tête avec un geste trop lent.

– Oui, oui. Merci.

Saisissant son paquet, il poussa la porte vitrée et sortit dans la rue.

Dehors il pleuvait à verse, des gouttes d'eau grosses comme des pièces de cinq cents. Il jeta un coup d'œil plein d'envie du côté de chez Zoe.

Non. Il n'irait pas de ce côté. Il allait finir sa tournée puis filer tout droit à la maison. Izzy et Annie l'attendaient, pas question de les décevoir. Rejetant les épaules en arrière, il prit une longue inspiration, puis commença à descendre la rue, une main posée sur sa matraque. À chaque pas qu'il faisait il reprenait confiance en lui, il se sentait plus fort.

Il s'engouffra promptement dans son véhicule pour échapper à la pluie diluvienne. Juste au moment où il tendait la main pour saisir son émetteur radio, un appel d'urgence tomba.

Une querelle domestique à Old Mill Road.

– Oh, non !

Il prit l'appel, enclencha la sirène et démarra sur les chapeaux de roues.

Dès qu'il atteignit la route de Weavers, il comprit que quelque chose de grave était arrivé. À travers la pluie torrentielle et la futaie qui s'étirait au loin, on apercevait des lumières clignotantes rouges et jaunes. Le cœur battant, il remonta l'allée à toute allure.

Deux voitures de police et une ambulance étaient stationnées devant le mobile home.

Nick fit claquer la portière et bondit hors de la voiture. C'est alors qu'il aperçut le commissaire Joe Nation, l'homme qui l'avait pris sous son aile quand il avait quinze ans.

Joe, l'air grave, sortait du mobile home en secouant ses deux longues tresses grises. Au même instant, il aperçut Nick qui arrivait dans sa direction et il se figea sur place.

– Joe ? dit Nick hors d'haleine.

Joe posa une grosse main veinée sur le bras de Nick.

– N'y va pas, Nicholas.

– Si...

– Il n'y a plus rien à faire. C'est fini.

Passant outre les consignes de Joe, Nick remonta l'allée en courant et poussa violemment la porte du mobile home qui céda et tomba à la renverse.

À l'intérieur, les enquêteurs étaient en train de passer la caravane au peigne fin. Nick alla droit à la chambre à coucher. Sally reposait sur le lit, immobile, sa robe remontée très haut sur ses cuisses décharnées, la figure en bouillie, méconnaissable. Un flot de sang s'échappait de sa poitrine, formant une flaque noire sur les draps grisâtres.

Nick se sentit brusquement happé par le passé. Il se revit dans un autre lieu, à une autre époque, en train d'identifier un cadavre aussi amoché que celui-là...

– Bon sang, Sally, murmura-t-il, la voix brisée par l'émotion.

Il s'approcha du lit, puis, s'agenouillant à côté d'elle, repoussa une mèche de cheveux sanguinolents de son visage. Sa peau était encore chaude au toucher, et il avait l'impression qu'elle allait se réveiller brusquement et lui sourire en disant que tout allait bien.

– Ne la touchez pas, m'sieur, dit l'un des médecins légistes. Les indices...

Nick ôta sa main tremblante, et se releva tant bien que mal. Il aurait voulu lui abaisser sa robe – lui rendre un semblant de dignité – mais il ne le pouvait pas. Ni lui ni personne ne pouvait plus rien pour Sally. À présent, c'était aux photographes et aux médecins légistes de faire leur boulot.

Il s'éloigna du lit comme un aveugle et sortit du mobile home. Dehors, tout était exactement comme lorsqu'il était arrivé, et pourtant plus rien n'était pareil.

Joe s'approcha et l'entraîna au loin. Nick eut l'impression de retourner des années et des années en arrière, à l'époque où Joe l'avait trouvé à demi mort de froid, dans la gare routière de Port Angeles.

– Tu n'y es pour rien, Nicholas, dit-il. Elle ne voulait pas qu'on l'aide.

Des images tragiques, les images d'une autre nuit, se mirent à défiler dans sa tête, des images tachées de sang et de violence. Depuis huit mois il essayait de fuir ces images de mort, de les enfouir au plus profond de son inconscient, et voilà qu'elles lui revenaient d'un seul coup.

– C'est trop, dit-il, en secouant la tête. C'est trop.

Joe lui donna une petite tape dans le dos.

– Rentre chez toi, Nicholas. Va t'occuper de ta gosse, et oublie tout ça.

Incapable de bouger, Nick resta figé sur place, une main crispée sur la crosse de son revolver. Il n'y avait qu'une seule chose qui pouvait l'aider à oublier à présent.

Nick n'était pas rentré pour dîner.

Annie avait fait comme si cela n'avait pas d'importance. Mais elle avait eu beau s'efforcer de sourire devant Izzy, la fillette n'était pas dupe. Ni les biscuits, ni les devinettes n'avaient réussi à détourner les yeux d'Izzy de la fenêtre...

Annie alla s'asseoir sur une chaise à bascule sous la véranda, et prit la petite sur ses genoux. Puis elle se mit à la bercer doucement en fredonnant une chanson.

Izzy frissonnait imperceptiblement entre ses bras, et à chaque inspiration de l'enfant, Annie avait l'impression d'entendre les questions que la petite se posait intérieurement.

– Ton papa va bientôt rentrer, Izzy, dit-elle doucement, en priant le ciel pour que ce fût vrai. Il t'aime beaucoup, tu sais.

Izzy ne bougea pas, elle n'eut aucune réaction.

– Parfois, il arrive que les grandes personnes perdent le nord. Ton papa est un peu déboussolé en ce moment, mais il faut être patiente, et tu verras, tout finira par s'arranger. Je sais que c'est dur d'être patient, surtout quand on a hâte de voir quelqu'un.

La voix d'Annie s'éteignit. Elle ferma les yeux et écouta le grincement régulier de la chaise à bascule, et le clapotis de la pluie sur le toit de la véranda.

– Il t'aime, Izzy, dit-elle enfin. Il t'aime beaucoup.

Cela ne la frappa pas d'emblée, mais lorsque Annie tendit l'oreille, elle réalisa qu'un petit son sortait de la bouche de l'enfant, un *ping, ping, ping*, à peine audible.

La petite imitait le martèlement de la pluie sur le toit.

Annie sourit.

Izzy revenait tout doucement à la vie.

Izzy sentit le cri qui revenait à nouveau. Il était enfoui tout au fond d'elle-même, dans cet endroit obscur où vivaient les cauchemars. Chaque fois qu'elle fermait les yeux, elle voyait sa maman, et elle se souvenait de ce qu'elle lui avait dit. *Tu ne peux pas me rejoindre... me rejoindre... me rejoindre...*

Et si c'était vrai ? Imaginez qu'elle disparaisse dans le

brouillard et que malgré cela elle ne retrouve pas sa maman ?
Un petit gémissement s'échappa de ses lèvres.

Elle avait peur. Il y avait des nuits, comme celle-là, où elle se réveillait en pleurs. Elle ne cessait de rêver au méchant docteur, celui avec un nez pointu et des grosses lunettes épaisses qui lui avait dit qu'elle devait parler, sans quoi elle ne pourrait jamais oublier sa maman. Elle avait eu si peur. Les grands utilisaient souvent des mots qu'elle ne comprenait pas. La dernière chose qu'elle lui avait dite était : *Je ne veux pas oublier ma maman...*

Elle se mit à trembler de tous ses membres.

Elle ne voulait pas se remettre à crier.

Elle rejeta ses couvertures et se glissa hors du lit. Puis elle alla pieds nus jusqu'à la porte et s'arrêta. Elle jeta un coup d'œil à sa main, cette main à laquelle il ne restait qu'un pouce et un index. Soudain elle eut envie d'arrêter de disparaître, elle eut envie de saisir la poignée de la porte et de l'ouvrir d'un geste ferme.

Elle soupira et commença à tourner la poignée avec les deux doigts qui lui restaient. Il lui fallut un bon moment, mais elle y parvint.

Elle passa la tête dans l'entrebâillement et jeta un coup d'œil dans le couloir obscur.

La chambre de son papa se trouvait sur la gauche, à trois portes de là, mais elle savait qu'il ne s'y trouvait pas, parce qu'elle avait entendu Annie parler avec Lurlene.

Elle savait que son papa était retourné à l'endroit mauvais, l'endroit qui sentait la cigarette. Quand il revenait de cet endroit, il marchait tout de travers, et il avait l'air méchant, et il s'enfermait dans sa chambre en faisant claquer la porte.

Elle se faufila dans le couloir, et jeta un coup d'œil par-dessus la rampe de l'escalier. Annie dormait sur le canapé.

Annie qui lui tenait la main et qui lui brossait les cheveux, et qui faisait comme si ça lui était égal qu'Izzy ne parle pas. Annie, qui allait remettre des fleurs dans le jardin de maman.

Tout doucement, elle commença à descendre l'escalier. Les marches étaient froides sous ses pieds nus, et elle se mit

161

à trembler, mais ça n'avait pas d'importance. Maintenant qu'elle avait commencé à marcher elle se sentait mieux. Le cri était retourné se cacher dans l'endroit obscur.

Elle avait presque envie de dire quelque chose, d'appeler le nom d'Annie, par exemple, mais il y avait si longtemps qu'elle n'avait pas parlé. Elle ne se souvenait même plus à quoi ressemblait sa voix.

Elle s'approcha du sofa sur la pointe des pieds. Annie dormait, la bouche ouverte. Ses cheveux collés d'un côté de sa tête et complètement hérissés de l'autre.

Izzy hésita. Quand elle était petite, elle allait se blottir dans le lit de papa et maman quand elle avait peur, et là elle se sentait bien au chaud et en sécurité. Maman prenait Izzy dans ses bras et remontait soigneusement la couverture et Izzy se rendormait aussitôt.

Annie laissa échapper un petit ronflement et s'étira, laissant un espace suffisamment grand au bord du sofa pour qu'Izzy puisse s'y faufiler.

Doucement, Izzy releva la couverture et se glissa sans bruit à côté d'Annie sur le sofa.

Elle se fit toute petite, respirant à peine. Elle avait peur qu'Annie ne se réveille et lui dise de retourner dans sa chambre. Mais elle ne voulait pas retourner là-bas. Elle avait peur dans le noir.

Annie renifla à nouveau, et se retourna vers Izzy.

Izzy retint sa respiration et se tint parfaitement immobile.

Annie enroula un bras protecteur autour d'Izzy et l'attira contre elle.

Izzy eut l'impression de fondre. Pour la première fois depuis des mois, elle avait l'impression de respirer librement. Elle se retourna et se pelotonna en chien de fusil contre Annie.

Puis, avec un petit soupir satisfait, elle ferma les yeux.

Annie fut tirée du sommeil en pleine nuit par la présence d'un petit corps chaud et douillet à côté du sien. Cette sensation éveilla en elle un flot de souvenirs. Elle se mit à penser à sa fille qui était à présent à l'autre bout du monde et qui avait cessé d'être un bébé depuis longtemps. Elle caressa doucement le front moite de l'enfant et lui glissa doucement à l'oreille :

– Dors bien, petite princesse.

Izzy se blottit tout contre elle. C'est alors qu'Annie entendit un petit bruit, un son minuscule qu'elle n'aurait pas entendu si elles avaient été dehors, ou s'il avait plu.

Izzy riait dans son sommeil.

Annie jeta un coup d'œil à la pendule. Il était cinq heures et demie du matin. Tout doucement, elle repoussa la couverture et enjamba délicatement Izzy. Elle s'approcha en frissonnant de la fenêtre et regarda au-dehors. À travers les branches noires des sapins, elle vit que le ciel commençait à se teinter de rose.

– Maudit bonhomme, murmura-t-elle.

Cette fois, Nick n'était pas rentré de la nuit.

13

À six heures moins le quart le téléphone sonna. Annie décrocha et dit tout bas, pour ne pas réveiller Izzy :
– Allô ?
– Je voudrais parler à Annie Bourne, s'il vous plaît.
Annie fronça les sourcils. C'était une voix d'homme qu'elle ne connaissait pas.
– C'est elle-même.
– Bonjour, ici le commissaire Joseph Nation.
L'estomac d'Annie se noua d'un seul coup.
– C'est au sujet de Nick... Il a eu un accident hier au soir.
– Oh, mon Dieu. Il est...
– Il n'a rien. À part un ou deux bobos et... une gueule de bois maison. Il est à l'hôpital de Mystic.
– C'est lui qui conduisait ?
– Non. Il a eu la présence d'esprit de se faire raccompagner par quelqu'un – malheureusement, son chauffeur était presque aussi soûl que lui.
– Il y a eu d'autres blessés ?
Le commissaire soupira.
– Non. Ils ont percuté un arbre sur la route de Old Mill. Le chauffeur s'en est tiré sans une égratignure et Nick avec un traumatisme crânien, sans gravité. Il a eu de la chance... pour cette fois. Je vous appelle parce qu'il va falloir que quelqu'un aille le chercher à l'hôpital. Et il a pensé à vous...
Annie jeta un coup d'œil à Izzy qui dormait à poings fermés sur le sofa. Elle repensa à la façon dont la fillette avait guetté le retour de son papa qui ne revenait pas parce qu'il était en train de se soûler.

Cette fois la coupe était pleine. Elle dit lentement :

– Très bien, j'y vais. Mais je vous garantis qu'il va se faire remonter les bretelles.

Nick gémit et essaya de se mettre sur le côté, mais il en fut empêché par les couvertures qui s'étaient enroulées autour de ses jambes. Lentement, afin de ménager sa pauvre tête, il se hissa sur les coudes et jeta un coup d'œil autour de lui. La lumière le terrassa. Quelque part une radio braillait.

Il était étendu sur un lit métallique. Au-dessus de sa tête des tubes fluorescents déversaient des tonnes de lumière sur les murs blancs de la chambre et sur le rideau de séparation jaune vif qui pendait jusqu'à terre.

Il ferma les yeux et se laissa retomber sur les oreillers en ramenant un bras sur sa figure. Il était à l'agonie. Il avait la tête dans un étau, la bouche sèche, et l'estomac à vif comme si on l'avait décapé au scalpel. Il était secoué de tremblements de la tête aux pieds et se sentait près de défaillir.

– Alors, Nicholas ? Te voilà revenu dans le monde des vivants ?

Il n'était pas sûr d'avoir envie de se réveiller dans un lit d'hôpital avec son patron qui pérorait à ses côtés. Surtout quand ce patron était aussi proche qu'un père.

Quand Nick avait quinze ans, Joe l'avait recueilli et lui avait donné son premier vrai foyer. Il n'avait nulle part où aller. Sa mère était morte et le bureau d'aide sociale ne lui avait pas laissé le choix.

Je parie que c'est toi, Nicholas, avait dit Joe. J'ai une chambre d'amis pour toi... si tu veux en profiter. Maintenant que nos filles sont toutes mariées, ma femme et moi, on se sent un peu seuls.

C'est avec ces quelques paroles amicales que Joe avait offert à Nick une nouvelle vie.

Nick se hissa à nouveau sur ses coudes. Le moindre mouvement le faisait souffrir. Le simple fait de respirer était un supplice.

165

– Salut, Joe.

Joe le dévisagea un instant d'un œil sombre dans les yeux. Des rides profondes lui barraient le front et creusaient ses joues hâlées. Deux longues tresses poivre et sel retombaient sur le devant de sa chemise à carreaux bleus.

– Tu as eu un accident, hier soir. Tu t'en souviens ? Joel était au volant.

Nick sentit son sang se glacer dans ses veines.

– Oh, bon Dieu. Il y a eu des blessés ?

– Juste toi... pour cette fois.

Nick se laissa retomber sur les oreillers avec un soupir de soulagement. Il se passa une main tremblante sur la figure. Si seulement il avait pu se doucher. Il empestait l'alcool, le tabac et le vomi. Il ne se souvenait de rien, à part qu'il était allé chez Zoe. Il se revoyait en train de boire – son quatrième verre. Mais il ne se revoyait pas du tout montant en voiture avec Joel.

Joe approcha une chaise et s'assit à côté du lit. Le bruit des pieds métalliques raclant le linoléum lui vrilla les tympans.

– Tu te souviens du jour où on a fait connaissance, toi et moi ?

– Je t'en prie, Joe. C'est pas le moment...

– Si, c'est le moment. Je t'ai tout donné, un toit, une famille, mon amitié – et tout ça pour quoi ? Pour te voir sombrer dans l'alcoolisme.

– Heureusement que cette pauvre Louise n'est plus là pour voir ça. Tu sais que tu as tourné de l'œil ?

Nick fit la grimace.

– Où ça ?

Une question idiote, mais qui avait son importance.

– Chez Zoe.

Nick se laissa retomber sur les oreillers. Oh, mon Dieu ! Il était tombé en syncope chez Zoe. Et dire que ça aurait pu aussi bien lui arriver à la maison, devant Izzy.

Il préférait ne pas y penser. Il rejeta les couvertures et s'assit. Au même moment il sentit son estomac chavirer et

166

crut que son crâne allait exploser. Saisissant sa tête entre ses mains, il se pencha en avant, et regarda fixement le plancher en attendant que le malaise passe.

– Nicholas, ça va ?

Lentement il releva la tête. Bribe par bribe il revoyait la soirée de la veille : Sally Weaver... dans une mare de sang... la voix pleurnicharde de Chuck : *J'y suis pour rien...*

– Tu te souviens quand tu essayais de me convaincre d'entrer dans la police, Joe ? Tu me disais que j'allais pouvoir aider les gens comme ma mère.

Joe soupira.

– On ne peut pas tous les sauver, Nicholas.

– J'en peux plus, Joe. On ne les aide pas. On ne fait qu'éponger le sang. J'en peux plus...

– Tu es un flic du tonnerre. Seulement, il faut que tu te fasses à l'idée que tu ne pourras pas tous les sauver.

– Nom d'un chien, Joe, je ne peux sauver personne. Et j'en ai ras le bol d'essayer.

Il sortit du lit et essaya de se tenir debout, mais il vacillait et titubait sur ses jambes comme un imbécile. Son estomac faisait des nœuds, prêt à se purger à la première occasion. Il s'agrippa au cadre du lit d'une main moite et sans force.

– Demain, je t'envoie ma démission.

Joe se leva, puis posa doucement une main sur l'épaule de Nick.

– Je ne l'accepterai pas.

– J'en peux plus, Joe, murmura-t-il.

– Je veux bien t'accorder un congé – aussi long que tu le souhaiteras. Je sais que tu traverses une période difficile, et que tu as besoin d'être aidé. Mais tu dois arrêter de boire.

Nick soupira. Ils disaient tous la même chose. *Je sais que tu traverses une période difficile.* Mais ils ne savaient rien du tout. Aucun d'entre eux n'était jamais entré dans une chambre éclaboussée de sang du sol au plafond. Même Joe, qui était déjà un alcoolique pur et dur à dix-huit ans, et qui avait grandi dans l'ombre peu reluisante d'un père ivrogne, ne pouvait pas comprendre.

– Tu te trompes, Joe. On est toujours seul.

– C'est précisément parce que tu raisonnes comme ça que tu t'es mis dans le pétrin. Crois-moi, je sais ce que c'est que d'être un fils d'alcoolique : ne pas parler, ne pas se confier. Mais il va pourtant bien falloir que tu te confies à quelqu'un, Nicholas. Il y a une ville entière qui est prête à te soutenir, et puis il y a ta gosse. Elle te vénère comme un dieu. Arrête de penser à ce que tu as perdu, et pense plutôt à tout ce qui te reste. Tu veux finir comme ta mère, sur un banc public ? Ou comme moi – un père que ses deux mômes ont quitté parce qu'il était tout le temps bourré ? (Il tira une carte de visite de sa poche et la tendit à Nick.) Quand tu seras décidé à arrêter de boire, tu n'auras qu'à appeler ce numéro. Je vais t'aider à t'en sortir – on va tous t'aider – mais il faut que tu fasses le premier pas.

– Tu as une vraie gueule de déterré.

Nick ne leva même pas les yeux vers Annie.

– Quel langage ! C'est à Stanford qu'on t'a appris à parler comme ça ?

– Non, mais là-bas, en tout cas, j'ai appris à ne pas boire et à tenir un volant.

Il jeta un coup d'œil autour de lui, en passant une main tremblante dans ses cheveux ébouriffés.

– Où est Izzy ?

– Ah, parce que tu te souviens que tu as une fille ?

– Annie, je t'en prie...

– Ta fille et moi, nous nous sommes fait un sang d'encre hier soir. Mais tu t'en fiches, naturellement ?

Il se sentit brusquement gagné par une immense fatigue, une fatigue telle qu'il ne pouvait plus se tenir sur ses jambes. Il la bouscula et sortit du bâtiment. Sa Ford Mustang était garée juste devant les portes vitrées. Trébuchant à demi, il saisit la poignée métallique et resta un moment debout sans bouger, les yeux fermés, essayant de reprendre son souffle.

Il l'entendit approcher. Ses baskets rendaient un petit

bruit étouffé au contact de l'asphalte. Elle monta en voiture et fit claquer la portière d'un geste rageur, sans la moindre compassion pour sa pauvre tête prête à exploser. Puis elle donna un méchant coup de Klaxon qui lui vrilla les tympans. Il ouvrit la porte et se laissa tomber sur la banquette en vinyle rouge avec un soupir hébété.

La voiture cahotait sur la chaussée défoncée. À croire qu'Annie le faisait exprès et qu'elle accélérait chaque fois qu'il y avait un nid-de-poule. Il s'agrippa à la poignée. Sa main était moite et livide.

– J'ai parlé avec le commissaire Nation, pendant que tu étais en train de t'habiller. Il m'a dit qu'il t'avait accordé un arrêt prolongé. Et que tu étais tombé dans les pommes.

– Super.

Elle laissa échapper un petit sifflement.

– Et ça, sur le devant de ta chemise, c'est quoi ? Du vomi ? On dirait que tu t'en es payé une bonne tranche hier. Ma foi, c'est tellement mieux que de rester bien tranquillement chez soi, avec sa fille.

Il fit la grimace et ferma les yeux, tandis qu'un terrible sentiment de honte s'emparait de lui. Les paroles de Joe lui revinrent en mémoire. *Tu veux finir comme ta mère ? Ou comme moi ?* Il songea à Izzy, à ce qu'elle allait penser de lui. Sûr qu'elle le quitterait dès qu'elle serait en âge de le faire... Il songea à ce que serait la vie sans elle.

Il jeta un coup d'œil oblique à Annie. Elle se tenait parfaitement droite, les mains posées symétriquement de part et d'autre du volant, concentrée sur la route qui s'étirait devant elle.

– Annie, est-ce que tu veux bien me rendre un service ?

– Bien sûr.

– Laisse-moi au Hideaway Motel, sur la Nationale Sept, dit-il tout bas. Et occupe-toi d'Izzy pendant quelques jours.

Elle fit la moue.

– Le Hideaway ? C'est un taudis. Et puis pourquoi est-ce que...

Il avait l'impression de patauger dans un marécage bourbeux et n'avait pas la force d'argumenter.

– Je t'en prie, ne discute pas. J'ai besoin d'un peu de... temps.

Elle lui décocha un petit regard inquiet, puis tourna à nouveau les yeux vers la route.

– Mais Izzy...

– S'il te plaît ?

Il avait dit cela d'une voix molle et pâteuse, mais il ne pouvait pas faire autrement.

– Je te demande de rester quelques jours avec elle, le temps que je me ressaisisse. Je sais que c'est un gros service que je te demande là...

Elle ne répondit pas, et pour la première fois un silence inconfortable s'installa entre eux. Quelques minutes plus tard, elle quittait l'autoroute et entrait dans l'aire de stationnement du Hideaway Motel. Une enseigne lumineuse peu engageante clignotait au-dessus de la porte : CHAMBRES LIBRES.

– Nous y voilà, Nick. Mais je ne sais pas si...

– Foyer doux foyer, dit-il avec un petit sourire forcé.

Elle se tourna vers lui, et il vit dans ses yeux une douceur à laquelle il ne s'attendait pas. Elle se pencha vers lui, et balaya une mèche de cheveux de devant ses yeux avec un geste maternel.

– Je veux bien t'aider, Nicky, mais à une condition : ne fiche pas tout en l'air, cette fois. Ta fille a besoin de son papa.

– Oh, bon Dieu, Annie, murmura-t-il d'une voix torturée par le remords.

– Je sais que tu l'aimes, Nick, dit-elle en se rapprochant un peu plus. Fais-moi confiance. Et surtout, aie confiance en toi.

Il avait beau se dire qu'il allait échouer une fois de plus, ça lui était égal. Elle lui offrait une deuxième chance et il voulait la saisir. Il était fatigué, fatigué d'être seul et d'avoir peur. Il mourait d'envie de lui dire : *Je veux essayer*, mais il

170

ne trouvait pas la force de prononcer ces quelques mots. Il pensait à toutes les autres fois où il avait eu sa chance... et à toutes les fois où sa mère lui avait dit : *Fais-moi confiance, Nicky, cette fois c'est pour de bon.* Il y avait belle lurette qu'il avait perdu l'habitude de faire confiance aux gens.

Il descendit de la voiture et la regarda s'éloigner au volant de la Mustang. Puis il se dirigea vers la réception et prit une chambre pour la nuit.

La chambre était petite et sombre et sentait l'urine. Des murs marron pisseux formaient un carré parfait autour d'un lit double affaissé. Un couvre-pieds gris en laine recouvrait un matelas défoncé. Une fenêtre sans rideaux donnait sur le mur en brique d'un bâtiment voisin. Une moquette jaune, usée par endroits jusqu'à la trame, était simplement posée à même le sol en béton.

Il aperçut la salle de bains grande comme un placard à balais, derrière la porte imitation bois qui pendait de guingois sur ses gonds descellés. Il n'eut pas besoin d'aller jeter un coup d'œil à l'intérieur pour savoir qu'il y avait une douche en plastique blanche et des toilettes beiges, et des traces de rouille autour de la bonde du lavabo.

Il se laissa tomber sur le lit en soupirant. Il y avait si longtemps qu'il ne vivait qu'une moitié de vie, et voilà que cette moitié de vie était en train de lui filer entre les doigts. Il savait qu'il avait eu tort de se mettre à boire, qu'il avait fait une belle ânerie le jour où il avait commencé à le faire. L'alcool était en train de le bouffer de l'intérieur, et quand le whisky en aurait fini avec lui, il ne resterait plus qu'un vieillard décharné et transi sur un banc public...

Sur le mur opposé, il vit un cafard qui courait sur le lambris en plastique et se faufilait derrière un poster du mont Olympus.

Pour finir, après huit mois de dérive, il avait touché le fond. Il n'y avait qu'une chose qui pouvait le sortir de là désormais. Il fouilla dans sa poche et en sortit la carte que Joe lui avait donnée.

Tout au long de la journée Annie trouva à occuper Izzy, mais quand arriva le soir, il lui fallut inventer un subterfuge. Après dîner, elle lui lut une histoire, puis elle la prit dans ses bras.

– Il faut que je te dise quelque chose, Izzy, murmura-t-elle doucement tout en cherchant ses mots. Ton papa a été obligé de... s'absenter pendant quelques jours. Il est malade. Mais il va rentrer. Il t'aime très très fort et il va revenir.

Izzy ne répondit pas. Annie ne savait que dire pour rassurer la fillette, si bien qu'elle la berça longuement, en lui chantonnant des comptines et en lui caressant les cheveux. Puis elle dit en soupirant :

– Bon, c'est l'heure d'aller se coucher.

Elle s'écarta d'Izzy et se leva. Mais juste au moment où elle se dirigeait vers l'escalier, Izzy lui saisit la main en levant vers elle de grands yeux épouvantés.

Annie sentit son cœur chavirer.

– Je ne vais pas m'en aller, ma chérie. Je reste là.

Izzy lui prit la main et ne la lâcha pas jusqu'en haut de l'escalier, puis jusqu'au bout du couloir et jusque dans la salle de bains. Une fois dans la chambre à coucher, elle refusa toujours de la lâcher.

– Tu veux que je dorme avec toi ? demanda Annie en voyant les grands yeux suppliants de la petite.

Un petit sourire fendit brièvement le visage d'Izzy. Elle serra plus fort la main d'Annie et hocha la tête.

Annie monta dans le petit lit d'Izzy sans se soucier de se brosser les dents ou même de se changer. Elle alluma la veilleuse de la petite sirène sur la table de chevet et Izzy vint se blottir contre elle.

Annie caressa la joue veloutée d'Izzy. Elle se souvenait combien sa maman lui avait manqué quand elle était petite. Après l'accident, personne ne prononçait jamais son nom : c'était comme si elle n'avait jamais existé. Et petit à petit, Annie avait fini par oublier. Elle se demandait si la pauvre petite Izzy éprouvait les mêmes angoisses.

Elle essaya de se représenter Kathy assise sur l'une des chaises à bascule sur la véranda.

– Ta maman avait les plus beaux cheveux du monde. Ils avaient la couleur dorée du maïs. Et ils étaient si doux. Quand on était petites, elle et moi, on jouait pendant des heures à se faire des tresses. Ses yeux étaient très bleus, et quand elle souriait, ils se plissaient légèrement aux coins, comme les yeux d'un chat. Tu t'en souviens ?

Annie sourit. C'était incroyable, malgré toutes les années passées elle n'avait rien oublié.

– Le jaune était sa couleur préférée. Chaque année elle en portait pour la photo de classe. Et pour son premier bal, elle portait une robe de coton jaune avec une garniture de satin bleu qu'elle avait faite elle-même. C'était la plus jolie fille du lycée.

Izzy se retourna vers Annie. Il y avait des larmes dans ses yeux, mais elle souriait.

– Tu ne l'oublieras jamais, Izzy. Tu te souviens de son rire ? C'était un petit rire aigu suivi d'un reniflement. Et son parfum, tu t'en souviens ? Et quand elle te prenait la main ou que tu t'asseyais sur ses genoux et qu'elle te racontait un conte de fées, tu t'en souviens ? Eh bien tout ça, c'est ta maman. Ma maman à moi est partie il y a très, très long-temps, et pourtant chaque fois que je sens une odeur de vanille, je pense à elle. Elle est morte il y a très longtemps, mais le soir il m'arrive de lui parler et j'ai l'impression qu'elle m'écoute. (Elle balaya une mèche de cheveux noirs du petit front plissé d'Izzy.) Elle t'entend, ma chérie. Simplement, elle ne peut pas te répondre. Mais ça n'a pas d'importance. Si tu te pelotonnes sous les couvertures avec Miss Jemmie et que tu fermes les yeux en pensant à ta maman, elle viendra à côté de toi. Et brusquement ton lit te semblera plus chaud, et la lune plus brillante, et le vent plus mélodieux. C'est sa façon à elle de te répondre.

Annie prit le petit visage d'Izzy dans ses mains et lui sourit.

– Elle est toujours avec toi.

173

Puis elle serra Izzy contre elle et continua à lui parler, longtemps, longtemps, et à rire, et occasionnellement à essuyer une larme sur sa joue. Elle lui parla des blagues qu'elle faisait quand elle était petite, et des amourettes qu'elles avaient connues. Puis elle lui parla de mariage et de bébés qui naissent et qui grandissent, et de Natalie. Elle lui parla de Nick, elle lui dit combien il était beau et fort, et combien il aimait Kathy, et lui expliqua que, parfois, le chagrin plongeait les gens dans une dépression si noire qu'on avait l'impression qu'ils n'en sortiraient jamais.

Elle parlait toujours quand la nuit tomba, plongeant la chambre dans l'obscurité, et quand la respiration d'Izzy se fit plus lente et régulière parce qu'elle avait sombré dans un sommeil profond et paisible.

Le printemps avait chassé les derniers vestiges de l'hiver, répandant çà et là des touches de couleur dans la forêt. Les crocus, les jacinthes, les jonquilles commençaient à fleurir le long des sentiers et dans les clairières parsemées d'aiguilles de pin. Les oiseaux étaient de retour. Rassemblés sur les lignes téléphoniques, ils piquaient du nez vers la route, pour glaner çà et là de quoi faire leurs nids. De grands corbeaux noirs sautillaient sur la pelouse et dans l'allée en croassant.

Malgré les protestations véhémentes de son père, Annie avait pris quelques affaires et était allée s'installer chez Nick. Une bonne chose, tout compte fait, car bien que les nuits fussent longues et solitaires, elle avait désormais quelqu'un pour lui tenir compagnie. Elle n'était plus seule. Lorsqu'elle se réveillait la nuit, le cœur battant, au milieu d'un cauchemar, elle se glissait dans le lit à côté d'Izzy et la serrait contre elle.

Elles passaient leurs journées ensemble. Elles allaient en ville, faisaient des gâteaux, fabriquaient des coffrets à bijoux avec des boîtes d'œufs vides, préparaient des colis qu'elles envoyaient ensuite à Natalie. Elles lisaient les livres de classe

174

d'Izzy afin que celle-ci ne soit pas dépassée quand elle retournerait à l'école. Et chaque soir, Nick appelait pour dire bonsoir.

Aujourd'hui, Annie avait de grands projets. Il était temps de redonner vie au jardin de Kathy.

Izzy à ses côtés, elle s'approcha de la barrière branlante qui entourait le jardin. La terre riche et brune était encore humide de la pluie de la veille. Ici et là des flaques d'eau projetaient d'étranges reflets argentés.

Annie posa sa grosse boîte en carton et commença à en sortir toutes sortes de choses : une bêche, une pelle, un déplantoir, un sécateur.

– Au travail, dit-elle, en apercevant au loin une sorte de gros buisson brun à l'air prometteur. Ça m'a tout l'air d'être un pied de quelque chose – ou alors c'est la plus grosse touffe de mauvaises herbes que j'aie jamais vue. Regarde comme les tiges sont serrées, c'est plutôt bon signe. Je crois qu'on devrait le tailler. Tu viens, Izzy ?

Elle entraîna la fillette vers l'allée dallée qui serpentait à travers le grand jardin. Elles s'arrêtèrent devant le buisson.

Annie s'agenouilla. Elle sentit le contact froid et humide de la terre à travers l'étoffe de son pantalon. Enfilant une paire de gants de jardinier, elle saisit une poignée de tiges et tira d'un coup sec.

– Hourra ! s'écria-t-elle, des bulbes. Je l'aurais parié.

Elle se tourna vers Izzy, et lui décocha un sourire triomphant.

– J'étais sûre qu'il y avait des fleurs qui se cachaient là-dessous.

Elle sépara les bulbes puis les replanta, après quoi elle s'attaqua aux tiges mortes qu'elle coupa à ras grâce à son sécateur.

– Tu sais ce que j'aime dans le jardinage ? C'est payer quelqu'un pour le faire à ma place.

Elle rit à sa propre plaisanterie et se remit au travail. Elle arracha toutes les mauvaises herbes, puis tria les bulbes et les replanta. Pour finir, elle s'attaqua aux rosiers, qu'elle

175

tailla soigneusement. Elle fredonnait en travaillant. Elle essayait de trouver un air qu'Izzy connaissait, mais la seule chose qui lui venait à l'esprit était la chanson de l'alphabet. Elle se mit à la chanter d'une voix chevrotante et légèrement fausse.

– A-B-C-D-E-F-G... H-I-J-K... L-M-N-O-P.

Soudain elle fronça les sourcils et regarda Izzy, en ayant soin de ne pas regarder le petit gant noir.

– Mince alors, voilà que j'ai oublié l'alphabet. Oh, bien sûr, ça n'est pas dramatique. Ce n'est qu'une chanson. Ça finira bien par me revenir tôt ou tard. L-M-N-O-P. Flûte, voilà que je cale à nouveau sur le P.

Izzy tendit lentement la main vers le plantoir. Il lui fallut un petit moment pour pouvoir le saisir entre ses deux doigts, et après quelques tentatives infructueuses, Annie se sentit obligée de détourner les yeux.

Elle se remit à chanter.

– H-I-J-K... L-M-N-O-P... Flûte. Pas moyen de continuer. Bah, tant pis. Je crois qu'on devrait s'arrêter là. J'ai une faim de loup. Qu'est-ce que tu dirais de...

– Q.

La pelle tomba des mains d'Annie et percuta le sol avec un bruit sourd. Izzy continuait d'arracher les mauvaises herbes avec ses deux doigts « visibles » comme si de rien n'était. C'était un moment de pur bonheur, un instant plein de promesses.

Izzy avait parlé.

Annie laissa échapper un long soupir. *Du calme, Annie.* Elle décida de se comporter comme si parler était la chose la plus naturelle du monde.

– Hum. Je crois bien que tu as raison. L-M-N-O-P... Q-R-S...

– T-U-V.

– W-X-Y... et Z.

Annie eut l'impression que son cœur allait exploser de joie et d'amour. Elle s'obligea à arracher des mauvaises herbes pendant quelques instants encore. Elle aurait voulu

176

hurler de bonheur et prendre Izzy dans ses bras, mais elle n'osait pas, craignant qu'elle ne prenne peur et ne retombe dans le silence.

– Bon, dit-elle. Je crois que nous en avons assez fait pour aujourd'hui. Je ne sens plus mes bras. Si Jean-Claude me voyait – c'est mon prof de gym, en Californie – il serait fier de moi. Il disait toujours que je ne transpirais pas assez. Et moi je lui répondais que, si j'avais voulu transpirer, je n'aurais pas mis des survêtements à mille dollars pièce. (Elle passa une main terreuse sur son front moite.) J'ai mis de la limonade au frais, et il reste un peu de poulet froid d'hier soir. Qu'est-ce que tu dirais d'un déjeuner sur l'herbe ? Je vais faire des milk-shakes...

Au même moment Izzy releva la tête. Voyant que la fillette avait les larmes aux yeux, Annie la serra contre son cœur.

Nick se tenait sur le seuil d'une longue pièce étroite au sous-sol de l'église luthérienne. Au fond de la pièce des cafetières électriques et des gobelets en plastique avaient été disposés sur deux tables en Formica. Une foule de gens se pressaient autour de la machine à Coca, et une foule plus nombreuse encore autour des cafetières. L'odeur du café brûlé se mêlait au parfum âcre de la fumée de cigarette.

14

Nick se tenait sur le seuil d'une longue pièce étroite au sous-sol de l'église luthérienne. Au fond de la pièce des cafetières électriques et des gobelets en plastique avaient été disposés sur deux tables en Formica. Une foule de gens se pressaient autour de la machine à Coca, et une foule plus nombreuse encore autour des cafetières. L'odeur du café brûlé se mêlait au parfum âcre de la fumée de cigarette.

Les gens étaient assis sur des chaises pliantes, certains confortablement, leurs jambes nonchalamment étirées devant eux, d'autres du bout des fesses, l'air tendu. Presque tous fumaient.

Nick n'était pas sûr qu'il allait pouvoir entrer dans cette pièce enfumée et déballer ses tripes devant tous ces étrangers...

– La première fois, c'est très dur, et on est tendu comme la première fois qu'on fait l'amour, sauf que c'est moins agréable.

Nick se tourna et vit Joe qui se tenait à côté de lui, son vieux visage buriné fendu d'un large sourire de soulagement.

– Je savais que tu viendrais. Et dire que j'ai prié pendant des années pour que tu ne viennes jamais ici.

– Désolé de te décevoir, Joe, dit Nick.

Joe posa une main amicale sur l'épaule de Nick.

– Tu ne me déçois pas, Nicholas. Je suis fier de toi. Tu n'as pas eu la vie facile – et j'en connais plus d'un qui, à ta place, aurait pété les plombs depuis longtemps. Je ne serais pas plus fier de toi si tu étais mon propre fils. Si Louise était là, elle dirait : prends-le dans tes bras, Joseph, et je crois bien que c'est ce que je vais faire.

C'était la première fois que Joe le prenait dans ses bras, et Nick ne savait pas trop comment réagir. Depuis toujours il avait pensé que quelque chose ne tournait pas rond chez lui, qu'il avait une case de vide, depuis toujours il avait vécu dans la hantise d'être démasqué un jour. Il s'était protégé des gens qu'il aimait – Kathy, Izzy, Louise et Joe – craignant qu'ils ne découvrent qui il était vraiment et qu'ils ne le rejettent. Mais Joe avait percé Nick à jour, il avait deviné ses faiblesses, ses défauts, et pourtant il était toujours là. Et il considérait Nick comme son fils.

Quand Joe se recula, il avait les larmes aux yeux.

– Ça ne va pas être facile, mais ça finira par s'arranger. Tu vas avoir l'impression de te noyer. Mais je serai là pour te tenir la tête hors de l'eau.

– Merci, Joe.

– Viens, dit Joe. On va s'asseoir.

Ils entrèrent dans la salle. Entre-temps d'autres gens étaient arrivés. Certains causaient, d'autres restaient murés ostensiblement dans le silence.

Nick s'agita sur sa chaise, en tapant nerveusement du pied par terre. Le mouvement régulier de son pied ne faisait qu'accroître son anxiété.

– Calme-toi, Nick, murmura Joe. Va plutôt te chercher un café.

– Tu as raison.

Il se leva et traversa la pièce d'un pas décidé. Puis il plongea la main dans sa poche et en ressortit quelques pièces de vingt-cinq cents. Il prit un Coca-Cola, décolla la languette d'ouverture et se mit à boire avidement.

Après cela, se sentant un peu mieux, il regagna son siège juste au moment où la réunion commençait.

Un homme se présenta :

– Bonjour. Je m'appelle Jim. Je suis alcoolique.

Telle une congrégation de bons chrétiens, l'auditoire lui répondit poliment d'un :

– Bonjour, Jim.

Jim s'avança vers le milieu de la pièce et commença à

179

parler. D'abord, ils firent la prière d'usage « Dieu m'entende », puis il parla des réunions et des « douze consignes » et finit par un petit discours sur la sérénité.

Une jeune femme se leva brusquement. Elle était grande et maigre, avec des cheveux blonds décolorés et un teint cireux. D'un pas chancelant, elle remonta l'allée et alla se poster face à l'auditoire.

Elle avait l'air de quelqu'un qui n'a pas mangé depuis des semaines, et en flic aguerri Nick reconnut au premier coup d'œil les symptômes de la toxicomanie. À n'en pas douter, elle devait avoir le pli des coudes constellé de piqûres d'aiguilles. Elle tirait avidement sur sa cigarette et exhalait bruyamment.

– Je m'appelle Rhonda, dit-elle en scrutant nerveusement la foule des yeux. Je suis alcoolique et droguée.

– Bonjour, Rhonda, répondit l'auditoire à l'unisson.

Elle tira une longue bouffée de cigarette.

– Il y a sept jours aujourd'hui que je n'ai pas bu une goutte d'alcool.

Il y eut une salve d'applaudissements, un groupe de gens s'écria :

– Bravo, Rhonda !

Rhonda eut un petit sourire mélancolique, puis éteignit sa cigarette dans le cendrier qui se trouvait devant elle.

– J'ai essayé des tas de fois avant ça. Sans succès. Mais je sens que cette fois ce sera différent. Le juge a dit que, si je touchais pas à l'alcool pendant un an, je pourrais revoir mon fiston. (Elle fit une pause et s'essuya les yeux, laissant une longue traînée de mascara sur sa joue blême.) J'étais une fille comme les autres avant. J'allais à la fac, et je travaillais comme serveuse à mi-temps dans un restau chic. Et puis j'ai rencontré Chet. Et ça a été la chute libre. J'ai commencé à m'imbiber de tequila et à me bourrer de cocaïne.

Elle soupira en regardant fixement la porte.

– Je suis tombée enceinte et j'ai continué à boire. Quand mon Sammy est né, il était prématuré et accro à la coke.

180

Mais il a survécu. J'aurais dû m'occuper de lui, mais je ne pensais qu'à une chose : me procurer de la came et me soûler. Mon fils n'a pas suffi à me faire arrêter de boire et de me droguer. (Sa lèvre inférieure se mit à trembler.) Non, il a fallu que j'aie un accident alors que je conduisais en état d'ivresse. J'ai envoyé quelqu'un à l'hosto. (Elle renifla et se ressaisit un peu.) Mais cette fois je suis décidée à tout faire pour revoir mon fils. Je veux en finir une fois pour toutes avec l'alcool et la drogue.

Quand Rhonda eut fini de parler, une autre personne prit la parole, puis une autre, et ainsi de suite. Chacun utilisait des mots différents, mais leurs histoires se ressemblaient toutes, des histoires qui racontaient leurs échecs, leurs souffrances, leur colère. Des histoires de types qui n'avaient pas eu de chance, et qui avaient traversé les pires épreuves imaginables.

Nick était l'un d'eux, il le réalisa vers la fin de la réunion, et en tira un étrange réconfort. Il n'était pas le seul au monde à se battre contre les démons de l'alcool.

Izzy n'arrivait pas à s'endormir. Elle s'approcha de la fenêtre et regarda au-dehors. Tout était sombre et étrange. Seuls quelques petits points lumineux à la surface du lac procuraient un peu de clarté. Annie lui avait dit que c'était des étoiles tombées du ciel.

Elle se détourna de la fenêtre. Toute la semaine, depuis qu'Annie lui avait dit que son papa ne rentrerait pas à la maison, elle avait eu peur. Hier, elle était restée un long moment devant la fenêtre, à attendre. Si longtemps qu'Annie avait fini par venir la chercher.

– Je ne sais pas quand il va rentrer, Izzy, lui avait dit Annie. Tu te souviens, je t'avais dit que ton papa était malade ? Le docteur a dit que ça allait prendre quelques jours...

Mais Izzy connaissait les docteurs. Sa maman en avait vu des tas, et aucun d'eux n'avait jamais réussi à la guérir.

Ils n'allaient pas pouvoir guérir son papa non plus.

181

Izzy n'avait pas pu s'empêcher de pleurer. *Il me manque,* avait-elle dit à Annie, mais il y avait beaucoup d'autres choses qu'elle ne lui avait pas dites. Elle ne lui avait pas dit qu'il lui manquait depuis très, très longtemps, et elle ne lui avait pas dit que l'homme aux cheveux gris n'était pas son papa – parce que son papa ne tombait jamais malade et qu'il riait tout le temps. Elle ne lui avait pas dit que son vrai papa était mort en même temps que sa maman, et qu'il ne reviendrait plus jamais.

Izzy descendit tout doucement l'escalier et se faufila dehors. Il pleuvait légèrement et une nappe de brume flottait au-dessus de la pelouse, si épaisse qu'elle ne pouvait pas voir ses pieds.

– Maman, murmura-t-elle, en s'enveloppant de ses bras.

Elle serra très fort les paupières et se concentra de toutes ses forces. Lorsqu'elle rouvrit les yeux, sa maman se tenait debout au bord du lac. La vision était floue et changeante. Maman avait la tête rentrée dans les épaules et bizarrement penchée de côté, comme si elle avait guetté un bruit de pas, ou le cri d'un oiseau de nuit. La pluie changeait de couleur, passant du rouge au jaune, du rose au bleu.

Tu devrais être en train de dormir, petite fille.

– Papa est encore malade.

Sa maman poussa un soupir, ou était-ce la brise jouant à la surface de l'eau ? *Il va guérir. Je te le promets.*

– Tu me manques, maman.

Il y eut un murmure, et quelque chose de chaud comme un souffle lui effleura le bout de ses doigts. Elle referma la main sur... du vide.

Je ne peux plus te toucher, ma chérie.

– Maman, je t'aime.

Je suis désolée, Izzy chérie, mais je dois m'en aller...

Izzy tendit la main, mais trop tard. Sa maman était partie.

Une vague de chaleur inattendue avait déferlé sur le comté de Jefferson. Les fleurs déployaient leurs corolles vers les précieux rayons du soleil. Les oisillons gazouillaient dans les arbres en bourgeons. Il pleuvait encore chaque nuit, mais à l'aube le monde entier resplendissait, plus brillant qu'un joyau.

Annie ne laissait pas une minute de répit à Izzy. Elle lui faisait décorer des œufs de Pâques, confectionner des gâteaux, dessiner pour Nick – des cadeaux pour quand il reviendrait. Elles allaient en ville faire les magasins, et achetaient des souvenirs pour Natalie, des cartes postales du lac de Mystic. Elles continuaient les séances de lecture, en redoublant d'efforts, car Annie voulait qu'Izzy puisse retourner à l'école. Mais lorsqu'elle lui fit part de ses projets, Izzy prit peur. *Je ne veux pas retourner là-bas. Ils vont tous se moquer de moi.* Annie décida de ne pas insister, sachant que, de toute façon, la décision ne lui appartenait pas. Elle espérait qu'à son retour Nick arriverait à la convaincre de retourner à l'école.

Toujours est-il que, dans l'immédiat, leur petit train-train quotidien commençait à porter ses fruits : Izzy recommençait à parler normalement, sans avoir à chercher ses mots. Ceux-ci lui revenaient d'eux-mêmes.

Annie s'était finalement habituée à dormir seule. Ça n'était pas grand-chose, certes, mais pour elle c'était une victoire. Parfois, quand Izzy grimpait dans son lit et se pelotonnait contre elle, elle finissait par oublier l'homme avec qui elle dormait jadis, il lui arrivait même de ne plus penser à lui pendant des journées entières. Oh, bien sûr, il y avait toujours le chagrin, et le sentiment d'abandon, mais jour après jour, elle apprenait à vivre sans lui.

Chaque lundi, sans exception, elle appelait Natalie qui lui faisait le résumé de sa semaine. Dans la voix de sa fille, elle entendait une maturité qui la remplissait d'orgueil. Natalie avait cessé d'être une enfant, et quand Annie lui annoncerait qu'elle allait divorcer, elle savait que sa fille arriverait à se faire une raison.

Annie aussi commençait à se faire une raison. Hier soir, quand Terri l'avait appelée (et cuisinée pendant près de dix minutes pour savoir qui était *ce fameux* Nick chez qui Annie avait élu domicile), elle avait fini par le lui dire, et juste avant de raccrocher, Terri lui avait affirmé : *Mais bien sûr que tu t'en remettras, Annie. Je n'en ai jamais douté une seule seconde.*

Le dimanche de Pâques arriva enveloppé de brume et de pluie, mais Annie était fermement décidée à ne pas laisser le mauvais temps gâcher ses projets. Après avoir habillé Izzy chaudement, elle l'emmena chez Hank où ils firent un déjeuner pantagruélique suivi d'une chasse à l'œuf mémorable. Après quoi ils se rendirent en ville pour assister au service religieux. Ensuite, elles rentrèrent à la maison et Annie donna à Izzy un petit cadeau.

— Joyeuses Pâques, Izzy.

Izzy essaya de déballer le petit paquet avec ses deux doigts « visibles ». Voyant qu'elle n'y arrivait pas, Annie eut un pincement au cœur.

— Tiens, dit-elle, donne-le-moi, je vais l'ouvrir pour toi. C'est difficile quand on n'a pas tous ses doigts.

Annie ôta le joli papier cadeau et plaça la petite boîte sur la table du salon.

Réprimant un sourire, Izzy ouvrit la boîte. À l'intérieur, sur un lit de papier de soie, se trouvait un médaillon de bronze muni d'une petite chaîne en argent. Voyant qu'Izzy fronçait les sourcils, Annie prit la boussole et la plaça dans sa main.

— Quand j'étais petite, j'avais toujours peur de me perdre. Alors mon papa m'a donné cette boussole, et m'a dit que si je la portais tout le temps, je ne me perdrais jamais.

Annie soupira doucement. Elle avait cessé de porter la boussole et était partie vivre en Californie. Résultat, elle avait fait fausse route. Si seulement les personnes avaient été dotées d'un mécanisme interne infaillible qui leur permette de retrouver leur chemin en toutes circonstances.

— Bon, dit-elle. Est-ce que tu veux apprendre à t'en servir ?

Izzy hocha la tête.

– J'en étais sûre. Très bien, enfile tes bottes et ton imperméable et je vais te montrer comment.

Quelques instants plus tard, elle était prête à affronter la pluie. Annie lui expliqua brièvement comment fonctionnait une boussole et, quand elle fut certaine que la fillette avait compris, elle la lui passa autour du cou.

– Viens, allons explorer les environs.

Dehors, il faisait un temps infect. Le vent soufflait en rafales au-dessus du lac, repoussant de petites vagues argentées vers le rivage. Des gouttes de pluie pareilles à des diamants tremblaient sur le bord des jonquilles et des tulipes qui bordaient le sentier.

Tournant le dos au lac, elles mirent le cap sur le sentier tapissé d'aiguilles de pin qui menait à la forêt. De part et d'autre du sentier d'immenses sentinelles de bois montaient la garde, arrêtant le gros de la pluie avec leurs larges épaules de verdure. Une brume légère tourbillonnait lentement à la surface du sol, si épaisse par endroits qu'Annie ne pouvait pas voir ses pieds. À chaque virage, Izzy s'arrêtait et consultait sa boussole.

Quand arriva le milieu de l'après-midi, la boussole n'avait plus de secrets pour elle. Izzy avait acquis l'assurance qui vient avec le savoir.

Elles longèrent un sentier, puis un autre et encore un autre. Soudain, elles atteignirent une clairière située au cœur de la forêt. Blotti dans un coin, se trouvait un vieux refuge de garde forestier, visiblement abandonné depuis des années. Son toit en bardeaux était couvert de mousse, et un lichen gris avait envahi ses murs en rondins. Un ours avait laissé des traces de griffes sur la porte descellée.

Izzy demanda :

– Est-ce qu'on peut entrer ?

Annie examina la cabane d'un œil critique, et sentit son âme de pionnière l'abandonner d'un seul coup. Mais lorsqu'elle vit l'enthousiasme dans les yeux d'Izzy, elle ne put résister.

– D'accord, mais prudence… et ne touche à rien surtout.

Avec un cri de joie, la fillette s'élança vers le chalet. Annie s'élança aussitôt à sa suite. Ensemble, elles franchirent la vieille porte branlante.

À l'intérieur, ensevelis sous une couche de toiles d'araignée et de poussière, elles trouvèrent deux lits jumeaux, complets avec leur literie toute mitée ; une petite table grossièrement taillée dans un tronc d'arbre ; et un vieux poêle en fonte oublié depuis longtemps.

Annie se découvrit soudain une âme de Davy Crockett. S'approchant du poêle, elle saisit une vieille gamelle qu'elle inspecta sous tous les angles.

Izzy laissa échapper un petit cri de joie et sortit quelque chose de dessous le lit.

– Regarde ! dit-elle en tendant quelque chose à Annie.

C'était une pièce de monnaie de 1899.

– Ouaah, dit Annie en inspectant avec soin la vieille pièce en argent. C'est un véritable trésor. Il va falloir le garder bien précieusement.

Izzy fronça les sourcils, puis posant sur Annie un regard solennel, elle lui tendit la pièce sans rien dire.

– Non, elle est à toi, Izzy. Garde-la.

– Annie ? Tu resteras toujours ici, n'est-ce pas ? Comme ça tu pourras la garder pour moi.

Annie savait qu'elle aurait dû rendre la pièce à Izzy, qu'elle devait lui dire la vérité. *Je ne resterai pas toujours ici. J'ai une vie à moi…*

Mais lorsque ses yeux rencontrèrent les grands yeux bruns d'Izzy, elle hésita.

– Toujours est un bien grand mot, Izzy. Mais je peux garder la pièce jusqu'à ce que tu te sentes prête à la confier à ton papa.

– D'accord, mais garde-la bien surtout.

Izzy sourit puis s'élança en courant vers la porte. À mi-chemin, elle s'arrêta net et se retourna. Elle regardait fixement sa main droite.

– Izzy, que se passe-t-il ?

186

Lentement, Izzy se retourna et leva sa main droite.

– Je vois tous mes doigts sur cette main-là.

– Oh, Izzy...

Annie s'approcha d'Izzy et, s'agenouillant à ses côtés, l'attira contre elle. Mais la petite se raidit, incapable de quitter sa main des yeux.

Puis elle se mit à pleurer.

– Elle a dit que je ne pouvais pas la suivre.

Annie caressa la joue de l'enfant en souriant.

– Qui ça ?

– Maman. Je...

Elle mordit sa lèvre inférieure pour l'empêcher de trembler et détourna les yeux.

– Tu peux me le dire, Izzy, murmura Annie. Je suis capable de garder un secret.

– Juré ?

– Juré.

Izzy dévisagea Annie pendant un long moment, puis dit à voix basse :

– Je... je la vois parfois... dans le brouillard. J'ai commencé à disparaître pour pouvoir la rejoindre... mais la dernière fois que je l'ai vue... (De grosses larmes jaillirent de ses yeux et se mirent à rouler sur ses joues.) La dernière fois que je l'ai vue, elle a dit que je ne pouvais pas la suivre.

Annie sentit son cœur se serrer dans sa poitrine. Prenant Izzy par la main elle l'entraîna au-dehors. Puis elles s'assirent côte à côte sur les marches branlantes de la véranda.

– Tu ne peux pas suivre ta maman, Izzy. Tu sais pourquoi ?

– Pourquoi ?

– Parce que ça lui briserait le cœur. Elle est au ciel à présent, et elle veut te voir grandir. Elle veut que tu t'amuses et que tu aies des amis. Elle veut que tu ailles à l'école – que tu fasses toutes les choses qu'elle faisait quand elle était petite. Elle veut te voir porter une jolie robe blanche le jour de ton mariage et elle veut que tu aies des enfants. (Annie soupira.) Elle veut tant de choses pour toi, Izzy.

– Comment est-ce que tu le sais ?

Annie lui sourit.

– Ce sont des choses que l'on sent dans son cœur. C'est pour cela que tu la vois dans le brouillard. Tu sais qu'elle te regarde quand il pleut... La pluie, ce sont ses larmes, et le soleil c'est son sourire.

Izzy regarda longuement les arbres en silence.

– Elle me manque à moi aussi.

Annie passa un bras autour de ses petites épaules et l'attira contre elle.

– Je sais, ma chérie.

Elles restèrent ainsi pendant un long moment. La pluie nimbait le paysage de reflets bleus et verts qui le faisaient ressembler à un tableau impressionniste. Au bout d'un moment, Annie tapota la main droite d'Izzy et dit en souriant :

– Tiens, tiens, mais c'est pourtant vrai que tes doigts sont revenus. Je les vois aussi clairement que je te vois. Je propose que nous fêtions ça. J'ai mis de la citronnade au frais. Et d'ailleurs j'ai une telle faim que je pourrais manger ta pièce de monnaie. Il est temps de rentrer.

Izzy éclata d'un rire cristallin si beau et si gai qu'Annie en oublia momentanément ses soucis.

À défaut d'autre chose, elle avait rendu à Izzy son sourire et sa voix... et maintenant une main. Avec un peu de chance, le gant qu'elle portait à l'autre main s'en irait d'ici peu.

Mais pour le moment c'était bien suffisant.

15

Il pleuvait des cordes le jour où Nick rentra à la maison.

Après avoir réglé le taxi, il le regarda s'éloigner, puis remonta le col de son blouson, rentrant la tête dans les épaules pour se protéger de la pluie. Pour tout bagage il avait un sac de toile fripé, contenant les affaires qu'il avait achetées pendant son absence. Le jour déclinait, virant au bleu lavande, et l'air commençait à fraîchir.

L'allée de gravier qui menait à la maison décrivait une ligne droite sur environ quatre cents mètres, puis formait un coude et disparaissait abruptement derrière une futaie de sapins.

Il n'avait pas demandé au taxi de le déposer devant la porte, il voulait prendre son temps.

Aveuglé par la pluie, il se mit en route en clignant des paupières. À sa gauche le crépuscule se reflétait dans les eaux du lac. De part et d'autre du chemin, la haie de rhododendrons et d'azalées formait un tunnel de verdure qui menait tout droit à la maison.

Il atteignit enfin le virage. Une chaude lumière dorée se déversait par les fenêtres. La cheminée crachait une fumée blanche dans le ciel pourpre. La maison était telle qu'il l'avait toujours rêvée...

Il repensa au soir où Annie l'avait amené ici, à la maison du lac, la maison « hantée », pour la première fois. Dès qu'il l'avait vue, la vieille demeure avait embrasé son imagination. Pour lui, qui avait vécu dans une voiture et cherché sa pitance dans les poubelles, cette maison était ce dont il rêvait depuis toujours.

Il lui avait fallu des années, mais il avait réussi à mettre suffisamment d'argent de côté pour l'acheter. Il se souvenait encore du jour où il avait signé l'acte de vente et versé le premier acompte. C'était au mois d'août, mais malgré la chaleur suffocante l'allée était ombragée, et une brise rafraîchissante soufflait depuis le lac. Il avait admiré longuement le mont Olympus, couronné d'un soupçon de neiges éternelles, qui se découpait au loin sur le ciel bleu turquoise.

Le souvenir était aussi aigu qu'un morceau de verre brisé. Il s'était dépêché d'aller chercher Kathy et Izzy pour les amener ici, mais entre-temps la nuit était tombée et les ombres avaient commencé à gagner la grille du portail.

Il avait pris Kathy par la main et l'avait entraînée dans la maison sombre et abandonnée.

Tu as vu ça, Kath ? Ici on va faire le jardin d'hiver – c'est là qu'on déjeunera, le matin... et là, c'est la cuisine. On ne fait plus de fourneaux comme ceux-là de nos jours... et regarde-moi cette cheminée – je parie qu'elle a au moins cent ans...

Lui était plein de rêves et de projets.

Elle ne voyait que la saleté et les corvées.

Mais il avait pensé : *Bah ! elle est de mauvais poil.* Sans chercher plus loin. Et sans songer à lui demander son avis.

Rejetant les épaules en arrière, il traversa la pelouse et gravit les marches du perron. Puis il frappa à la porte, en laissant tomber à terre son sac de linge désormais inutile.

Il y eut un bruit de pas précipités.

– Une minute, dit une voix étouffée.

Puis Annie ouvrit la porte.

Il aurait voulu sourire, mais il n'osait pas. Il détourna les yeux de crainte qu'elle ne voie le désir dans son regard.

– Nick, dit-elle dans un murmure.

Il avait l'impression de sentir la chaleur humide de son haleine dans son cou. Lentement, il leva les yeux vers elle.

Elle était si près de lui qu'il pouvait voir les taches de rousseur à la naissance de ses cheveux et la minuscule cicatrice qui fendait l'un de ses sourcils.

– J'ai suivi les séances des AA deux fois par jour, dit-il précipitamment sans même prendre le temps de marmonner

190

un bonjour. Je n'ai pas bu une seule goutte d'alcool depuis que tu m'as déposé au motel.

– Oh, Nick, c'est merveilleux, je...

Elle rosit légèrement, comme si elle avait brusquement réalisé à quel point ils se tenaient près l'un de l'autre.

Elle baissa les yeux et s'éclaircit la voix en se reculant à une distance respectable.

– Izzy est dans la salle de jeux. Elle est en train de faire de la peinture. Entre.

– De la peinture. C'est une bonne idée. Je ne voudrais pas vous déran...

Le prenant par la main, elle l'entraîna à l'intérieur de la maison. La porte claqua derrière eux.

La maison sentait le propre, et quelque part une radio était allumée, mais il n'eut pas vraiment le temps de remarquer tous les changements qu'elle avait apportés à la maison, car elle l'entraîna aussitôt vers le corridor.

La « salle de jeux » comme elle l'appelait, était ce que Nick avait toujours considéré comme un réduit minable. Des années auparavant, vraisemblablement pendant les années cinquante, quelqu'un avait essayé de retaper cette pièce à moindre coût. Une cloison de contreplaqué dissimulait les murs de rondins, et une moquette jaune moutarde recouvrait le parquet. La seule chose plaisante de cette pièce était sa cheminée de brique dans laquelle Annie avait allumé un feu.

Les portes-fenêtres qui donnaient sur la véranda étaient ouvertes. La brise du soir jouait dans les rideaux de voile blanc, et la pluie formait un rideau de gouttelettes argentées entre la maison et le soir tombant. Des pots multicolores et des pinceaux encombraient une table de jeu pliante. Des taches de peinture maculaient de couleurs éclatantes les feuilles de papier journal qui protégeaient la moquette.

Izzy se tenait de dos, sa main gantée de noir retombant mollement le long de son corps. Devant elle, se trouvait un énorme chevalet, sur lequel avait été épinglée une feuille de

191

papier blanche. On apercevait quelques taches de couleur çà et là, mais Izzy cachait l'ensemble du tableau à la vue.

Il réalisa soudain qu'Annie n'était plus à ses côtés. Se tournant lentement, il l'aperçut dans le vestibule. Elle lui fit un petit signe d'encouragement puis disparut.

Il soupira, puis fit prudemment un pas en avant. Il s'attendait à ce qu'Izzy se retourne d'un seul coup et le dévisage, mais la moquette étouffait le bruit de ses pas. La fillette continuait à peindre.

– Izzy, souffla-t-il doucement, de peur de l'effrayer.

Elle lâcha le pot de peinture qu'elle tenait à la main. Un liquide bleu et épais se répandit sur le papier journal. Saisissant lentement son pinceau, elle se retourna.

On aurait dit un ange. Sa salopette à fleurs jaunes était couverte de peinture, mais sa figure était propre et ses cheveux noirs de jais impeccablement coiffés en deux belles tresses symétriques, nouées à leur extrémité par des rubans jaunes.

Elle était telle qu'il l'avait connue avant.

C'est cette pensée, plus qu'autre chose, qui le décida à entrer dans la salle de jeux. Il avait les jambes en coton, et l'estomac noué, mais il continua d'avancer, d'avancer vers sa petite fille qui se tenait silencieuse à côté du chevalet, ses grands yeux bruns braqués sur lui.

Une fois à côté d'elle, il s'agenouilla. Elle le regarda droit dans les yeux, ses lèvres serrées en une ligne grave.

Il y a quelques mois elle se serait jetée dans ses bras et l'aurait littéralement couvert de baisers. Même lorsqu'il avait bu, ou qu'il s'était querellé avec Kathy, Izzy le vénérait. Jamais elle ne l'avait regardé comme elle le regardait maintenant – avec l'expression affolée d'un animal qui s'apprête à prendre la fuite au moindre signe de danger.

Son cœur se serra dans sa poitrine et il réalisa soudain combien ses baisers lui manquaient... la bonne odeur de ses cheveux... la douceur de sa petite main dans la sienne.

– Bonjour, mon rayon de soleil, dit-il en évitant de

regarder le petit gant noir, preuve manifeste qu'il avait échoué et qu'elle avait le cœur brisé.

Ce surnom, il le lui avait donné le premier jour où elle avait souri, car, disait-il, c'était comme un rayon de soleil après la pluie. Il y avait longtemps qu'il ne l'avait pas appelée rayon de soleil. Depuis la mort de Kathy, et même avant cela.

Elle se souvint. Un petit sourire effleura le coin de ses lèvres.

Il y avait tant de choses qu'il aurait voulu lui dire, tant de promesses qu'il aurait voulu lui faire. Mais ce n'étaient que des paroles, et il le savait. Les promesses d'un homme qui n'avait jamais tenu parole.

Il fallait procéder par étapes, selon la consigne des AA.

C'était ainsi qu'il avait perdu sa fille – par étapes – et c'était ainsi qu'il devait la reconquérir. Il ne pouvait pas lui demander de lui accorder sa confiance, même si elle était prête à la lui accorder de bon cœur. Il fallait qu'il la gagne. Par étapes.

C'est pourquoi il ne lui fit aucune promesse, mais dit, simplement :

– Qu'est-ce que tu peins de beau ?

Elle pencha la tête en direction du chevalet et recula. La feuille était recouverte de lignes et de taches de couleur. À en juger par ses peintures précédentes, il s'agissait d'un autoportrait. Elle était la petite créature à la grosse tête qui se trouvait dans un coin de la feuille, et dont les cheveux noirs retombaient en cascade jusqu'au sol. Quelqu'un – vraisemblablement Annie, à en juger par les cheveux châtains dressés sur sa tête – se tenait à côté d'elle, un grand coup de pinceau en travers de la figure en guise de sourire. Au-dessus des deux personnages, un grand soleil jaune projetait des rayons rouge vif.

Saisissant un pinceau propre, Nick le plongea dans la peinture marron et l'approcha délicatement de la feuille.

– Est-ce que je peux ajouter quelque chose ?

Elle leva les yeux vers lui. Puis hocha lentement la tête.

Il dessina un cercle malhabile à côté d'Annie. Puis ajouta quatre traits pour lui donner la forme d'un corps.

– C'est papa, dit-il sans la regarder.

Puis il ajouta des yeux, un nez, et une ligne plate pour la bouche.

– Pas besoin de peindre les cheveux. Ils sont presque de la même couleur que le papier.

Abaissant son pinceau, il la regarda dans les yeux.

Elle soutint son regard. Deux grandes incisives disproportionnées – les deux seuls spécimens de sa denture définitive – mordillaient nerveusement sa lèvre inférieure.

– Tu veux bien que je revienne vivre à la maison, Izzy?

Il attendit longtemps, très longtemps sa réponse, un signe de tête, un clignement de paupières, n'importe quoi, mais elle resta là à le regarder sans rien dire, avec ses deux grands yeux tristes.

Il lui caressa doucement la joue.

– Je comprends, mon rayon de soleil.

Il se releva.

Au même moment, elle le saisit par la main.

Lentement, il se remit à genoux et plongea ses yeux dans les yeux bruns de sa fille. C'est alors qu'il se souvint des longues promenades sur les docks pour aller admirer les bateaux, en rêvant de faire un jour le tour du monde... Il se souvint de ce qu'il ressentait quand il la tenait par la main, riait avec elle et la prenait dans ses bras par une belle journée de printemps.

– Je t'aime Izzy, dit-il, en se souvenant combien la vie était facile alors.

Debout sur la véranda, bras croisés, Nick avait l'impression de marcher sur le fil du rasoir. Malgré le joyeux bavardage d'Annie, le dîner avait été tendu et ponctué de silences pesants. Il avait remarqué qu'Izzy se servait à nouveau normalement de sa main droite.

Chaque fois qu'il regardait sa fille, il se sentait gagné par

194

un terrible sentiment de culpabilité et luttait de toutes ses forces pour ne pas détourner les yeux. Mais ce soir il n'avait pas choisi la facilité, et c'était un triomphe. Il avait regardé Izzy droit dans les yeux, et n'avait rien laissé voir de ce qu'il éprouvait en dedans.

Derrière lui, la porte grillagée grinça sur ses gonds et se referma avec un claquement sec.

Il se retourna lentement. Annie se tenait debout à côté du fauteuil à bascule, une main posée sur la rampe. Le gros diamant qui brillait à son doigt lui rappela combien son monde à elle et le sien étaient différents. Comme s'il avait eu besoin qu'on le lui rappelle.

Dans son autre main elle tenait une petite valise élégante.

– Izzy s'est lavé les dents. Elle attend que tu ailles lui dire bonsoir, dit-elle d'une voix douce et fraîche comme une averse de printemps.

Elle s'était rapprochée et se tenait devant lui, les bras pendants le long du corps. Malgré sa coupe de cheveux militaire elle était resplendissante. Le sweat-shirt grisâtre, qu'elle portait au-dessus d'un jean trop grand pour elle, ne dissimulait pas ses formes. Brusquement il se souvint de son corps nu, de la façon dont, d'un seul geste, elle s'était débarrassée de sa chemise... du clair de lune caressant ses seins...

– Nick ? Tu te sens bien ? dit-elle en faisant un pas en avant.

Il eut un rire forcé.

– Aussi bien qu'il est possible à un ivrogne qui s'est arrêté de boire.

– Tu vas t'en sortir.

Elle tendit la main, et il se pencha légèrement vers elle, impatient qu'elle le touche, mais au dernier moment elle se recula.

– Je sais que ça n'est pas facile de repartir de zéro...

En voyant ses yeux hagards, il se demanda ce qu'avait bien pu lui faire l'homme qui lui avait passé au doigt un diamant gros comme un œuf. Il eut soudain envie de le lui demander, mais n'osa pas, de crainte de réveiller sa souffrance.

– Tu m'as sauvé la vie, Annie. Je ne sais pas comment te remercier.

Elle sourit.

– J'ai toujours su que tu reviendrais pour ta fille. Je n'ai pas pris un gros risque. J'ai bien vu que tu adorais Izzy.

– Quel optimisme !

Il jeta un coup d'œil du côté du lac à présent plongé dans l'obscurité.

– J'aimais aussi Kathy, et regarde ce qui est arrivé.

Il soupira et s'adossa à la rampe, les yeux tournés vers le jardin.

– Tu sais ce qui me ronge intérieurement ? C'est que je n'ai jamais vraiment compris ma femme. Le plus triste c'est que maintenant je la comprends. Je sais maintenant ce que c'est que le désespoir. Elle me disait souvent qu'elle ne sentait plus la chaleur du soleil, même quand il lui brûlait les joues.

Nick fut surpris de voir qu'il était capable de parler aussi librement de sa femme. Pour la première fois il se souvenait d'*elle*, de Kathy, sa Kathy au grand cœur et au regard pétillant, et non pas de sa maladie ou de leur mariage qui partait à vau-l'eau.

– Un beau jour, elle en a eu assez de vivre dans l'obscurité...

Lorsqu'il se tourna vers Annie, il vit qu'elle pleurait. Il se sentit soudain maladroit et égoïste.

– Je te demande pardon... je ne voulais pas te faire de peine.

Elle leva les yeux vers lui.

– Tu ne connais pas ta chance.

– Comment ?

– Peu importe ce que tu as pu éprouver pour Kathy vers la fin, ou même depuis la fin. Tu l'as aimée. C'est tout ce qui compte. Car elle le savait. Et il y a peu de gens sur terre qui ont la chance d'être aimés comme ça.

196

Il ne put résister à l'envie de lui poser une question, même s'il n'aurait pas dû. Il s'approcha d'un pas et dit :

— Et toi, est-ce que tu l'as eue, cette chance ?

Elle lui décocha un petit sourire mélancolique et détourna les yeux.

— Non. J'ai aimé... mais je ne crois pas avoir été autant aimée en retour...

— Tu mérites mieux que ça.

Elle hocha la tête et s'essuya nonchalamment les yeux.

— Qui ne le mérite pas ?

Un silence embarrassé s'installa entre eux. Elle allait partir.

— Annie...

Elle s'arrêta et se retourna vers lui.

— Oui.

— Ça te dirait de venir passer la journée avec nous, demain ?

— Oui, c'est une bonne idée, répondit-elle brièvement avant de détourner aussitôt la tête.

— Merci, dit-il d'une voix douce et aussi caressante qu'un baiser.

Il y eut un autre silence embarrassé, puis elle ajouta :

— Au fait, il faut que tu saches qu'Izzy a recommencé à parler pendant ton absence.

Nick fronça les sourcils.

— Mais à moi, elle ne m'a pas parlé.

Annie lui effleura doucement le bras d'une caresse furtive.

— Elle le fera. Simplement, il faut lui donner le temps.

Incapable de soutenir son regard, il tourna la tête vers le lac.

Elle piétina nerveusement d'un pied sur l'autre et dit :

— Bon, il faut que j'y aille. Hank va m'attendre...

— À demain.

Elle hocha la tête et tourna les talons. Avec un petit geste d'au revoir, elle monta dans la Mustang et démarra.

Nick regarda s'éloigner la voiture, deux petits points rouges dans la nuit.

À contrecœur il regagna la maison et monta à l'étage. Une fois devant la porte d'Izzy, il fit une pause puis frappa.

Réponds, ma chérie... tu le peux.

Mais il n'y eut pas de réponse. Lentement, il fit tourner la poignée et ouvrit la porte.

Izzy était assise dans son lit, son bras droit passé autour de Miss Jemmie. Le gant sur sa main gauche formait une tache noire sur l'édredon blanc et mauve.

Il s'approcha du lit et s'agenouilla à côté d'elle.

– Que dirais-tu si je te lisais une histoire ?

Lâchant aussitôt Miss Jemmie, elle sortit un livre de dessous les couvertures et le lui tendit.

– Ah, *Les Histoires bizarres.* Je me demande ce qu'il est arrivé à Max, depuis la dernière fois. Il s'est probablement transformé en phacochère.

Izzy laissa échapper un petit son semblable à un rire étouffé.

Passant un bras autour de ses petites épaules, il l'attira contre lui. Le livre ouvert sur ses genoux, il se mit à lire, en prenant sa plus belle voix de conteur, celle qu'Izzy adorait.

Et tandis qu'il entrait à nouveau dans l'histoire familière, il se dit qu'il avait peut-être sa chance.

Mais ça n'était pas si simple. La première semaine, Nick était nerveux et irritable, craignant à tout moment de faire une gaffe qui aurait pu tout remettre en cause et le renvoyer une fois de plus chez Zoe. Chaque instant était une épreuve de force.

Le matin au réveil, il éprouvait le besoin de boire. Alors il sortait couper du bois. Mais son envie de boire ne le quittait pas, si bien qu'il passait des heures à couper du bois et à suer en se demandant s'il allait parvenir à tenir le coup.

Annie arrivait chaque jour de bon matin, avec le sourire aux lèvres et une foule de projets en tête. C'était grâce à elle et à ses efforts de volonté qu'ils arrivaient à former un semblant de famille, grâce à elle que Nick trouvait la force de se rendre chaque jour à la réunion des AA, car il n'était pas question qu'il laisse tomber Annie et Izzy.

À présent il allait à la réunion de quatre heures. Il ralentit et s'engagea dans la Grand-Rue au pas, les mains fermement agrippées au volant. Il s'était mis à pleuvoir cinq minutes auparavant. La soudaineté de l'averse avait surpris les badauds qui avaient déserté les rues. Seules quelques voitures étaient garées le long du trottoir.

Sauf devant chez Zoe. Devant le bar, les voitures étaient stationnées à touche-touche. La taverne était sûrement pleine à craquer. Il jeta un coup d'œil à la devanture. Il pouvait presque entendre le cliquetis des verres s'entrechoquant, le whisky se déversant avec un glouglou voluptueux sur les cubes de glace.

Il humecta ses lèvres sèches et avala sa salive, en essayant de ne pas penser au plaisir que lui aurait procuré un bon verre de whisky. Il n'arrivait pas à se faire à l'idée qu'il allait devoir passer le reste de sa vie sans toucher à une goutte d'alcool, même s'il savait qu'un jour il y parviendrait.

Enfonçant brusquement la pédale de l'accélérateur, il passa à toute allure devant chez Zoe. Lorsqu'il atteignit l'église luthérienne, les tremblements s'étaient atténués et les sueurs froides qui lui glaçaient la peau n'étaient plus qu'un mauvais souvenir.

Il gara la voiture sur le terre-plein qui se trouvait derrière l'église, sous un panneau d'affichage vantant la bière Rainier. Il prit quelques minutes pour se ressaisir, puis empocha ses clés et entra dans la chapelle.

La plupart des visages qui se trouvaient là lui étaient familiers à présent, et il éprouva un étrange sentiment de réconfort en franchissant le seuil de la chapelle.

Joe lui décocha un grand sourire en lui indiquant un siège libre à côté du sien.

Nick lui fit un petit signe de tête et s'en fut promptement acheter un Coca avant d'aller rejoindre Joe.

– Nicholas, ça ne va pas ? Tu es livide.

– Je n'en sais trop rien, répondit-il, en songeant que les

AA lui avaient au moins apporté une chose : pour la première fois de sa vie, il était honnête.

Cette pièce, peuplée d'étrangers qui ne demandaient qu'à fraterniser, était le seul endroit où il pouvait exposer librement ses faiblesses et mettre son âme à nu sans crainte d'être critiqué. L'honnêteté avait du bon. Elle lui permettait de reconnaître que la dépendance était plus forte que lui. Et cela l'aidait.

Il avait l'impression que sa vie ne tenait qu'à un fil quand il était à la maison. Où qu'il aille, quoi qu'il fasse, il savait que les yeux d'Izzy le suivaient partout. Guettant le faux pas inévitable.

Elle ne lui avait pas dit un mot depuis qu'il était revenu, et son silence lui était d'autant plus insupportable qu'il savait qu'elle parlait à Annie – même s'il ne l'avait jamais entendue.

Les repas étaient particulièrement éprouvants. Parfois, lorsqu'il prenait sa fourchette, sa main se mettait à trembler si violemment qu'il était obligé d'invoquer une migraine pour quitter la table et se réfugier dans sa chambre.

Il adressa un sourire mélancolique à Joe.

– C'est beaucoup plus dur que je ne l'aurais imaginé, tu sais ?

– Je sais, Nicholas. Mais je suis là pour t'aider. On est tous là pour ça.

La remarque de Joe lui alla droit au cœur.

– Je sais, dit Nick.

La réunion commença. Une à une, les personnes présentes prirent la parole, dévoilant leurs erreurs, leurs espoirs, leurs rêves. Puis arriva le tour de Nick.

Il songea à ce qu'il allait dire. *Bonjour, je m'appelle Nick. Je suis alcoolique. Je n'ai pas bu une goutte d'alcool depuis vingt-trois jours.*

Mais comme chaque fois depuis qu'il avait commencé les séances, il fut incapable de prononcer un seul mot.

16

Les jours se suivaient selon un rythme régulier et rassurant. Chaque jour du lundi au vendredi, Annie arrivait de bonne heure chez Nick et ils prenaient tous ensemble le petit déjeuner qu'il avait préparé, des œufs et des galettes chaudes, après quoi ils sortaient. Qu'il fasse beau ou qu'il pleuve ils allaient pêcher dans la rivière, se promenaient à bicyclette ou allaient faire des courses en ville. Aujourd'hui, ils étaient partis en randonnée dans la Vallée enchantée et en étaient revenus exténués. À peine couchée, la pauvre Izzy avait sombré dans le sommeil.

– Bonne nuit, Izzy, dit Annie en l'embrassant sur le front.

– Bonne nuit, balbutia la fillette dont les yeux se fermaient déjà.

On était vendredi, le jour de la semaine qu'Annie aimait le moins, parce qu'elle savait qu'elle n'allait pas voir Nick et Izzy de tout le week-end et qu'ils allaient lui manquer. Depuis peu elle commençait à se faire à l'idée que Blake ne reviendrait jamais et que jamais elle ne recevrait un coup de fil d'excuse de sa part. Sans ce maigre espoir auquel se raccrocher, elle se sentait partir à la dérive. Parfois, en plein milieu d'une belle journée ensoleillée, ses angoisses lui revenaient d'un seul coup, et la laissaient atterrée et tremblante.

Dans ces moments-là elle se tournait vers Hank – mais il avait beau essayer de la rassurer et lui dire que Blake allait revenir, elle n'y croyait pas. Terri était la seule personne à qui elle osait se confier vraiment. Un coup de fil à sa meilleure amie, le plus souvent en pleine nuit, était la seule chose qui la réconfortât.

Juste au moment où elle allait sortir de la chambre d'Izzy,

elle regarda par la fenêtre et aperçut Nick qui se tenait debout au bord du lac, projetant une ombre immense sur les vaguelettes argentées. Comme chaque soir, il l'avait aidée à faire la vaisselle, puis il avait lu une histoire à Izzy, et s'était ensuite précipité dehors pour être seul.

Car il était aussi seul qu'elle. Hier, il avait passé près de deux heures à jouer à l'Île aux bonbons avec Izzy, adoptant d'incroyables contorsions pour atteindre les différents pions de couleur. Chaque fois qu'Izzy souriait, on avait l'impression que Nick allait éclater en sanglots.

Annie était fière de lui. Il faisait des efforts incroyables – il ne buvait pas, ne jurait pas, tenait ses promesses. Il passait des heures à jouer avec sa petite fille et à lui sourire bien qu'elle continuât à le regarder avec méfiance et qu'elle ne lui adressât pas la parole.

Dans ces moments-là, Annie ne pouvait s'empêcher de penser à Blake, et au père qu'il avait été. Toujours absent, ne prenant jamais le temps de s'occuper de sa fille, se comportant comme si tout lui était dû. Annie portait sans doute sa part de responsabilité dans l'échec de leur mariage. Elle lui avait toujours obéi aveuglément. Toujours. Elle lui avait tout sacrifié – sa vie, ses rêves. Sans un murmure de protestation... et tout ça parce qu'elle l'aimait.

C'est ainsi qu'elle ne s'était jamais fait couper les cheveux parce qu'elle savait que Blake l'aimait avec les cheveux longs, et qu'elle avait renoncé à une robe qui lui plaisait parce que le rouge, disait-il, donnait mauvais genre.

Elle était devenue la femme au foyer modèle, et à force de viser la perfection, elle avait fait de Blake un mauvais mari et un mauvais père.

Et maintenant elle voyait qu'elle avait fait fausse route. Tous ces sacrifices, elle les avait acceptés non pas de son plein gré, ou par amour, mais par faiblesse. Parce qu'elle avait choisi la facilité. Et maintenant elle le regrettait, mais ne savait pour autant quelle route elle devait suivre.

Elle était seule. Quelle que soit la voie qu'elle choisirait de suivre, elle n'était désormais qu'une femme seule entre deux âges.

Elle enviait à Nick sa force de caractère, sa volonté de vaincre ses angoisses, d'essayer de se racheter.

– Tu t'en tireras, Nick, murmura-t-elle.

Après avoir refermé la porte de la chambre d'Izzy, elle descendit au rez-de-chaussée, puis elle prit son sac à main et sortit sur la véranda. Dehors, une brise fraîche et bienfaisante s'était levée.

Elle aperçut Nick qui se tenait de l'autre côté de la pelouse.

Elle ferma un instant les yeux et songea à la caresse de ses mains sur sa peau nue... à la douceur de ses lèvres...

– Annie ?

Elle rouvrit les yeux d'un seul coup. Il se tenait devant elle, et lorsque leurs regards se croisèrent, elle crut voir dans ses yeux un besoin désespéré d'amour et de tendresse. Elle se sentit soudain vulnérable, elle avait envie de sentir les mains d'un homme sur son corps... même si cet homme n'était pas fait pour elle... même si elle n'était pas faite pour lui.

Elle lui décocha un petit sourire nerveux.

– Bon, il faut que je me sauve. Au revoir.

Puis, sans lui laisser le temps de répondre, elle fila vers sa voiture.

Mais une fois sur la route, en entendant la voix rocailleuse de Rod Stewart chanter une chanson d'amour, elle sentit son âme s'embraser à nouveau...

Le samedi matin, vêtue de sa nouvelle salopette et de ses bottes en caoutchouc, Izzy observait son papa depuis la véranda. Il était dans le jardin, agenouillé à côté de l'arbre qu'il avait planté le jour de l'enterrement de sa maman.

Le petit cerisier refusait toujours de bourgeonner, alors qu'autour de lui la nature tout entière était en fleurs. Il était mort, comme sa maman.

Son papa se tenait recroquevillé sur lui-même, comme les personnages de ses livres de contes, les mains dans des gants pleins de terre qui ressemblaient à des griffes d'ours. Il était en train d'arracher les mauvaises herbes autour de l'arbrisseau, en chantonnant un air qu'Izzy n'avait pas entendu depuis longtemps.

Tout à coup, son papa releva la tête et l'aperçut. Il lui décocha un grand sourire en écartant une mèche de cheveux de devant ses yeux. Le gant laissa une grosse traînée de terre sur son front.

– Bonjour, Izzy chérie, dit-il. Tu viens m'aider à arracher les mauvaises herbes ?

Lentement, elle s'approcha de lui. Elle mourait d'envie qu'il la prenne dans ses bras, mais elle avait peur. Son papa était de retour, mais que se passerait-il s'il décidait de s'en aller à nouveau ? Elle faillit lui dire quelque chose, elle ouvrit même la bouche.

– Qu'y a-t-il, Izzy ?

Mais les mots n'arrivaient pas à sortir. Ils étaient collés comme une grosse boule au fond de sa gorge. *Allons, Izzy, parle-lui, dis-lui simplement, bonjour, papa, tu m'as manqué.*

Mais elle n'y arrivait pas. C'est pourquoi elle tendit la main et pointa du doigt vers le déplantoir qui reposait sur l'herbe. Il le saisit et le lui tendit lentement.

– Ce n'est pas grave, va, murmura-t-il doucement. Je comprends, mon rayon de soleil.

Je t'aime, papa. Les larmes lui piquaient les yeux, elle était triste et confuse de ne pas pouvoir le lui dire avec des mots. Elle serra très fort les paupières pour qu'il ne voie pas qu'elle pleurait comme un bébé. Puis elle prit le déplantoir et s'installa à côté de lui.

Il se mit à lui parler, du soleil et des fleurs, et de la belle journée qu'ils allaient passer ensemble. Il lui parla si longtemps qu'elle finit par oublier qu'elle n'était qu'une petite fille stupide qui n'arrivait plus à parler à son papa.

Le dimanche était un jour maudit pour les touristes dans cette partie reculée du monde. Car le dimanche, les innocents touristes qui s'égaraient dans la forêt pluviale tombaient presque toujours entre les griffes d'agents immobiliers qui leur vantaient les charmes de cette contrée féerique afin de les inciter à venir s'y établir. Et les touristes, éblouis par leurs récits fabuleux, se laissaient prendre au piège.

Lorsqu'il ouvrit les rideaux du salon, Nick jeta un coup d'œil au-dehors et fut aussi ébloui qu'un touriste. Un soleil éclatant couronnait la cime des arbres ; des rubans de lumière dorée enflammaient la forêt, lui conférant un aspect féerique. Le lac Mystic aspirait les images alentour et les retenait prisonnières à la surface miroitante de ses eaux bleues. Sur la rive la plus éloignée, un héron cendré se tenait sur une patte, inspectant fièrement son domaine.

C'était le jour idéal pour partir en promenade. Il grimpa l'escalier quatre à quatre et réveilla sa fille qui dormait à poings fermés. Puis il l'aida à se laver et à s'habiller chaudement, et pendant qu'elle faisait son lit il descendit à la cuisine pour préparer le pique-nique – du saumon fumé acheté aux Indiens Quinault qui tenaient une échoppe sur le bord de la route, du fromage frais et des biscuits salés pour lui, et des tartines au beurre de cacahuète et à la confiture et des portions de fromage pour Izzy. Annie avait laissé de la citronnade au frais. Il la mit dans une bouteille Thermos, puis emballa le tout dans un panier.

Une heure plus tard, ils longeaient la route sinueuse du littoral. Ici, le monde semblait se diviser en deux. D'un côté de la route s'étendait le plus grand massif forestier d'Amérique du Nord, et de l'autre la côte rugissante du Pacifique. Au sommet des falaises, des sapins sculptés par des siècles de tempête dressaient leurs troncs aux formes tourmentées contre le ciel.

Nick se gara sur une aire de stationnement panoramique spécialement aménagée pour les touristes. Puis, prenant Izzy par la main, il l'entraîna sur le sentier qui descendait jusqu'à la plage.

Au-dessous d'eux, d'immenses vagues couronnées d'écume se fracassaient contre les rochers. Lorsqu'ils atteignirent la plage, Izzy lui adressa un grand sourire.

Ici, l'océan d'un bleu métallique s'étirait à perte de vue, et parfois le vent soufflait si fort qu'il vous coupait le souffle. Mais aujourd'hui l'air était étonnamment calme, frais et vif comme une pomme acide. Les cormorans, les martins-pêcheurs et les mouettes jacassaient en tournoyant dans le ciel, se posant de temps à autre sur l'un des sapins sculptés par le vent qui poussaient au sommet des énormes rochers émergeant de l'écume.

Nick posa son panier sur un rocher non loin du rivage.

– Viens, Izzy.

Ils se mirent à courir en riant sur le sable en cherchant des trésors : des pièces oubliées dans le sable, des pierres de quartz translucides, des petits crabes noirs. Au détour d'une anse, ils découvrirent un amas de petites méduses bleues, apportées du large par le vent – signe qu'on allait voir des thons au large cet été.

Lorsque le soleil atteignit son zénith, Nick étala une grande couverture à carreaux rouges et blancs sur le sable et déballa leur pique-nique. Ils s'assirent en tailleur sur la couverture et se commencèrent à déjeuner.

Pendant qu'ils mangeaient, Nick racontait des histoires à Izzy – il lui parla des Indiens d'Amérique qui avaient découvert ces plages bien avant l'arrivée des premiers colons ; des fêtes extravagantes que ses amis et lui organisaient ici quand ils étaient plus jeunes ; de la fois où il avait amené Kathy ici quand elle était enceinte.

À un moment, il crut qu'Izzy allait dire quelque chose. Elle se pencha en avant, les yeux pétillants, les lèvres tremblantes.

Essaye, Izzy jolie. Mais pour finir elle renonça, gardant pour elle les mots qu'elle avait sur le bout de la langue.

Nick eut l'impression qu'une pointe d'acier lui trans-

206

perçait le cœur. Mais il se força à sourire et continua à lui raconter des histoires.

Lorsqu'ils eurent fini leur pique-nique, ils remballèrent leurs affaires et regagnèrent la voiture en silence. Le soleil dardait ses derniers rayons. Nick avait du mal à parler, à déverser son âme dans le silence pesant qui s'était installé entre eux et lorsqu'ils passèrent devant chez Zoe, une soudaine envie de boire s'empara de lui, aussi féroce que l'océan déferlant contre les rochers. Il enfonça la pédale de l'accélérateur et dépassa la taverne à toute allure.

Lorsqu'ils regagnèrent la maison, le jour touchait à sa fin, faisant place au crépuscule rose et or.

– Qu'est-ce que tu dirais de jouer à un jeu ? dit-il à Izzy.

Sans répondre, Izzy sortit à toutes jambes du salon et s'en revint quelques instants plus tard, avec la boîte de l'Île aux bonbons.

– Oh, non, pas ça, gémit-il. Qu'est-ce que tu dirais d'une partie de Mikado plutôt ?

Un petit sourire releva le coin de ses lèvres. Elle secoua la tête.

– Tu crois que je ne veux pas y jouer parce que je perds à chaque fois, mais tu te trompes. En fait, c'est parce que j'ai l'impression que je vais tourner de l'œil. Allons, sois gentille. Faisons une partie de Mikado. S'il te plaît ?

Elle lui décocha un large sourire en tapotant du doigt la boîte de l'Île aux bonbons.

– Bon, d'accord. Mais juste une partie alors, et après le Mikado.

Elle laissa échapper un petit rire, un rire minuscule, mais le simple fait d'entendre le son de sa voix suffit à apaiser ses nerfs à vif. Il alluma promptement un feu dans la cheminée, puis ils étalèrent l'échiquier géant au milieu du salon.

Une partie fit place à une autre puis encore une autre, et ainsi de suite.

Au bout d'un moment, Nick, épuisé, déclara forfait.

– Je renonce. Tu es la reine de l'Île aux bonbons.

Personne ne te battra jamais. Allons, viens, Izzy jolie, c'est l'heure de dîner.

Il se releva tout doucement – il avait les jambes complètement engourdies.

Elle s'élança vers lui, l'air affolé, et lui prit la main.

Il lui sourit.

– Non, non, ne t'inquiète pas, ma chérie, tout va bien. Je suis juste un peu vieux, alors j'ai du mal à tenir sur mes jambes. Tu te souviens de grand-mère Myrtle ? Elle marchait en titubant, comme un jouet mécanique.

Izzy rit.

Dans la cuisine, ils s'assirent autour de la grande table et mangèrent des macaronis au fromage achetés chez le traiteur. Puis Izzy aida Nick à faire la vaisselle, et ils montèrent à l'étage. Là, il l'aida à mettre sa chemise de nuit, et à se brosser les dents, puis ensemble ils grimpèrent dans le petit lit étroit.

Il prit le livre d'*Alice au pays des merveilles* qui se trouvait sur la table de nuit. Puis passant un bras autour des épaules d'Izzy, il commença à lui faire la lecture.

Lorsqu'il referma le livre, elle avait les paupières lourdes et commençait à s'endormir.

– Bonsoir, mon rayon de soleil, dit-il tout bas, en déposant un baiser sur son front.

Lentement, il s'écarta et se leva du lit.

Brusquement, elle lui saisit la main. Il se retourna.

– Izzy ?

– Papa ?

Il en eut le souffle coupé. Depuis près d'un an il n'avait pas entendu le son de sa voix. Lentement, très lentement, il vint se rasseoir à côté d'elle. Les larmes lui piquaient les yeux.

– Oh, Izzy, murmura-t-il.

– Je t'aime, papa, dit-elle.

Puis elle se mit à pleurer.

Il la prit dans ses bras, enfouissant sa tête dans le creux de son cou pour ne pas qu'elle le voie pleurer.

– Oh, Izzy jolie. Je t'aime, moi aussi, répétait-il sans fin, en lui caressant les cheveux.

Il la garda ainsi longtemps serrée contre son cœur, et pour finir elle s'endormit entre ses bras. Il reposa alors délicatement sa tête sur l'oreiller, puis remonta tout doucement les couvertures et la borda. En voyant ainsi sa fille endormie, une bouffée d'émotion pure s'empara de lui. Une émotion si vive qu'aucun mot – pas même le mot *amour* – n'aurait pu la décrire.

C'était comme si un hymne glorieux avait explosé dans son cœur. Et tout cela à cause de trois petits mots tout simples, et incroyablement complexes : *Papa, je t'aime.*

Trois petits mots qu'il ne prendrait plus jamais pour argent comptant.

Il était littéralement ivre de joie. Il avait envie de rire à gorge déployée, de partager ce moment unique avec quelqu'un de cher.

Annie.

Sans y réfléchir à deux fois, il alla dans sa chambre et décrocha le téléphone.

Le lundi fut un jour magique, un jour de pur bonheur. Une fois de plus le soleil avait balayé au loin les nuages et le ciel était clair. Tous les trois partirent faire un tour à bicyclette et cueillirent des fleurs mauves et blanches avec lesquelles ils tressèrent des guirlandes.

Il y avait très longtemps qu'Annie ne s'était pas autant amusée. Jamais Blake et elle n'avaient passé une journée comme celle-là. Les rares journées qu'il avait de libres, il les passait à la maison, à téléphoner ou à envoyer des fax.

Tandis qu'elle pédalait sur le sentier de randonnée, des bribes de la conversation qu'elle et Nick avaient eue la veille au téléphone lui revinrent à l'esprit. *Elle m'a parlé, Annie ! Elle m'a dit qu'elle m'aimait.* En l'entendant exulter ainsi, les larmes lui étaient montées aux yeux et quand il lui avait

209

raconté la journée qu'ils avaient passée ensemble à la plage, son cœur s'était serré d'envie.

De fil en aiguille, Annie se mit à penser au Nick qu'elle avait connu autrefois – et qu'elle avait aimé passionnément. Quand elle fermait les yeux et qu'il lui parlait, elle revoyait le garçon qui l'avait embrassée pour la première fois sous un ciel étoilé.

Elle avait l'impression de se laisser emporter par le courant et de dériver vers des eaux dangereuses. De toutes les choses qu'elle aimait en Nick, c'était l'amour immense qu'il portait à Izzy qui l'émouvait et la troublait le plus. Elle avait beau essayer d'oublier la vie qu'elle avait menée en Californie, et les choix qu'elle avait faits, Nick la renvoyait malgré elle à son passé. Jamais sa fille à elle n'avait connu la présence d'un père qui vous adore.

Et pendant des années, Annie avait aimé un mari qui ne l'aimait pas.

Lorsqu'elle en avait pris conscience elle s'était brusquement sentie pitoyable et ridicule. Pendant des années elle avait confondu l'amour véritable et la force de l'habitude. Elle avait cru que l'amour qu'elle donnait à son mari était réciproque. Résultat, à trente-neuf ans, elle se retrouvait seule, sans enfant et sans mari.

Lorsqu'ils regagnèrent la maison, Annie était complètement abattue. Tout au long du dîner, elle garda les yeux rivés sur son assiette, son pied droit martelant nerveusement le sol.

Dès qu'ils sortirent de table, elle fila mettre Izzy au lit, laissant à Nick le soin de faire la vaisselle.

– Bonne nuit, Izzy, dit-elle en bordant la fillette. Ton papa va monter te dire bonsoir dans une minute.

– Bonne nuit, Annie, marmonna Izzy d'une voix ensommeillée.

Lorsqu'elle regagna le salon, Annie trouva Nick devant la fenêtre, en train de regarder le lac. Même à cette distance, elle voyait que ses mains tremblaient. Un torchon à vaisselle humide gisait à ses pieds.

En l'entendant arriver, il se retourna d'un bond. Il était livide et la sueur perlait à son front.

– Tu as envie de boire, n'est-ce pas ? dit-elle.

– Envie ? (Il laissa échapper un petit rire guttural.) Le mot est faible.

Annie ne savait que faire. Elle n'osait pas le toucher, mais elle ne se sentait pas non plus la force de se détourner de lui. Prudemment, elle s'approcha de lui. Il tendit la main vers elle, et ses doigts moites se refermèrent sur les siens dans un geste désespéré.

Au bout d'un moment, elle dit :

– Qu'est-ce que tu dirais d'une bonne glace menthe-chocolat pour te consoler ?

– Bonne idée. Je monte dire bonsoir à Izzy et puis je... je te rejoins, cria-t-il en s'élançant vers l'escalier.

Annie alla préparer deux coupes de glace et lorsque Nick redescendit ils allèrent s'installer sur le sofa du séjour.

Ils mangèrent en silence. Le cliquetis des cuillères sur la porcelaine semblait amplifié. Nick martelait nerveusement le sol du pied, et ramenait sans cesse une mèche de cheveux rebelle derrière son oreille.

Brusquement, il se tourna vers elle et dit :

– Tu comptes rester combien de temps encore ?

Et voilà, pensa-t-elle, tout est fini. Elle soupira.

– Encore un mois et demi. Natalie revient de Londres le quinze juin.

Au même moment leurs regards se croisèrent, et elle crut qu'elle allait se noyer dans le bleu de ses yeux.

Elle retint son souffle. Qu'allait-il dire ensuite ?

– Que penses-tu de Mystic ? demanda-t-il lentement, sans cesser de la regarder. Pas grand-chose, j'imagine, sans quoi tu ne te serais pas empressée de décamper à la première occasion.

– Ce n'est pas Mystic qui m'a fait fuir.

Il y eut un long silence, puis il dit doucement :

– Tu sais, je n'ai jamais voulu te faire de peine.

– Je le sais.

– Tu m'intimidais.

À ces mots, elle sentit resurgir à nouveau le besoin d'intimité qui les avait attirés l'un vers l'autre la veille au soir. Soudain prise de panique, elle eut un petit rire forcé.

– Tu plaisantes, n'est-ce pas ?

Lentement, il se tourna vers elle, en posant un bras sur le dossier du sofa derrière son dos. Elle dut lutter de toutes ses forces pour ne pas se renverser en arrière.

– Je crois que nos vies étaient déjà toutes tracées avant même que nous ayons été en âge de nous poser les questions essentielles. En ce qui me concerne, mon sort a été scellé le jour où mon père a abandonné ma mère. Elle n'a pas réussi à... faire face. Très tôt je me suis vu obligé de la prendre en charge. J'ai fait comme tous les enfants d'alcooliques, j'ai appris à me taire, à me méfier et à me blinder. À dix ans j'étais déjà adulte. C'est moi qui faisais les courses, la cuisine, la lessive... J'aimais ma mère, et je m'occupais d'elle. Et quand elle s'en prenait à moi, ou qu'elle me frappait, en me disant que je n'étais qu'un bon à rien, un imbécile, et que j'avais de la chance qu'elle me garde avec elle, je la croyais.

Il se renversa sur le sofa, effleurant des doigts les épaules d'Annie. Elle leva les yeux vers lui en songeant : Comme il était beau jadis ! La première fois qu'elle l'avait vu, elle l'avait trouvé si beau qu'elle en avait eu le souffle coupé.

– Lorsque je suis venu vivre ici, avec Joe, c'était comme un rêve pour moi. J'avais des draps propres, des affaires propres, plein de bonnes choses à manger. J'allais à l'école tous les jours, et personne ne me cherchait jamais de noises. (Il lui décocha un sourire si chaleureux qu'elle en frissonna de la tête aux pieds.) Et puis je vous ai rencontrées, toi et Kath. Tu te souviens ?

– Oui, c'était chez A & W, après le match de foot. On t'a invité à venir t'asseoir avec nous. Il y avait une chanson des K-Tel en musique de fond.

– C'est toi qui m'as invité. Je n'arrivais pas à y croire... et puis quand on est devenus amis, c'était encore plus incroyable. Cette année-là, une vie nouvelle a commencé pour moi. (Il eut un petit sourire mélancolique.) Tu es la première fille que j'ai embrassée. Est-ce que tu le savais ?

Annie sentit sa gorge se serrer.

– J'ai pleuré.

Il hocha la tête.

– Et moi, je croyais que c'était parce que tu pensais que je n'étais pas assez bien pour toi.

Elle avait tellement envie de le toucher qu'elle en avait des picotements au bout des doigts. Elle serra le poing.

– Je n'ai jamais compris pourquoi j'avais pleuré. Je ne le sais toujours pas.

Il lui sourit.

– Tu vois ? Quand je te disais que nos vies sont tracées d'avance. Kathy était beaucoup plus simple. J'ai senti dès le début qu'elle avait besoin de moi, et pour moi, c'était comme si elle m'avait donné de l'amour. Alors j'ai aussitôt foncé tête baissée. Que pouvais-je faire d'autre ? Te demander de renoncer à Stanford pour moi ? Ou t'attendre, alors que tu ne m'avais rien promis ?

Jamais Annie n'avait eu le courage de lui avouer ses sentiments. Tout comme lui, elle avait foncé tête baissée. Elle s'était comportée en petite fille modèle et était allée à l'université. Là, elle avait rencontré un gentil garçon à l'avenir prometteur qu'elle avait épousé... et s'était perdue en cours de route.

– J'ai toujours pensé que tu deviendrais célèbre un jour, dit-il enfin. Tu étais tellement intelligente. La seule fille de Mystic à avoir décroché une bourse pour aller étudier à Stanford.

– Moi, célèbre ? dit-elle avec un petit grognement incrédule. En faisant quoi ?

– Je t'en prie, Annie, ne te dévalorise pas. Tu réussis toujours tout ce que tu entreprends. Et n'écoute pas ceux qui te diront le contraire.

Ses encouragements mirent un peu de baume sur son cœur meurtri.

– L'autre jour il m'est venu une idée...

– Laquelle ?

Elle se recula.

– Tu vas rire.

– Pas du tout.

Elle ne demandait qu'à le croire.

– J'aimerais ouvrir une petite librairie. Le genre d'endroit convivial où l'on sert du café, avec des fauteuils confortables et des vendeurs qui aiment lire.

Il lui effleura la joue du bout des doigts, et elle frissonna de plaisir. C'était la première fois qu'il la touchait depuis la nuit où ils avaient fait l'amour au bord du lac.

– Si seulement tu pouvais te voir telle que je te vois en ce moment même !

Elle sentit le feu lui monter aux joues.

– Tu me trouves ridicule, n'est-ce pas ?

– Mais non. Pas du tout. J'ai simplement remarqué que tes yeux se mettaient à briller quand tu as prononcé le mot « librairie ». Je trouve que c'est une idée du tonnerre. Et d'ailleurs il y a une vieille maison de style victorien dans la Grand-Rue. Autrefois c'était une boutique de souvenirs. Mais depuis que le propriétaire est mort elle a fermé. Le bail est à céder. Avec un peu d'huile de coude, il y a moyen d'en faire quelque chose de très bien. (Il fit une pause et la regarda.) À condition que tu veuilles ouvrir ta librairie à Mystic, bien entendu.

Le rêve se brisa d'un seul coup. Tous deux savaient que la vie d'Annie n'était pas à Mystic. Sa vie était en Californie, sous d'autres cieux, dans une grande maison blanche donnant sur la mer. Elle baissa les yeux, essayant de trouver quelque chose à dire, pour chasser au loin ce rêve stupide et faire comme si elle n'avait rien dit.

Il dit soudain :

– Au fait, est-ce que tu as vu *Même heure, l'année prochaine* ?

Elle fronça les sourcils.

– Le film qui raconte l'histoire d'un couple d'amants qui se retrouvent chaque année pour un week-end ?

– Oui.

Soudain, en prononçant le mot « amants » elle eut l'impression de respirer dans du coton.

– Je... j'ai adoré ce film.

– Il commence dans dix minutes. Tu veux le regarder ?

Elle respirait par saccades.

– Pourquoi pas ?

Ils s'installèrent confortablement dans le sofa puis allumèrent la télévision. Tout le temps que dura le film, Annie eut l'impression étrange de perdre pied. Elle n'arrêtait pas de lancer des petits coups d'œil furtifs à Nick qui, de son côté, n'arrêtait pas de la regarder. Qu'elle le veuille ou non, Nick avait pris une place importante dans sa vie.

La veille au soir, après avoir mis Izzy au lit, ils étaient restés un long moment à bavarder ensemble.

C'est ainsi qu'elle avait appris qu'il aimait la glace aux pépites de chocolat et avait horreur des betteraves... que le bleu était sa couleur préférée et que le sport de compétition l'ennuyait à mourir... qu'il aimait les pommes de terre au four avec du beurre, mais sans sel et sans poivre. Et que lorsque Izzy se blottissait contre lui et lui donnait un baiser, il avait les larmes aux yeux.

Elle savait que, quand l'envie de boire le prenait, il devenait fou et que son regard devenait vitreux. Dans ces moments-là, il fuyait Annie et Izzy et courait se réfugier dans la forêt. Plus tard, il s'en revenait le visage livide, les cheveux collés par la transpiration et les mains tremblantes. Il s'efforçait de sourire, mais son sourire était sans joie, et ses yeux trahissaient un immense désespoir. Et Annie savait alors qu'il avait réussi à vaincre les démons de l'alcool.

Parfois, dans ces moments-là, quand leurs regards se croisaient, elle avait l'impression de perdre pied.

Elle ne voulait pas trop s'attacher à Nick Delacroix, et pourtant elle sentait que chaque jour qui passait les rapprochait l'un de l'autre.

Lorsque le film s'acheva, elle n'osa pas le regarder dans les yeux, craignant qu'il ne devine son trouble. Saisissant son sac à main elle s'élança vers la porte en marmonnant un vague bonsoir.

17

Izzy s'éveilla en sursaut. Elle avait rêvé de sa maman. Sa maman se trouvait au bord du lac et l'appelait... en pleurant.

Rejetant les couvertures, elle sortit du lit. Sans prendre le temps d'enfiler sa robe de chambre ou ses pantoufles, elle se faufila hors de sa chambre et longea le couloir. Arrivée devant la chambre de son papa, elle hésita, puis reprit son chemin. Au rez-de-chaussée elle ouvrit la porte et sortit dans la nuit.

Elle scruta longuement le lac. Tout d'abord, elle ne vit rien d'autre qu'une ombre grise entre les flancs de la montagne, mais au bout d'un moment elle vit scintiller les vagues et entendit le murmure de l'eau lapant la rive. La brume avait fait place à un épais brouillard hérissé çà et là de troncs noirs aux formes tourmentées.

Izzy jolie, c'est toi ?

Elle sursauta. La porte grillagée lui échappa des mains et se referma dans un claquement.

– Maman ?

Une lueur blanche scintilla sur la rive.

Elle se tourna vers la maison. Il n'y avait pas de lumière dans la chambre de son père. Elle savait qu'elle n'avait pas le droit de sortir sans prévenir, mais la lueur blanche scintilla à nouveau et elle entendit les sanglots d'une femme qui pleurait dans la nuit. Relevant le bas de sa chemise de nuit, elle traversa à toutes jambes la pelouse humide et boueuse.

La nuit était remplie de bruits inquiétants – le cri des corbeaux, le hululement d'une chouette, le coassement des crapauds – mais elle continua à courir jusqu'à ce qu'elle ait atteint la rive.

– Maman ? murmura-t-elle.

Un fin brouillard flottait à la surface de l'eau. C'est là qu'elle aperçut sa maman. Aussi claire que le jour, elle se tenait debout à la surface de l'eau, les mains jointes devant elle, le visage ceint d'un halo de cheveux dorés. Izzy entrevit un rapide battement d'ailes blanches, et elle entendit un bruit semblable au bourdonnement d'un moteur. Sa mère irradiait une lumière éblouissante qui faisait mal aux yeux, comme si Izzy avait regardé le soleil en face. Elle cligna des yeux et essaya de se concentrer, mais elle ne vit qu'une succession de points noirs et d'étoiles et sa maman ne cessait d'apparaître et de disparaître.

Izzy jolie, pourquoi m'as-tu appelée ?

Izzy cligna des paupières en essayant de se souvenir des beaux yeux bleus de sa maman.

– Je ne t'ai pas appelée, cette fois.

Je t'ai entendue m'appeler dans ton sommeil.

Izzy essaya de se remémorer son rêve, mais seules des images éparses lui revenaient à l'esprit, tandis qu'un sentiment d'angoisse lui étreignait le cœur.

– Je ne sais plus ce que je voulais.

Elle sentit la caresse de sa mère, comme un souffle sur son front, un baiser qui sentait la brume et la pluie et le parfum préféré de sa maman.

– Tu me manques, maman.

Ton papa est revenu.

– Mais j'ai peur qu'il reparte.

Une autre caresse, plus douce cette fois.

Il ne repartira pas, Izzy jolie.

Cette fois, quand Izzy leva les yeux, sa maman était tout près d'elle, et elle vit à nouveau ses ailes blanches de colombe.

– Je ne peux pas venir avec toi, n'est-ce pas ?

L'espace d'un court instant, la brume s'écarta et Izzy vit sa maman. Sans ailes et sans lumière, sans brume, juste une jeune femme blonde à l'air triste, dans une robe de chambre rose, qui regardait sa petite fille. *Je serai toujours en toi, Izzy.*

Tu n'as pas besoin de disparaître ou de me suivre. Tu n'as qu'à fermer les yeux et penser à moi et je serai là. Souviens-toi de la fois où nous étions allées au cirque voir les clowns. Je riais si fort que je suis tombée du banc. Chaque fois que tu souriras en y repensant, je serai là.

Des larmes se mirent à rouler sur les joues d'Izzy. Elle regarda sa maman au fond des yeux.

– Je t'aime, maman...

Puis soudain sa maman disparut.

– Izzy!

La voix affolée de son père la tira de sa rêverie. Elle se retourna et l'aperçut qui arrivait en courant.

– Papa?

Il la prit dans ses bras et la serra contre son cœur.

– Izzy, dit-il d'une voix haletante comme s'il avait couru pendant des kilomètres. Oh, Izzy... Tu m'as fait une de ces peurs. Je ne savais pas où tu étais...

– Je ne suis pas allée où c'est défendu, papa.

Il lui adressa un sourire tremblant.

– Je sais, ma chérie.

Il la porta jusqu'à la maison et la remit au lit. Elle se glissa sous les couvertures, mais ne se sentant pas encore le courage de rester seule, elle prit un livre sur la table de nuit. C'était l'un de ses livres préférés, *Cendrillon*, celui que grand-maman Myrtle avait donné à maman, puis à Izzy.

– Tu peux me lire une histoire, papa?

Il grimpa dans le lit à côté d'elle. Tout doucement, il ouvrit le livre à la première page. Il lut comme il le faisait toujours, avec vigueur et enthousiasme, en prenant toutes sortes de voix amusantes.

Mais Izzy ne riait pas. Elle était trop émue par les images. Lorsqu'il referma le livre, elle demanda:

– Qu'est-il arrivé à la maman de Cendrillon?

Il hésita, puis dit:

– Je crois que la maman de Cendrillon est allée au paradis.

– Oh!

– Et tu sais ce que je pense ?

Elle secoua la tête.

– Non.

– Je crois que ta maman et elle sont amies à présent, et qu'elles sont en train de nous regarder pour s'assurer que tout va bien.

Izzy médita ses paroles. C'était un peu ce qu'elle pensait, elle aussi.

– Annie dit que, quand il pleut, c'est maman et les anges qui pleurent.

Il repoussa une mèche folle de son front.

– Annie sait beaucoup de choses.

Elle détourna la tête, pour cacher les larmes qui lui montaient aux yeux.

– Je crois que je ne me souviens plus très bien d'elle, papa.

Il l'attira contre lui, et essuya doucement ses joues baignées de larmes.

– Maman avait les plus beaux yeux du monde et, quand elle vous regardait, c'était comme si la pluie avait cessé et que le soleil s'était mis à briller. Et puis elle avait une dent légèrement tordue sur le devant, et un petit grain de beauté à côté de l'oreille. Elle t'aimait, Izzy... elle t'aimait plus que tout au monde.

– Elle nous aimait tous les deux, papa.

Il ne dit rien. Il l'embrassa simplement sur le bout du nez, comme quand elle était bébé. Pour la première fois depuis la mort de sa maman, Izzy n'avait pas peur. Le cri qui dormait en elle depuis des mois avait disparu. À présent, elle sentait que tout allait s'arranger.

Son papa l'aimait à nouveau.

Elle serra très fort les paupières, pour ne pas se mettre à pleurer comme un bébé. Lorsqu'elle eut retrouvé son calme, elle rouvrit lentement les paupières.

Elle n'en croyait pas ses yeux.

– Papa ? dit-elle doucement.

– Oui, chérie ?

Elle leva lentement sa main gauche. Le petit gant noir qui dépassait de sa manche était parfaitement visible. Elle mordit sa lèvre tremblante, craignant qu'il ne s'agisse d'une erreur. Lentement, elle ôta le gant. Dessous il y avait sa main.

– Papa, regarde ! Tu as vu ?

Il regarda sa main – elle était sûre qu'il la voyait – mais il ne sourit pas. Il la regarda et dit :

– Vu quoi ?

Elle avala sa salive avec difficulté.

– Je vois ma main... et mon bras. Tu les vois, papa ?

Son papa laissa échapper un son guttural.

– Oui, je vois ta main.

Tout doucement, comme s'il avait eu peur qu'elle ne l'en empêche, il lui prit le gant.

Elle éclata de rire en agitant ses doigts.

– Ça veut dire que je reste ici, avec toi, papa.

– Oui, Izzy jolie, répondit-il dans un petit reniflement.

Izzy leva les yeux et vit la chose la plus incroyable qui soit : son papa pleurait.

Elle nous aimait tous les deux.

Beaucoup plus tard, étendu dans son lit, Nick repensa à ce que lui avait dit Izzy.

Elle nous aimait tous les deux.

Izzy le lui avait dit avec une telle conviction.

Les larmes qu'il gardait en lui depuis un an se mirent à couler librement sur ses joues. Il avait aimé sa femme, aimé dès le premier instant où il avait posé les yeux sur elle, et curieusement, au fil des ans, il l'avait oublié. Il n'avait vu que l'obscurité et oublié la lumière. Et elle l'avait aimé, elle aussi, de tout son pauvre cœur brisé.

– Je t'ai aimée, moi aussi, Kathy, murmura-t-il dans l'obscurité. Je t'ai aimée...

Comme chaque année depuis un siècle, la Fête de la Pluie de Mystic débuta le premier samedi de mai. Un ciel gris et bas flottait sur la ville. La pluie tombait à verse, formant un rideau transparent à la devanture des magasins. Des feuilles tourbillonnaient dans l'eau boueuse du caniveau.

Annie portait un ciré jaune, avec son jean rentré dans ses bottes en caoutchouc, et une casquette de base-ball. À côté d'elle, Hank était en train de manger un gâteau qu'il venait d'acheter au stand du Rotary Club.

Le défilé descendait lentement la Grand-Rue, éclaboussant les trottoirs luisants de pluie. Il y avait cinq voitures de pompiers, ainsi que plusieurs voitures de police, une troupe de boy-scouts et six petites filles en tutu rose.

Annie était aux anges. Comme elle lui avait manqué, la parade sans chichis de sa bourgade natale !

Comment était-il possible qu'elle ne s'en soit pas rendu compte avant ? Elle était partie vivre en Californie, et avait élevé sa fille derrière des grilles en fer forgé, dans une maison climatisée, et dans une ville où les défilés étaient un rassemblement prestigieux de célébrités sponsorisées par les plus grandes marques commerciales.

Elle n'avait pas envie de retourner vivre là-bas.

La soudaineté de sa décision la surprit. C'était la première fois qu'elle prenait une décision sans consulter personne.

Elle ne voulait plus retourner en Californie, et d'ailleurs rien ne l'y obligeait. Lorsque le divorce aurait été prononcé et que Natalie entrerait à l'université, Annie pourrait revenir vivre à Mystic... et ouvrir sa librairie.

Des rêves. Les rêves étaient précieux, et pourtant elle avait renoncé aux siens sans émettre la moindre protestation. Mais ce temps-là était révolu.

Elle se tourna vers son père et dit :

– Papa, est-ce que tu crois qu'une librairie aurait des chances de marcher dans une ville comme Mystic ?

Il sourit.

– Bien sûr. Il y a des années que les gens en réclament une. Ta mère rêvait d'en ouvrir une un jour.

222

Annie frissonna, et l'espace d'un instant elle eut l'impression que sa mère se tenait à côté d'elle.

– Vraiment ? Figure-toi que j'ai eu la même idée.

Il tourna vers elle un regard inquisiteur.

– Je sais que tu vas mal, Annie, et que tu cherches à fuir. Mais n'oublie pas que ta vie est ailleurs. Tu ne reviendras pas habiter à Mystic. Et puis, de toute façon, tu n'as aucun sens des affaires. Tu es une mère de famille.

Il lui passa un bras autour des épaules et l'attira à lui.

Son manque de foi en elle la blessa. Pour la première fois, elle réalisa que son père l'avait inconsciemment poussée à douter d'elle-même. Quand cela avait-il commencé ? Quand elle était enfant ? La première fois qu'il lui avait dit de ne pas encombrer sa jolie petite tête avec des choses qu'elle ne pouvait pas comprendre ? Ou bien toutes les fois où il lui avait dit que Blake l'aimait ?

N'importe quelle autre femme se serait probablement récriée, mais pas Annie. Son père appartenait à une autre génération, et il avait fait de son mieux pour élever seul son enfant. Si son épouse avait vécu, les choses auraient été différentes...

Mais elle était morte, et Hank s'était retrouvé à assumer seul un rôle qui ne lui convenait guère. Tout ce qu'il connaissait des femmes lui venait de sa propre mère, une femme éteinte, usée par le travail et morte prématurément à l'âge de quarante-sept ans.

Hank avait grandi à Mystic, et ne connaissait pas grand-chose de la vie. Il avait pensé qu'en faisant des études Annie aurait plus de chances de se trouver un mari avec une bonne situation qui pourrait lui offrir une vie meilleure que celle qu'elle avait connue jusque-là.

Et pour son plus grand malheur, Annie avait suivi ses conseils. Elle était allée à Stanford – là où le monde entier se serait ouvert sous ses yeux si seulement elle avait su de quel côté regarder. Mais elle n'avait pas regardé plus loin que le bout de son nez. Elle ne s'était pas posé de questions... et avait obtenu ce qu'elle cherchait.

Ça n'était pas la faute de son père, ni même la faute de Blake ou celle d'Annie. C'était comme ça, simplement. Du moins avait-elle eu la chance d'ouvrir les yeux. Sans Blake, elle aurait continué à marcher droit devant elle sur la route des gens ordinaires jusqu'à la fin de ses jours, en portant les œillères qui se transmettaient de génération en génération.

Elle glissa une main dans celle de son père et la serra doucement. La dernière attraction de la parade, les écuyers du club équestre, passa dans un fracas de sabots. Lorsqu'ils tournèrent au coin de la rue et disparurent, la foule les applaudit en les acclamant. Puis les applaudissements s'éteignirent, et la foule commença à se disperser et à envahir la chaussée.

Annie et Hank remontèrent la Grand-Rue bras dessus bras dessous et passèrent devant la grande maison victorienne avec l'écriteau *Bail à céder* en devanture.

À l'église luthérienne, Hank acheta deux cappuccinos. Ni l'un ni l'autre ne semblait se soucier de la pluie qui continuait de tomber. En Californie, à la première goutte, Annie s'empressait d'ouvrir son parapluie. Ici, les seules personnes à avoir des parapluies étaient les touristes.

— Natalie revient dans six semaines, c'est bien ça ?

Annie prit une gorgée de café et acquiesça.

— Le quinze juin. J'ai hâte de la revoir.

— Qu'est-ce que tu vas dire à Blake quand tu le reverras ?

Sa question surprit Annie. Elle n'avait pas envie d'en parler, et c'était une question inattendue de la part de son père. Elle haussa les épaules.

— Je n'en sais rien. Pendant des semaines je n'ai fait que penser à lui, attendre le moment où je le reverrais, mais maintenant je ne sais plus trop où j'en suis.

— C'est à cause de lui, n'est-ce pas ?

Elle allait lui demander ce qu'il voulait dire par là quand, levant les yeux, elle aperçut Nick de l'autre côté de la rue. Izzy était juchée sur ses épaules et ils étaient en train de manger une glace. Il se retourna et Annie et lui échangèrent un rapide coup d'œil. Puis il lui décocha un grand sourire

224

avec un petit signe de la main et reprit son chemin. Elle essaya de répondre à la question de son père, mais en vain. Elle ne voyait pas ce que Nick venait faire là-dedans.

– Qui sait ? Tout ce que je sais, c'est que je ne suis plus la femme que j'étais avant.

– Prends garde, Annie.

Elle regarda à nouveau de l'autre côté de la rue, mais Nick avait disparu. Elle eut un petit pincement au cœur.

– Papa, j'en ai assez de prendre garde.

– À force de jouer avec le feu, tu finiras par te brûler.

Elle rit.

– Encore un slogan publicitaire, j'imagine ?

Il rit avec elle.

– N'empêche qu'il y a du vrai dans les slogans publicitaires.

18

Le lundi suivant, Annie, Nick et Izzy passèrent la journée au parc National Olympic, à se baigner dans les sources d'eau sulfureuse de Sol Duc.

Il était presque minuit quand ils rentrèrent à la maison. Annie était tellement fatiguée qu'elle accepta de bon cœur quand Nick lui proposa de lui prêter sa chambre. Après quoi elle appela son père pour lui dire qu'elle rentrerait le lendemain matin à la première heure.

– Est-ce bien raisonnable ? lui demanda-t-il doucement.

Raisonnable ou pas, elle n'aspirait qu'à une chose : se mettre au lit et dormir tout son soûl. Elle avait mal au dos et à la tête et se sentait nauséeuse. Elle était visiblement allée au-delà de ses forces.

Après avoir raccroché elle fila au premier en prenant soin d'éviter Nick, se brossa les dents et sombra aussitôt après dans un sommeil de plomb.

Le lendemain matin, elle se réveilla avec une violente migraine et lorsqu'elle voulut poser le pied par terre elle eut l'impression désagréable qu'elle allait se mettre à vomir.

Elle compta lentement jusqu'à dix, puis se hissa péniblement sur ses coudes. La lumière du jour qui entrait par la fenêtre de sa chambre l'éblouissait, aggravant sa migraine. Dire qu'il faisait un soleil radieux et qu'elle n'allait pas pouvoir en profiter.

Elle avala sa salive avec effort puis, rejetant le couvre-pieds, se dirigea d'un pas chancelant vers la petite salle d'eau attenante. Elle n'eut pas besoin d'allumer la lumière pour voir qu'elle avait une mine de papier mâché. Elle avait l'impression d'avoir cent ans et il lui fallut un temps infini pour se laver les dents et la figure. Après quoi, loin de se sentir mieux, elle eut l'impression d'être près de défaillir.

Elle retourna se coucher et se pelotonna sous les couvertures. Elle frissonnait de la tête aux pieds. Elle ferma les yeux.

Au bout d'un moment – une heure ? une minute ? – quelqu'un vint frapper à sa porte. S'obligeant à s'asseoir, Annie dit :

– Entrez.

Izzy passa la tête dans l'entrebâillement de la porte.

– Annie, j'ai faim.

Annie se força à sourire.

– Bonjour, ma chérie. Entre, mais ne t'approche pas trop. Je crois que j'ai la grippe.

Izzy se faufila dans la chambre, et referma la porte derrière elle.

– J'ai attendu que tu te lèves. J'ai cru que tu nous avais quittés... mais papa m'a dit que tu avais dormi ici.

En voyant les grands yeux bruns et inquiets de la petite, le cœur d'Annie se serra.

– Tu sais bien que je ne ferais jamais une chose pareille, Izzy. Jamais je ne partirai sans vous avoir dit au revoir.

– Il y a pourtant des grandes personnes qui le font.

– Oh, Izzy... (Annie changea de position malgré la soudaine sensation de vertige.) Je le sais bien.

Juste au moment où elle allait ajouter quelque chose, quelque chose de génial et de profond, elle fut prise d'un violent éternuement. À peine eut-elle mis une main devant sa bouche qu'elle recommença. Elle se laissa retomber sur les oreillers. Il y avait longtemps qu'elle n'avait pas été malade à ce point.

Izzy écarquilla les yeux.

– Tu es malade ?

Annie lui adressa un petit sourire penaud.

– Pas vraiment malade. Juste un rhume. Je parie que tu en attrapes tout le temps, toi aussi.

Izzy se détendit d'un seul coup.

– Oui. Et même que j'ai le nez qui coule.

– Je crois que je vais me rendormir un peu. Nous parlerons plus tard. Tu veux bien ?

Izzy hocha lentement la tête.

– D'accord. Je reviendrai tout à l'heure.

Lorsque Izzy eut refermé la porte, Annie prit le téléphone qui se trouvait sur la table de chevet et appela le cabinet du docteur Burton.

La secrétaire décrocha aussitôt.

– Le cabinet du Dr Burton, bonjour.

– Bonjour, Madge. C'est Annie Colwater à l'appareil. J'aimerais voir le docteur.

– C'est urgent ?

Pouvait-on considérer un refroidissement comme une urgence ?

– Non.

– Le docteur n'est pas là, il a pris quelques jours de congé. Mais il m'a laissé les coordonnées du Dr Hawkins à Port Angeles, au cas où vous appelleriez. (Elle baissa soudain la voix.) C'est un psychiatre.

Malgré sa migraine lancinante, Annie ne put s'empêcher de sourire.

– Ah, c'est très gentil, mais ce ne sera pas nécessaire.

– Ah, dans ce cas le Dr Burton vous recevra comme prévu le premier juin. C'est toujours d'accord ?

Annie avait complètement oublié ce rendez-vous. Sa dépression du mois de mars n'était plus qu'un vague souvenir. Elle n'avait plus besoin de retourner voir le Dr Burton. Cela dit, mieux valait qu'il soit rassuré à son sujet. Il serait content de voir qu'elle avait surmonté sa tristesse.

– Oui, c'est toujours d'accord. Merci, Madge.

Avant même de raccrocher le téléphone, Annie avait fermé les yeux.

Annie rêva qu'elle se trouvait dans un lieu obscur et froid. Elle entendait le murmure d'une cascade et le bourdonnement d'une libellule. Tapi dans l'ombre, au cœur de la forêt, quelqu'un l'attendait. Elle pouvait entendre sa respiration haletante. Elle aurait voulu se jeter dans ses bras, mais elle avait peur. Elle craignait qu'il ne l'entraîne dans un monde étrange dont elle ne connaissait pas les règles. Elle avait peur de s'égarer en le suivant.

– Annie ?

Elle s'éveilla d'un seul coup et trouva Nick assis au pied du lit. S'efforçant de lui sourire, elle se hissa tant bien que mal sur ses coudes.

– Bonjour.

– Izzy m'a dit que tu étais malade.

Il se pencha vers elle et lui tâta le front.

– Tu as de la température.

– Vraiment ?

Il se rapprocha et lui tendit un thermomètre.

– Ouvre la bouche.

Elle lui obéit sans ronchonner et il glissa le thermomètre sous sa langue. Elle referma la bouche. Un silence embarrassé se mit à planer sur eux.

Pour finir, il dit :

– Je t'ai amené un jus d'orange et des œufs brouillés. Oh, et puis de l'aspirine aussi, et une carafe d'eau bien fraîche.

Il disparut dans la salle de bains puis reparut avec un gant humide à la main. Il s'assit sur la chaise à côté du lit et étala le gant sur son front. Puis il lui tendit deux cachets d'aspirine.

– Tiens.

Elle regarda les deux petits cachets.

Il fronça les sourcils.

– Annie ? Tu pleures ?

Elle cligna les paupières.

– Vraiment ? Ce n'est rien. C'est probablement mon rhume. Ou la ménopause. Je n'ai pas été bien de la semaine. Je sens que je vais dérouiller – elle s'interrompit juste au moment où elle allait dire : ce mois-ci. Elle n'était pas en train de parler à son mari, et il n'était pas convenable de parler de ses règles. Elle se sentit soudain terriblement seule.

Le seul fait de ne pas pouvoir prononcer ce petit mot la renvoyait à sa solitude. C'était une chose qu'elle avait toujours prise pour argent comptant : le fait de pouvoir lui parler de n'importe quoi n'importe quand. Désormais, elle n'avait plus personne avec qui parler aussi librement.

– Qu'est-ce qu'il y a, Annie ? demanda-t-il d'une voix si douce qu'elle redoubla de sanglots. Annie ?

Elle était incapable de le regarder dans les yeux.

– Tu dois me trouver idiote.

Il rit, d'un petit rire tendre et sans malice.

– Tu as peur de ce qu'un ivrogne peut penser de toi ?

Elle renifla violemment.

– Nick, arrête, ne parle pas comme ça.

– Que dois-je faire ? Faire semblant de ne pas voir que tu pleures ? Maintenant dis-moi ce qui ne va pas.

Annie ferma les yeux. Lorsqu'elle eut enfin retrouvé sa langue, elle dit :

– Personne ne m'a jamais donné de cachets d'aspirine – je veux dire sans que j'en demande.

Bon sang, comme elle devait avoir l'air pitoyable. Elle avait honte qu'il la voie dans cet état. Pour essayer d'arranger les choses, elle ajouta :

– J'ai été épouse et mère pendant si longtemps. C'est toujours moi qui m'occupais des autres quand ils étaient malades.

– Et personne n'a jamais pris soin de toi, dit-il le plus simplement du monde.

Tout était là, dans cette remarque toute simple, tout ce qui avait échoué dans son mariage. Elle avait tout fait pour rendre la vie facile à Blake ; elle l'avait protégé, choyé, entouré d'amour. Pendant des années elle lui avait trouvé des excuses : il était fatigué, débordé, préoccupé par son travail. Des années durant, elle avait mis des couches et des couches de papier cadeau autour d'une réalité peu reluisante.

Personne n'a jamais pris soin de toi.

Brusquement, les larmes jaillirent de ses yeux et elle se

mit à pleurer pour tous les bons moments qu'elle avait ratés, tous les rêves qu'elle n'avait pas pu réaliser.

Elle inspira profondément et avec difficulté, puis s'essuya les yeux et sourit à Nick.

– Je te demande pardon. Je suis vraiment trop bête.

Elle jeta un coup d'œil au plateau qu'il avait posé sur sa table de nuit. Du jus d'orange, de l'eau, des cachets d'aspirine, des œufs brouillés, et une tranche de pain grillé. Elle était tellement émue qu'elle ne savait que dire à cet homme qui lui avait accidentellement ouvert les yeux sur sa vie passée et lui avait montré la vérité.

– Tu devrais boire un peu.

Elle se moucha puis lui décocha un petit sourire en coin.

– Tu as sûrement raison.

Il resta un instant interdit, puis éclata de rire.

Annie demeura encore deux jours au lit, puis se leva. Elle était encore faible et nauséeuse, mais elle ne voulait pas s'écouter.

Le vendredi suivant, elle et Nick et Izzy se rendirent à Kalaloch et passèrent la journée à la plage. Armés de bâtons, ils s'amusèrent à passer la grève au peigne fin. Chaque fois qu'elle trouvait une pièce de monnaie ou un crabe enfouis dans le sable, Izzy poussait des petits cris de joie. À midi ils s'installèrent dans une grotte pour pique-niquer. Après quoi ils s'amusèrent à patauger dans l'eau glacée jusqu'à avoir les joues et les mains rouge écarlate.

Lorsque le soleil commença à sombrer à l'horizon, ils reprirent le chemin de la maison.

Assise à côté de Nick, à la place du passager, Annie tenait un seau plein de coquillages entre ses jambes.

– Papa, est-ce qu'on pourrait s'arrêter pour acheter des glaces ?

Nick répondit en riant.

– Mais bien sûr, ma chérie.

Annie le regarda, stupéfaite. Ce n'était plus le même

homme depuis quelques semaines. Souriant et gai, il passait des heures à jouer avec sa petite fille. Parfois, comme maintenant, quand le soleil illuminait son profil d'une chaude lumière dorée, il était si beau qu'Annie en avait le souffle coupé.

Mais il n'y avait pas que la beauté chez Nick. Sa vulnérabilité et sa force, et surtout la tendresse qu'il lui témoignait l'émouvaient terriblement. Jamais, avant Nick, elle n'avait connu quelqu'un capable de donner autant d'amour. Sans doute était-ce pour cela que la vie l'avait malmené. Il n'y avait rien de plus facile à briser que le fragile bouclier d'un idéaliste.

Des heures plus tard, après avoir mis Izzy au lit et essuyé la dernière assiette, Annie continuait de le regarder. Il se tenait debout sur la rive du lac, son corps formant une ombre parmi les ombres, mais Annie savait distinguer parfaitement les nuances : le pâle contour de ses cheveux, la forme carrée de ses épaules, les rivets métalliques de son jean scintillant par instants au clair de lune.

Elle eut soudain envie de le rejoindre, et sentit son cœur qui se mettait à battre plus vite.

Dehors, le ciel était plein d'étoiles. Le chant mêlé des grenouilles et des criquets s'évanouissait à son approche. L'herbe était humide et froide sous ses pieds nus.

Nick se tenait immobile, la tête rentrée dans les épaules.

– Coucou, Nick, dit-elle tout bas.

Il fit volte-face. Il y avait de la tristesse dans ses yeux.

– Salut, dit-il d'une voix grave et rauque.

Elle avait appris à le connaître au cours des dernières semaines, et savait qu'il était en manque d'alcool.

– Tu as envie de boire, n'est-ce pas ?

Il rit, mais c'était un rire sans joie, un rire amer qui ne ressemblait pas à son rire normal. Il lui prit la main et la pressa dans la sienne.

Il avait besoin d'entendre le son de sa voix. Peu importait

ce qu'elle lui disait du moment qu'elle lui parlait ; il lui fallait une planche de salut à laquelle se raccrocher.

– Tu te souviens de la soirée qu'on avait passée à Lake Crescent, toi et moi ? On était assis au bord du lac, juste en face du pavillon et on parlait. Tu m'as dit que tu voulais devenir flic.

– Et toi que tu voulais devenir écrivain.

C'était vrai qu'elle avait voulu devenir écrivain. Ainsi, il ne l'avait pas oublié.

– Oh, ça, c'était avant...

Sa voix se perdit dans la brise puis s'éteignit.

Il se tourna vers elle, surpris.

– Avant quoi ?

Elle haussa les épaules, incapable de le regarder dans les yeux.

– Je ne sais pas. Avant que la vie ne me glisse entre les doigts. Le temps passe et emporte tout sur son passage – notre jeunesse, nos espoirs, nos rêves. Surtout nos rêves.

Elle sentit à nouveau son regard sur elle, et n'osa pas lever les yeux, de crainte de rencontrer les siens.

– Parfois, j'ai l'impression de ne pas te connaître, dit-il en lui prenant doucement le menton. Parfois, quand tu dis des choses comme celles-là, j'ai l'impression que tu n'es pas la même personne.

Elle laissa échapper un rire qui s'envola comme une luciole dans la nuit.

– Tu n'es pas le seul.

– Que t'est-il arrivé, Annie ?

Sa question la choqua, elle lui parut trop indiscrète. Il y eut un silence. Puis les paroles venimeuses jaillirent d'un seul coup.

– Mon mari m'a quittée pour une autre femme. Il veut divorcer.

– Annie...

– Mais je vais bien. Rassure-toi.

Elle essaya de trouver quelque chose à dire pour détendre l'atmosphère mais, quand son regard croisa le sien, elle vit dans ses yeux une telle compassion que toutes ses forces l'abandonnèrent d'un seul coup. Une larme roula sur sa joue.

– Comment est-ce arrivé ? J'aimais Blake de tout mon cœur, de toute mon âme, mais apparemment ça ne suffisait pas...

Il soupira, incapable de trouver des paroles réconfortantes.

– Et le pire de tout, c'est que ça vous tombe dessus sans crier gare, dit-elle. On n'a pas le temps de dire ouf, que c'est déjà du passé.

Elle leva les yeux vers lui, surprise de constater combien les mots lui venaient facilement. Au cours des semaines qui avaient suivi sa rupture avec Blake, elle avait gardé son chagrin pour elle, elle l'avait enfermé tout au fond de son cœur, et l'avait attisé comme on attise un feu, avec ses rêves, ses cauchemars, ses souvenirs. Et puis voilà que le feu s'était éteint. Ne laissant derrière lui qu'une douleur sourde et tenace.

Une douleur qui ne guérirait probablement jamais complètement. Comme un os fracturé et mal ressoudé, la plaie qu'elle portait en elle ne disparaîtrait jamais tout à fait. Et chaque fois qu'elle se souviendrait de Blake, elle aurait un pincement au cœur.

Nick n'aurait pas su dire comment c'était arrivé, ni lequel des deux avait fait le premier geste. Tout ce qu'il savait c'est qu'il avait besoin d'Annie. Il étendit les bras vers elle, et glissa ses mains sous le col de son chemisier, puis lentement, sans la quitter des yeux, il se pencha vers elle et l'embrassa. Tout doucement d'abord, leurs lèvres se rejoignirent. Puis elle s'approcha de lui, et l'enlaça. Il sentit ses mains, petites et souples, errer dans son dos avec un mouvement circulaire.

Son baiser se fit plus pressant. Sa langue chercha sa

234

langue. Il l'embrassa longtemps, jusqu'à ce que le souffle commence à lui manquer, puis il se recula doucement.

– Je suis désolé, murmura-t-il. Je n'ai pas le droit de...

– Ça n'est rien, dit-elle et il vit qu'il y avait à nouveau des larmes dans ses yeux. Je t'en prie... ne sois pas désolé. J'avais envie que tu m'embrasses. J'en avais tellement envie... depuis si longtemps.

Maintenant qu'elle lui avait révélé ses sentiments, il ne pouvait plus faire machine arrière. Peut-être était-il stupide, inconscient ou irresponsable, mais peu lui importait. Tout ce qu'il savait c'est qu'il la désirait comme un fou, tout entière, corps et âme. Passant une main derrière sa nuque, il l'attira contre lui, si près qu'il sentait son souffle haletant sur ses lèvres.

– Je te veux Annie, comme je n'ai jamais désiré aucune femme.

Une larme roula sur la joue d'Annie, une gouttelette argentée dans laquelle semblait se refléter la distance qui les séparait. Elle ressemblait plus que jamais à la jeune fille de seize ans dont il était tombé amoureux, mais qui, comme lui, avait fait d'autres choix, des choix qui avaient creusé de petites rides autour de ses yeux et sur son visage délicat.

– Je sais, dit-elle.

Mais à la façon dont elle avait prononcé ces deux mots, il comprit que le désir ne suffisait pas.

Il prit sa main dans la sienne et la leva vers le clair de lune. Le diamant qui ornait son doigt scintilla d'une lueur froide. Il le regarda un long moment en silence. Puis il se recula.

– Bonsoir, Annie, dit-il avant de s'éloigner.

De retour dans sa chambre, Nick ôta ses vêtements et se glissa entre les draps. À sa grande surprise, il constata qu'il ne tremblait pas. Pour une fois ça n'était pas le besoin d'alcool qui torturait son corps, mais le besoin d'une femme.

Ne pense pas à elle... pense plutôt à la consigne des AA. Ne pas entamer de nouvelle relation tant qu'on est pas complètement sevré.

Mais penser aux douze consignes ne l'aidait guère. Il ferma les yeux et songea à Annie. Elle était probablement retournée en ville. Il se demanda quel air était en train de passer sur la radio de la Mustang et à quoi elle pensait.

Il avait dû se faire violence pour s'éloigner après l'avoir embrassée. Il avait eu envie de la prendre dans ses bras et de lui faire l'amour. D'oublier son passé et ce qu'il était dans la chaleur de son corps. Mais ça n'aurait pas été juste, et il n'avait pas osé... Si bien qu'il se retrouvait tout seul à présent.

Si elle avait été raisonnable, Annie serait partie sur-le-champ. Mais elle ne cessait de penser à Nick, et au baiser qu'ils avaient échangé. La façon dont il l'avait touchée l'avait bouleversée. Et quand il lui avait dit : *J'ai envie de toi, Annie,* elle avait senti qu'elle perdait pied.

Elle jeta un coup d'œil à la fenêtre de sa chambre. Une ombre passa devant la vitre, puis disparut. Il songeait probablement qu'elle était rentrée chez son père – et c'est ce qu'elle aurait dû faire si elle avait été raisonnable.

Elle baissa les yeux et regarda la bague qu'elle portait à la main gauche. Le diamant scintillait de tous ses feux à la lueur de la lampe. Cette bague, elle l'avait portée pendant des années. Blake la lui avait passée au doigt à l'occasion de leur dixième anniversaire de mariage, en l'accompagnant de tout un tas de paroles romantiques.

Tout doucement, elle l'ôta de son doigt.

– Adieu, Blake.

Ces mots faisaient mal à entendre, mais elle se sentit soudain étrangement soulagée. Elle se sentait libre à présent, comme elle ne l'avait jamais été auparavant. Il n'y avait plus personne pour guider ses pas, et lui dire quoi faire. Il n'y avait plus qu'elle.

Sans même prendre le temps d'y réfléchir, elle rentra

dans la maison et fila au premier. Mais une fois devant la porte de Nick, elle s'arrêta, toutes ses belles résolutions brusquement envolées. Brusquement, elle se sentit laide, vulnérable et seule. Une femme entre deux âges qui vient quémander des caresses auprès d'un vieil ami...

Elle allait rebrousser chemin quand elle entendit de la musique. De l'autre côté de la porte une radio jouait un vieil air de Nat King Cole *Unforgettable*.

La vieille rengaine lui redonna brusquement courage. Nick n'était pas un adolescent sans expérience. C'était un homme mûr, que l'amour et la vie avaient malmené. Il comprendrait sûrement pourquoi elle était revenue. Il ne lui poserait pas de questions, ne lui demanderait rien, sinon un échange tout simple de tendresse.

Elle frappa d'un poing résolu à la porte.

Il y eut une pause. La musique s'arrêta.

– Entre, Izzy.

Annie s'éclaircit la voix.

– C'est moi... Annie.

Une autre pause, un bruit de pas.

– Entre.

Elle poussa la porte qui émit un long grincement.

Nick était au lit.

Elle avala avec effort et s'approcha de lui, le cœur battant, aussi mal à l'aise et gauche qu'une adolescente. Elle songea aux kilos qu'elle avait pris durant les dernières semaines, et se demanda s'il la trouvait séduisante. Blake ne lui épargnait jamais une remarque désobligeante quand elle prenait un kilo...

Il la dévisagea longuement, et elle se sentit rougir sous l'intensité de son regard. Elle frissonna.

– Tu es sûre ? demanda-t-il simplement.

Elle l'était. Complètement, absolument, résolument. Elle s'approcha de lui et lui tendit les bras.

Plus tard, elle n'aurait pas su dire qui des deux avait fait le premier geste, ni comment ils en étaient arrivés à se retrouver tous les deux enlacés et nus dans le grand lit à colonnes... mais jamais elle n'oublierait la façon qu'il avait de murmurer son nom doucement quand il l'embrassait... ni sa façon de l'entourer de ses deux bras et de la serrer si fort contre lui qu'elle en avait le souffle coupé... ni la violence de leurs ébats amoureux. Tout ce dont elle se souvenait, c'était l'intensité du plaisir qu'il lui avait donné, et qu'à ce moment-là elle avait crié son nom. Et pas celui de Blake.

19

À côté du lit une lampe à pétrole brûlait doucement, un mince ruban de fumée noire s'échappant paresseusement de sa gueule de verre.

Annie et Nick étaient enlacés, nus, dans le lit. Vers minuit elle avait appelé son père pour lui dire qu'elle ne rentrerait pas dormir – sous prétexte qu'Izzy était grippée et que sa présence ici était nécessaire. Mais son père n'était pas dupe. Il l'avait laissée bredouiller sa mauvaise excuse, puis avait posé la sempiternelle question :

– Est-ce bien raisonnable, Annie ?

Elle avait esquivé sa question avec un petit rire gêné. Peu lui importait que ce fût raisonnable ou non. Elle se sentait délicieusement hardie et prête à croquer la vie à belles dents. Elle en avait assez de jouer les petites filles modèles...

Elle se sentait si différente, ce soir, plus jeune et plus téméraire, et assoiffée d'aventure. Entre les bras de Nick, elle avait découvert combien elle aimait... faire l'amour.

La première fois, aussitôt après avoir fait l'amour, elle s'était sentie coupable et s'était empressée de chercher des excuses rationnelles à son attitude extravagante, mais un seul mot de Nick, un seul sourire avait suffi à chasser ses scrupules.

Non, reste, lui avait-il murmuré, et toutes ses craintes s'étaient évanouies comme par magie.

À présent ils étaient tendrement enlacés dans le lit défait. Une heure plus tôt ils étaient allés faire un tour à la cuisine pour chercher du fromage et des fruits qu'ils avaient ensuite ramenés avec eux dans la chambre à coucher, car pour rien au monde ils n'auraient quitté ce nid douillet.

Passant un bras autour de ses épaules, Nick l'attira contre lui et dit, l'air grave :

– Le quinze juin, hein ?

Annie retint son souffle. Leurs regards se croisèrent et elle sentit son sourire s'évanouir.

Dans moins d'un mois, Annie allait rentrer en Californie. Elle allait quitter Nick et Izzy et reprendre sa vie monotone de jadis – ou tout au moins ce qu'il en restait.

Il lui caressa doucement la joue et elle sentit son cœur se serrer.

– J'aurais mieux fait de me taire.

– Il faut savoir profiter de l'instant, Nicky. Pourquoi tout gâcher en songeant à l'avenir ? Personnellement, je préfère ne pas y songer.

Nick posa sa main sur la sienne. Elle savait qu'il pensait à la bague qu'elle avait ôtée – et dont la marque était encore visible autour de son doigt. Lorsqu'il plongea à nouveau ses yeux dans les siens, il était souriant.

– Je suis prêt à prendre ce que tu voudras bien me donner, et...

– Et quoi ?

Il hésita longuement avant de répondre, puis d'une voix à peine audible, ajouta :

– Et j'espère que ça suffira.

Chaque jour qui passait les rapprochait l'un de l'autre. On était fin mai, et l'été commençait à parer la forêt de mille couleurs éclatantes. Il n'était pas tombé une seule goutte d'eau depuis plusieurs jours et la température frôlait les vingt-cinq degrés. Cette vague de chaleur inattendue ravissait les habitants de Mystic. Les gosses avaient ressorti leurs bermudas et leurs vélos. Perchés sur les lignes téléphoniques, les oiseaux s'ébattaient en piaillant gaiement.

Annie passait de moins en moins de temps dans la maison de son père, et de plus en plus dans le lit de Nick. Elle avait beau se dire qu'elle était en train de jouer avec le feu, c'était plus fort qu'elle. Elle se sentait redevenir adolescente et avait l'impression d'être amoureuse pour la première fois. Chaque fois qu'elle regardait Nick – toutes les quinze secondes environ –, elle songeait à leurs caresses passionnées.

Dans la journée ils ne se touchaient pas. Mais l'abstinence ne faisait qu'attiser leur désir. Annie ne songeait qu'à une chose : que la nuit vienne pour pouvoir se glisser à nouveau dans son lit.

Aujourd'hui ils étaient allés passer la journée à Lake Crescent. Ils avaient joué au volley et loué un pédalo, et sur le chemin du retour ils avaient repris en chœur toutes les chansons qui passaient à la radio. Ensuite, pour le dîner, ils avaient dévoré une énorme platée de spaghettis, puis assis tous ensemble autour de la grande table de la cuisine, ils avaient fait des exercices de lecture avec Izzy.

Plus tard, ils étaient montés dans la chambre d'Izzy pour lui lire une histoire avant de la mettre au lit.

Nick venait juste de finir de lire la première page quand le téléphone sonna.

– J'y vais, dit-il.

– Je t'attends, papa, dit Izzy en se pelotonnant contre Annie.

Quelques instants plus tard il s'en revint, l'air grave.

Annie sentit son cœur se serrer. Elle se redressa et demanda :

– Nick ?

Il se rassit au bord du lit.

– C'était ton institutrice, Izzy jolie. Elle organise une petite fête vendredi prochain et les enfants ont insisté pour que tu sois présente.

Izzy écarquilla des yeux apeurés.

– Oh !

Nick lui sourit, avec une telle gentillesse qu'Annie sentit son cœur se serrer à nouveau dans sa poitrine.

– Je crois qu'il y aura des madeleines.

Izzy fit la moue.

– J'adore les madeleines.

– Je sais, mon rayon de soleil, dit-il en l'attirant à lui d'un bras vigoureux. Et je comprends que tu aies peur. Mais il ne faut pas céder à la panique, Izzy. Il faut savoir affronter les choses qui nous font peur.

Il y avait tant de justesse dans ses propos, songea Annie. Ils étaient le reflet des dures leçons qu'il avait reçues de l'existence. Elle se sentit soudain fière de lui, et se demanda comment elle allait trouver le courage de quitter cet homme pour reprendre la vie morne et stérile qu'elle menait jadis.

Izzy soupira.

– Si j'y vais, vous m'accompagnerez ?

– Bien sûr.

– Alors c'est d'accord.

Levant les yeux vers Nick, elle dit avec un petit sourire timide :

– Papa, est-ce que tu veux bien me lire une autre histoire ?

Il sourit. Puis, prenant un livre d'histoires parmi tous les livres éparpillés autour du lit, il dit :

– J'étais sûr que tu allais me le demander.

Il lisait merveilleusement bien, comme un acteur, en prenant une voix de basse profonde pour faire parler les monstres, et une voix de fausset pour imiter les cris apeurés du petit garçon. Izzy, subjuguée, était littéralement pendue aux lèvres de son père, souriant quand il souriait, se renfrognant quand il se renfrognait.

Lorsqu'il tourna la page, il jeta à Annie un regard plein de tendresse, un regard dans lequel il semblait avoir mis tous ses rêves et tous ses espoirs, et Annie en fut si bouleversée qu'elle crut qu'elle allait se mettre à pleurer.

Lorsque l'histoire fut terminée, Nick regagna sa chambre et attendit. Par deux fois il passa la tête dans l'embrasure de la porte pour scruter le couloir. Et par deux fois il trouva le couloir désert.

Il se mit à tourner comme un lion en cage dans la chambre mansardée.

Soudain on frappa un coup à la porte.

C'était Annie, vêtue d'un T-shirt trop grand pour elle et d'une paire de chaussettes bleu marine. Elle se jeta dans ses bras et ils se laissèrent tomber en riant parmi les draps défaits, le vieux sommier grinçant tant et plus sous leur poids.

Jamais Nick n'avait autant désiré une femme, et Annie semblait animée du même désir. Il ne se lassait pas de la prendre dans ses bras, de l'embrasser et de la caresser. Elle s'abandonnait tout entière à son étreinte, lui rendant ses baisers avec une ardeur qui lui coupait le souffle.

Ils firent l'amour longtemps, avec passion, puis s'assoupirent et recommencèrent. Au bout d'un moment, exténué, Nick se laissa retomber sur le lit à côté d'Annie qui se blottit tout contre lui, une jambe posée sur la sienne, ses seins pressés contre sa poitrine.

— Parle-moi, Annie, dit-il doucement, en caressant la peau satinée au creux de ses reins.

— Tu ne sais pas à quoi tu t'exposes, dit-elle en riant. Généralement, les gens préfèrent que je me taise.

— Je ne suis pas Blake.

— Je te demande pardon, dit-elle en caressant distraitement l'épaisse toison noire de sa poitrine. Je ne suis plus la même depuis... depuis qu'on est ensemble.

— Vraiment ? Et on peut savoir comment tu étais avant ?

— J'étais organisée... efficace. Je m'occupais de tout à la maison. La cuisine, la lessive, les courses. Je prenais les rendez-vous. Blake et moi faisions l'amour une fois par semaine, le vendredi soir, à minuit moins le quart, quand c'était possible. C'était... confortable, sans plus. J'avais du plaisir. Mais ça n'avait rien à voir avec ce que j'éprouve quand je fais l'amour avec toi. Avec lui, je n'ai jamais eu l'impression de sortir de moi-même.

Elle rit, d'un rire grave et communicatif qui semblait venir du plus profond d'elle-même. Jamais Kathy ne l'avait ému à ce point. C'était comme si le monde entier s'ouvrait brusquement à lui et qu'il lui suffisait de tendre la main pour atteindre ses rêves.

Des rêves sur lesquels il avait si longtemps fait l'impasse. Jadis il avait cru que la route du bonheur s'ouvrait devant lui, peuplée de rires d'enfants.

S'il avait choisi d'épouser Annie, au lieu de Kathy, peut-être que la vie aurait été complètement différente...

– Comment se fait-il que vous n'ayez pas eu d'autres enfants, Kathy et toi ? demanda Annie de but en blanc.

Sa question prit Nick de court, et il se demanda si elle savait lire dans ses pensées.

– J'ai toujours voulu en avoir d'autres. Pour tout dire, j'en voulais six. Mais après Izzy, j'ai bien vu que Kathy ne serait pas capable d'en élever d'autres. Si bien que quand Izzy a eu deux ans, j'ai décidé de subir une vasectomie. (Il baissa les yeux vers elle.) Et toi ? Tu es une mère fantastique.

Elle ne répondit pas d'emblée.

– Adrian aurait eu quatorze ans, cette année. C'était mon fils.

– Annie...

Elle ne le regarda pas.

– Il était prématuré, et n'a vécu que quelques jours. Après cela nous avons tout essayé, mais je n'ai jamais réussi à retomber enceinte. Ça n'a pas été facile, car j'ai toujours voulu avoir d'autres enfants.

Il n'avait pas envie de lui dire qu'il était désolé, car il savait combien les paroles sont dérisoires. C'est pourquoi il l'attira contre lui et la serra très fort, si fort qu'il sentit son cœur battre contre sa poitrine.

Il savait qu'il était en train de jouer avec le feu. Mais il était trop tard pour avoir des remords. Il était amoureux et n'y pouvait rien.

L'école primaire Jefferson R. Smithwood trônait au sommet d'une colline verdoyante entourée de sapins centenaires. Une longue allée cimentée menait de l'aire de stationnement à l'imposant portail à double vantail.

Nick se tenait debout au bord de l'allée, Izzy à ses côtés. Annie se tenait de l'autre côté de la fillette.

Izzy avait peur et son père essayait de la rassurer mais, ne sachant comment s'y prendre, il jeta un regard désemparé à Annie par-dessus la tête de la fillette.

– Tu peux le faire, lui dit Annie du bout des lèvres en l'encourageant d'un sourire.

Avalant sa salive avec difficulté, il s'agenouilla à côté d'Izzy. Celle-ci essaya de lui sourire mais ne parvint qu'à esquisser une petite grimace sans joie. Il tendit la main et saisit le ruban de satin jaune noué au bout de sa tresse.

Les lèvres de la petite se mirent à trembler.

– Ils vont se moquer de moi, dit-elle.

– Ils n'ont pas inté...

Annie lui pinça l'épaule et Nick ravala sa réplique.

– Ils ne vont pas se moquer de toi, ma chérie.

– Je ne suis pas... comme eux.

Il secoua la tête.

– Non. Parce que tu as connu des moments difficiles. Et il arrive que dans ces moments-là on perde la tête. Mais tout va bien se passer dorénavant, tu verras.

– Tu viendras me chercher quand la fête sera finie ?

– Bien sûr.

– Tout de suite après ?

– Tout de suite après.

– Bon, dit-elle enfin.

Il sourit.

– C'est bien, ma fille. Je suis fier de toi.

Lentement, il se releva et regarda Annie qui souriait de toutes ses dents malgré le fait que ses yeux fussent brouillés de larmes.

Ensemble, ils commencèrent à remonter l'allée en direction de l'école.

– Des lions, des tigres et des ours, grands dieux ! s'exclama soudain Annie.

Nick faillit éclater de rire. C'était parfaitement grotesque, mais en cet instant précis c'était la seule chose à faire. Il dit à son tour :

– Des lions, des tigres et des ours, grands dieux !

Au début la voix d'Izzy était hésitante, puis peu à peu elle prit de l'assurance, et bientôt tout en continuant de remonter l'allée, tous trois se mirent à chanter à tue-tête.

Nick poussa la grande porte noire, et tous trois entrèrent dans le vestibule silencieux. À gauche, une longue table en Formica, sur laquelle étaient empilés tous les manteaux et les boîtes à pique-nique.

Izzy s'arrêta.

– Je veux y aller toute seule, dit-elle tout bas. Comme ça ils ne penseront pas que je suis un bébé.

Puis, décochant un dernier regard épouvanté à Nick et à Annie, elle commença à se diriger d'un pas hésitant vers la salle de classe.

Nick dut se retenir pour ne pas s'élancer à sa suite.

Il savait quel effet cela faisait de continuer à avancer alors qu'on avait envie de se faire tout petit et de disparaître dans un trou de souris. Pour finir, il s'obligea à détourner la tête.

– Tout ira bien, dit Annie, fais-moi confiance.

Au même moment leurs regards se croisèrent et il sentit son cœur se gonfler dans sa poitrine.

– Je te fais confiance, dit-il doucement.

À l'autre bout du vestibule, une porte s'ouvrit et une voix de femme s'écria :

– Izzy ! Si tu savais comme tu nous as manqué.

Une salve d'applaudissements retentit de l'autre côté de la porte entrebâillée. Izzy se retourna et adressa un sourire triomphant à Nick et à Annie, puis s'élança en courant dans la salle de classe.

20

S'adossant confortablement au mur, Nick attira Annie contre lui.

Elle était incroyablement belle, avec le soleil de l'après-midi jouant sur son visage et ses cheveux courts hérissés en tous sens. Et elle était sienne, pour l'instant tout au moins, se rappela-t-il avec un pincement au cœur.

Il aurait voulu passer des heures ainsi, enlacé avec elle, à parler de tout et de rien, à échanger des caresses. Il y avait tant de questions qu'il aurait voulu lui poser, tant de choses qu'il aurait voulu savoir. Car il avait beau essayer de ne pas y penser, il savait qu'elle allait s'en aller le quinze juin – dans moins de trois semaines.

Soudain, incapable de se retenir, il demanda :

– Parle-moi de ton mariage ?

Elle fit la grimace.

– Pendant près de vingt ans j'ai cru que j'étais la plus heureuse des femmes jusqu'au jour où le seul homme que j'avais jamais aimé m'a annoncé de but en blanc qu'il aimait une autre femme.

Elle laissa échapper un petit rire amer.

– Tu l'aimes encore ?

– Si je l'aime ? Comment le pourrais-je ?

Elle soupira.

– Il est... ou plutôt, il a été mon meilleur ami, mon amant, mon mari pendant près de vingt ans. Il fait partie de ma famille. Peut-on jamais cesser d'aimer un membre de sa famille ?

Nick savait qu'il aurait dû parler d'autre chose, mais il ne s'en sentait pas capable.

– Mais mettons... mettons qu'il décide de revenir.

– On voit que tu ne le connais pas. Pour lui ce serait comme de reconnaître qu'il a commis une erreur. En vingt ans, pas une seule fois je ne l'ai entendu demander pardon. À quiconque.

Il y avait de la tristesse dans sa voix.

Elle sourit sans conviction et détourna les yeux.

Il la prit dans ses bras et la regarda au fond des yeux.

– Je me souviens d'une histoire que tu avais écrite au lycée, à propos d'un chien qui aidait un garçon perdu à retrouver son chemin. J'ai toujours pensé que tu deviendrais un écrivain célèbre.

– Ah, oui, l'histoire de Joey. C'est incroyable, tu t'en souviens encore ?

– C'était une belle histoire.

Elle resta un long moment silencieuse, puis elle ajouta d'une voix brisée par l'émotion :

– J'aurais dû continuer à écrire. Mais Blake pensait que c'était un passe-temps ridicule, si bien que j'ai fini par abandonner. Ça n'est pas sa faute, remarque. Je n'aurais pas dû baisser les bras aussi facilement. Après cela, j'ai tout essayé – la calligraphie, le judo, la peinture, la sculpture, l'art floral, la décoration. (Elle eut une petite moue railleuse.) Pas étonnant que Blake se soit moqué de moi. J'étais une vraie potiche.

– Une potiche ? J'ai du mal à le croire.

– Mais c'est la vérité. J'ai soigneusement emballé mes deux romans inachevés dans deux jolies boîtes roses et je les ai glissées sous mon chiffonnier pour ne plus entendre les remarques acerbes de Blake concernant ce qu'il appelait ma « lubie ». Et puis au bout de quelques années je les ai complètement oubliés. Je suis devenue Mme Blake Colwater, et sans lui j'avais l'impression de ne pas exister. Jusqu'à aujourd'hui. Toi et Izzy m'avez rendue à moi-même.

Il lui caressa la joue.

– Non, Annie. C'est toi qui as tout fait. Tu t'es battue pour ça.

Elle le regarda comme si elle allait dire quelque chose, mais au dernier moment elle changea d'avis et grimaça un sourire.

– Je me suis perdue une fois, Nick. Et je n'ai aucune envie de recommencer.

Il était inutile de lui demander ce qu'elle voulait dire par là. Il le savait déjà. Elle avait réussi à percer à jour le secret qu'il s'était efforcé de lui cacher. Il était tombé amoureux d'elle, et ils n'avaient plus que quelques jours à passer ensemble. Il l'avait compris depuis le début. C'était un risque à prendre quand on couchait avec une femme mariée, même si celle-ci était sur le point de divorcer. Il lui restait Natalie, et une vie entière dans laquelle Nick n'avait pas sa place.

– Tout ira bien, Annie, murmura-t-il.

Mais au fond de lui-même il sentait que rien n'allait plus. Et elle commençait à le sentir, elle aussi.

Debout sur la véranda de son père, Annie contemplait la rivière argentée qui serpentait en contrebas. Sur la rive, des campanules d'un bleu éclatant se balançaient doucement parmi les roseaux. Quelque part un pivert martelait du bec un tronc d'arbre, faisant résonner la forêt tout entière.

Elle entendit la porte s'ouvrir derrière elle, puis le claquement sec de la porte grillagée. Elle se retourna et sourit à Hank.

– Bon, j'aimerais que tu m'expliques ce qui se passe, dit-il enfin d'une voix calme, et qui laissait entendre qu'il était décidé à s'expliquer avec elle une bonne fois pour toutes.

Elle se raidit.

– Que veux-tu dire ?

– Tu sais très bien ce que je veux dire. Tu rougis comme une gamine chaque fois que tu prononces le nom de Nick. Et en deux semaines je ne t'ai pour ainsi dire pas vue. Il me semble que tu ne te bornes pas à jouer les nounous là-bas. Hier soir, je t'ai entendue parler au téléphone. Tu disais à

Terri que Nick n'était qu'un ami. Ce qui veut dire que je ne suis pas le seul à avoir des soupçons.

– Ce n'est pas de l'amour, dit-elle doucement.

Mais alors même qu'elle prononçait ces mots, elle se mit à douter. Quand elle était avec Nick, elle se sentait jeune et pleine de vie. Tous ses rêves lui semblaient accessibles, ce qui n'était pas le cas du temps où elle vivait avec Blake. Car alors elle considérait les rêves comme des choses futiles qu'il fallait mettre de côté pour affronter la réalité.

– Est-ce que tu le fais pour essayer de reconquérir Blake ?

– Non. Pour la première fois de ma vie, j'arrive à faire abstraction de Blake et de Natalie.

– Est-ce raisonnable ?

Elle fit brusquement volte-face.

– Raisonnable ? Parce que d'après toi il n'y a que les femmes qui doivent être raisonnables ?

– C'est à Nick que je pense en disant cela. Je le connais depuis toujours. Tout gamin déjà, il portait la misère du monde sur ses épaules. Et quand il a commencé à fréquenter Kathy, j'ai remercié le ciel que ce ne soit pas toi. Et puis il a fini par se stabiliser, et il est devenu le meilleur flic de la ville. Il vénérait sa femme et sa fille. Et puis il y a eu ce... cet horrible accident et... après la mort de Kathy il s'est littéralement effondré. Ses cheveux ont blanchi du jour au lendemain, et chaque fois que je le voyais, je ne pouvais pas m'empêcher de penser à ce qui était arrivé. Il portait le drame écrit sur sa figure. Personne ne lui a jamais jeté la pierre. Mais lui ne s'est jamais pardonné.

– Pourquoi est-ce que tu me racontes tout ça ?

– Tu es une battante, Annie, et...

– Allons, papa, je t'en prie, je suis une véritable carpette, et tu le sais très bien.

– Non. Tu es injuste avec toi-même. Tu as une force incroyable en toi, Annie – depuis toujours. Et tu vois le monde sous un jour positif.

– Quand Blake m'a quittée je suis tombée en miettes, fit-elle remarquer.

– Oui, pendant un mois. Mais moi, quand ta mère est morte, ce ne sont pas deux semaines qu'il m'a fallu pour oublier mon chagrin. La vérité c'est que je ne m'en suis jamais remis, dit-il en hochant gravement la tête.

Elle détourna les yeux.

– Tu es toujours mariée, et si tu crois que Blake va te quitter pour une poupée Barbie, tu te trompes. Il va revenir. Laisse-lui le temps de retrouver ses esprits.

– Je n'ai plus l'impression d'être mariée.

– Mais si, voyons.

Que pouvait-elle répondre à cela ? Elle avait beau avoir changé au cours de ces derniers mois, elle savait que Hank avait raison. Qu'elle le veuille ou non, elle était toujours mariée avec Blake, et l'avait été pendant près de vingt ans... ça n'était pas le genre de liens qu'on pouvait dissoudre comme ça, sur un coup de tête, en déclarant : *Je veux divorcer.*

Hank tendit la main et lui caressa la joue.

– Nick n'est pas un homme qui encaisse facilement les coups durs. Ça n'est pas à moi de te dire ce que tu dois faire. Je ne l'ai jamais fait, et ce n'est pas maintenant que je vais commencer. Mais... quelque chose me dit que cette histoire... va mal finir, Annie. Pour vous tous.

Le lendemain, après avoir fait la vaisselle et mis Izzy au lit, Annie alla s'asseoir sur la véranda. Elle savait que Nick l'attendait dans la chambre et qu'elle aurait dû monter le rejoindre. Mais il faisait si bon dehors, et dans le silence de la nuit les paroles de son père lui revenaient avec force, sans lui laisser un moment de répit.

Nick et Izzy avaient été gravement échaudés. Elle ne voulait pas leur causer plus de peine. Et pourtant elle savait que c'était inévitable. Sa vie était ailleurs, dans une autre ville, avec un autre enfant, Natalie, qui avait tout autant besoin d'elle qu'Izzy. Sa vraie vie l'attendait là-bas, en Californie, et Annie savait que la confrontation qui allait avoir lieu dans

251

quelques semaines allait mettre à rude épreuve toutes les résolutions qu'elle avait prises durant son séjour à Mystic.

Derrière elle, la porte de la véranda grinça.

– Annie ?

– Nick ? dit-elle doucement, les yeux baissés sur ses mains jointes.

Il s'approcha de la chaise à bascule puis, posant délicatement une main sur son épaule, s'accroupit à côté d'elle.

– Qu'est-ce que tu fais là, à ruminer toute seule dans ton coin ?

À ces mots elle se sentit brusquement prise de panique. L'idée de devoir renoncer à lui était insupportable.

Mais c'était à lui qu'elle devait penser, pas à elle.

– Je n'ai pas envie de te faire de mal, Nick.

Il lui prit la main et se mit à caresser doucement la marque blanche laissée par sa bague sur son doigt.

– Donne-moi une chance, Annie. Je sais bien qu'il ne suffit pas d'ôter une bague.

Elle le considéra pendant un long moment en silence. Une envie irrésistible de lui faire des promesses impossibles, de lui dire qu'elle l'aimait, s'empara d'elle. Mais elle n'avait pas le droit de se montrer aussi cruelle. Dans deux semaines elle allait partir. Mieux valait qu'elle emporte ses promesses avec elle.

– Nous n'avons pas la vie devant nous, Annie. Je le sais bien.

Elle entendit comme un petit craquement dans sa voix, quand il prononça le mot vie, mais il était souriant, et elle préférait ne pas savoir ce qu'il éprouvait intérieurement.

– Je sais, murmura-t-elle.

D'un geste large, il la souleva de terre et la porta jusqu'à la chambre. Et comme chaque fois qu'elle était entre ses bras, elle cessa brusquement de penser à l'avenir pour s'abandonner entièrement au bonheur présent.

Le mardi matin, ils décidèrent d'aller au bord de la mer. Annie s'assura pour la dixième fois qu'il ne manquait rien dans le panier de pique-nique, puis elle jeta un coup d'œil à sa montre et voyant qu'il était déjà dix heures et demie, appela Nick et Izzy pour leur dire de se dépêcher.

Juste au moment où elle regagnait la cuisine en fredonnant gaiement, le téléphone sonna. Elle décrocha à la deuxième sonnerie.

– Allô ?

– Un appel de Blake Colwater, ne quittez pas.

L'espace d'un court instant, Annie sentit qu'elle perdait pied. Au même moment, Nick parut dans l'escalier.

– C'est Blake, dit-elle avec un petit regard contrit.

Nick se figea sur place.

– Dans... dans ce cas, je te laisse.

– Non. Viens. S'il te plaît.

Nick fit ce qu'elle lui demandait. Se tournant légèrement vers lui, elle lui prit la main.

La voix autoritaire de Blake retentit brusquement dans le combiné.

– Annie... c'est toi ?

Elle sentit son sang se glacer dans ses veines.

– Bonjour, Blake.

– Comment vas-tu ?

– Bien, merci. (Elle fit une pause, se préparant à entendre la suite.) Et toi ?

– Hum... ça va. J'ai eu ton numéro par l'intermédiaire de Hank. Tu sais que Natalie rentre bientôt.

– Le quinze juin. Elle veut qu'on aille la chercher à l'aéroport, dit-elle en appuyant légèrement sur « on ».

– Bien sûr. Son avion arrive à...

Elle lui en voulait de ne pas le savoir par cœur.

– À dix-sept heures dix.

– Je suis au courant.

Un silence inconfortable suivit ce mensonge énorme. Blake laissa échapper un petit rire faussement détendu.

– Il faut que nous parlions avant le retour de Natalie, évidemment. J'aimerais que tu viennes à Los Angeles ce week-end.

– Vraiment ?

C'était Blake tout craché. Il voulait lui parler, donc elle devait sauter dans le premier avion.

– Je te fais expédier un billet.

Elle inspira profondément.

– Je ne suis pas prête.

– Quoi ! Je croyais que...

– Nous n'avons plus rien à nous dire désormais.

– Mais moi, j'ai à te parler.

– Tu plaisantes ?

– Annie, soupira-t-il. Je t'attends à la maison ce week-end. Il faut que nous parlions.

– Désolée, Blake. Je n'ai nullement l'intention de rentrer ce week-end. On s'était mis d'accord pour le mois de juin. Je propose que nous en restions là. Je rentrerai le treize.

– Bon sang, Annie. Vas-tu...

– Au revoir, Blake. On se voit dans deux semaines.

Elle raccrocha le téléphone, puis resta un long moment silencieuse.

– Annie, tu vas bien ?

La voix de Nick la tira de ses sombres pensées. Elle se tourna vers lui avec un sourire forcé.

– Oui, oui, ne t'inquiète pas.

Il la regarda longuement au fond des yeux. L'espace d'un instant, elle crut qu'il allait l'embrasser, et elle se hissa sur la pointe des pieds pour lui tendre ses lèvres. Mais au lieu de l'embrasser, il continua à la dévisager attentivement, comme s'il avait voulu graver cet instant pour toujours dans sa mémoire.

– Deux semaines, c'est trop peu.

21

Tout en roulant sur la chaussée défoncée de la rue principale de Mystic, Blake songea combien il haïssait cette misérable ville de bûcherons. Elle lui rappelait la bourgade miteuse du fin fond de l'Iowa où il avait grandi – et qu'il avait fuie dès qu'il en avait eu les moyens.

Il entra dans une station-service et gara sa Cadillac de location sur l'aire de stationnement. Remontant le col de son pardessus – avait-on idée d'habiter dans un trou où il fallait porter un manteau d'hiver fin mai –, il se dirigea vers la cabine téléphonique. Il pleuvait des cordes et le bruit de la pluie sur la tôle était assourdissant.

Il lui fallut un petit moment pour se remémorer le numéro de téléphone de Hank. Il y avait si longtemps qu'il n'avait pas composé lui-même un numéro de téléphone. Il mit une pièce de vingt-cinq cents dans la fente, composa le numéro et attendit.

À la troisième sonnerie, Hank décrocha.

– Allô ?

– Bonjour, Hank. C'est encore moi... Blake. Je voudrais parler à ma f... à Annie.

– Vous êtes sûr ? Il me semblait au contraire que...

– Passez-la-moi, Hank, soupira Blake.

– Elle n'est pas là. Elle n'est jamais à la maison pendant la journée.

– Que voulez-vous dire ?

– Je vous ai donné un numéro l'autre jour. C'est là-bas qu'il faut l'appeler.

– Où est-elle, Hank ?

– Elle est en visite... chez des amis. À Beauregard.

– Beauregard ? Ça ne me dit rien du tout.

– Vous ne vous souvenez pas de la vieille maison, tout au bout de la route du lac ? C'est un ami à elle qui vit là-bas.

Blake sentit soudain son estomac se nouer.

– Vous êtes en train de me cacher quelque chose, Hank.

Il y eut une pause, puis Hank dit :

– Ce sont vos affaires, Blake, pas les miennes. Bonne chance.

Bonne chance. Que voulait-il dire par là ?

Après s'être enquis de la route à suivre pour se rendre à Beauregard, Blake regagna sa voiture. Il était passablement énervé.

On cherchait visiblement à lui cacher quelque chose.

Depuis un mois environ, il avait commencé à flairer anguille sous roche. À tel point que son travail s'en était ressenti. Il n'arrivait plus à se concentrer.

Et puis il y avait une foule de petits détails qui l'agaçaient. Comme la cravate qu'il avait mise aujourd'hui et qui n'allait pas du tout avec son costume.

Oh, bien sûr, ça n'avait pas vraiment d'importance, et d'ailleurs personne ne s'en apercevrait, personne sauf *lui*. Lorsque Annie avait acheté ce costume Armani à deux mille dollars, elle avait choisi une chemise blanche et une cravate en soie à fines rayures grises et rouges qui s'accordait parfaitement avec le costume. Quelques semaines plus tôt, il s'était aperçu qu'il ne retrouvait plus la cravate. Il avait eu beau fouiller la chambre de fond en comble, pas moyen de mettre la main dessus.

– Tu n'espères tout de même pas que je vais ranger ce capharnaüm s'était exclamée Suzannah en voyant la chambre sens dessus dessous.

– Je n'arrive pas à trouver la cravate qui va avec ce costume.

Elle l'avait toisé de la tête aux pieds, puis répondu :

– Faut-il que j'alerte la presse ?

Elle trouvait ça drôle, et ne comprenait pas pourquoi il y tenait tant, à cette fichue cravate. Puis il avait songé qu'elle était peut-être restée chez le teinturier. Sa cravate préférée. Celle dont il ne pouvait pas se passer.

Annie l'aurait tout de suite retrouvée, elle.

C'est ainsi que tout avait commencé.

Il alluma la radio, et fit la grimace quand un air de musique country se mit à brailler dans les haut-parleurs. Il fit défiler la bande de fréquences sans parvenir à capter quoi que ce soit. Écœuré, il éteignit le poste.

La route s'étirait devant lui, sombre en dépit du fait qu'on était en plein jour, et inondée par une pluie battante. Au bout de quelques kilomètres, il aperçut la surface argentée du lac à travers les arbres, puis la route pavée fit place à un interminable sentier de terre battue qui débouchait sur une immense clairière. Une grande maison jaune vif trônait fièrement parmi un parterre de fleurs multicolores. Une Ford Mustang et une voiture de police étaient garées sous un vieil érable.

Il se gara et descendit de voiture. Remontant à nouveau son col de pardessus, il traversa la pelouse et gravit le perron d'un pas décidé, puis frappa un grand coup à la porte. Celle-ci s'ouvrit instantanément, et une petite fille coiffée d'une casquette de base-ball passa la tête par l'embrasure. Elle tenait une vieille poupée de chiffon à la main.

Blake lui sourit.

– Bonjour, je suis...

Un homme apparut soudain derrière la fillette. Posant ses mains sur les épaules de l'enfant avec un geste protecteur, il la fit reculer vers l'intérieur de la maison.

– Bonjour. C'est à quel sujet ?

Blake dévisagea l'homme aux cheveux grisonnants qui se tenait devant lui, puis tendit le cou pour essayer de jeter un coup d'œil à l'intérieur.

– Heu, bonjour. Désolé de vous déranger, mais je cherche Annie Colwater. Son père m'a dit qu'elle était ici.

L'homme se raidit soudain et, plissant ses yeux bleus, toisa Blake de la tête aux pieds. Blake était certain qu'aucun détail de sa tenue vestimentaire ne lui avait échappé. Ni le coûteux costume Armani, ni même la cravate mal assortie qu'il portait avec.

– Vous êtes Blake ?

Blake fronça les sourcils.

– Oui, et vous êtes...

Au même moment, à l'intérieur de la maison une voix s'écria :

– Je suis prête !

C'était la voix d'Annie. Sans se soucier de l'homme ou de la fillette, Blake se faufila à l'intérieur de la maison.

En l'apercevant, Annie se figea sur place.

C'est tout juste s'il la reconnut. Elle portait un ciré jaune et un énorme chapeau de pluie qui lui couvrait les trois quarts du visage. Les bottes qu'elle portait aux pieds étaient dix fois trop grandes pour elle. Il lui décocha un sourire forcé et ouvrit les bras.

– Surprise, surprise.

Elle jeta un regard furtif à l'homme aux cheveux gris, puis se tourna lentement vers Blake.

– Qu'est-ce que tu fais là ?

Il considéra les deux étrangers qui le dévisageaient en silence. Lentement, il laissa ses bras retomber le long de son corps.

– J'aimerais que nous en discutions en privé, toi et moi.

Annie se mordit la lèvre puis soupira :

– Bon, d'accord. On va parler ailleurs.

La petite fille laissa échapper un petit grognement en tapant du pied.

– Mais Annie... je croyais qu'on allait manger des glaces.

Annie sourit à la fillette.

– Je suis désolée, Izzy. Il faut absolument que je parle à ce monsieur. Mais je ferai amende honorable, je te le promets.

Ce monsieur. Blake sentit son estomac se nouer. Qu'est-ce que tout cela signifiait ?

– Allons, Izzy chérie, sois raisonnable, dit l'homme aux cheveux gris. Annie a quelque chose d'important à faire.

– Mais elle va revenir, dis, papa ?

La question fut suivie d'un silence pesant. Personne ne répondit.

Annie s'approcha de Blake, et lui dit :

– Rendez-vous chez Ted, le salon de thé, dans dix minutes. C'est dans la Grand-Rue, tu ne peux pas le rater.

Blake eut soudain l'impression que le monde entier avait perdu la tête. Il avait beau la regarder sous toutes les coutures, il ne reconnaissait pas sa femme.

– Très bien. Rendez-vous dans dix minutes.

Il resta planté là un bon moment, les bras ballants, visiblement embarrassé. Il se força à sourire. Dans quelques minutes ils seraient en tête à tête et tout s'arrangerait. Sur cette pensée réconfortante, il tourna les talons et quitta la maison.

Dix minutes plus tard, il se garait devant le salon de thé le plus sordide qu'il lui ait jamais été donné de voir. Il entra et s'installa dans un box jaune, puis commanda un café. Il jeta un coup d'œil à sa montre : 11 h 15.

Il était tendu. Glissant subrepticement ses mains sous la table en Formica, il essuya ses mains moites sur son beau pantalon noir.

Il consulta à nouveau sa montre : 11 h 25 – et se demanda si Annie allait venir. C'était une pensée ridicule qu'il chassa aussitôt. Annie était la personne la plus fiable qu'il connaisse. Jamais elle ne lui aurait fait faux bond. Elle était parfois en retard, certes, ou débordée, mais elle était toujours là quand il le fallait.

– Blake.

Au son de sa voix, il tourna la tête et la trouva debout devant la table, fermement campée sur ses deux jambes, les bras croisés. Elle portait un jean délavé et un pull sans manches à col roulé, et ses cheveux... à croire que le coiffeur s'était servi d'un taille-haies.

– Qu'est-ce que tu as fait à tes cheveux ?

– Il me semble que la réponse est évidente, non ? répliqua-t-elle du tac au tac.

259

– Oh !

Il fit la grimace, déconcerté par son impertinence. Ça ne lui ressemblait pas. Il attendait cette confrontation, et la redoutait, depuis plusieurs semaines. Mais il s'attendait à retrouver son Annie de toujours, tirée à quatre épingles et souriante quoi qu'il arrive. La femme qui se tenait devant lui était une étrangère.

– Bah, ils finiront par repousser.

Il se leva enfin et dit :

– Ça fait plaisir de te revoir, Annie.

Elle lui adressa un sourire figé, puis se glissa dans le box et s'assit face à lui.

D'un petit geste de la main il fit signe à la serveuse, qui rappliqua aussitôt.

– Café ? demanda-t-il à Annie.

– Non, dit-elle en pianotant nerveusement des doigts sur la table.

Il remarqua qu'elle ne portait pas de vernis et que ses ongles n'étaient pas soignés, comme si elle les avait rongés. Elle sourit à la serveuse et dit :

– Je voudrais une bière.

Il lui jeta un regard outré.

– Tu bois de la bière maintenant ?

Autre sourire figé.

– Oui, ça t'ennuie ?

La serveuse s'esquiva avec un petit hochement de tête.

Annie se tourna vers Blake. Elle le toisa d'un seul regard, et il se demanda à quoi elle pensait. Il attendit qu'elle dise quelque chose, mais elle resta à le dévisager sans rien dire, avec ses cheveux ras, son visage pas maquillé et ses ongles rongés.

– J'avais pensé qu'on pourrait peut-être faire une petite promenade... dit-il maladroitement.

– Ah, ouais ?

Autre silence. La serveuse s'en revint avec une chope de bière bien fraîche, et une serviette en papier qu'elle déposa devant Annie.

– Merci, Sophie, dit-elle avec un grand sourire.

– De rien, Mlle Bourne.

Mlle Bourne ? Il en eut le souffle coupé.

– Eh bien, dit-elle en prenant une gorgée de bière. Comment va Suzannah ?

La froideur de sa voix le fit tiquer. Il s'attendait à des reproches, mais pas à de la colère. Annie ne se mettait jamais en colère.

– Nous avons rompu.

– Sans blague ?

– Oui. C'est précisément de cela que je suis venu te parler.

Elle le dévisagea par-dessus le rebord de son verre.

– Sans blague ?

Il aurait dû préparer ce qu'il allait dire à l'avance, mais il ne s'attendait pas à une telle réaction de la part d'Annie. Dans sa tête, il avait imaginé la scène autrement : lui, entrant dans une pièce d'un pas décidé, elle, hésitant, puis souriant et éclatant en sanglots en lui disant qu'il lui avait manqué. Lui, ouvrant les bras et elle, se précipitant vers lui... et le tour était joué. Ils étaient réconciliés.

Il essaya de lire dans ses pensées, mais les yeux qu'il connaissait si bien étaient verrouillés et hostiles. Contrairement à son habitude, il se mit à bafouiller.

– Je... j'ai fait une erreur, dit-il en lui prenant la main.

– Une erreur ? dit-elle, en ôtant la sienne.

Elle avait dit cela d'un ton sentencieux, et il savait exactement pourquoi. Il ne s'agissait pas d'une erreur, ce qu'il avait fait était beaucoup plus grave. Sa façon de le regarder, le ton feutré et distant de sa voix – et qui ne ressemblait en rien à Annie – le firent douter de lui. Il avait l'impression que quelque chose de vital était en train de lui échapper.

– Je veux revenir vivre à la maison, Annie, dit-il d'un ton implorant qu'elle ne lui connaissait pas. Je t'aime, Annie. Je m'en rends compte, à présent. Je me suis conduit comme un imbécile, le dernier des goujats. Je te demande pardon.

261

Elle continuait de le dévisager en silence, les lèvres pincées en une fine ligne amère.

Elle n'avait dit ni oui ni non. Une étincelle d'espoir jaillit soudain dans son cœur. Il contourna la table et vint se poster à côté d'elle, un regard suppliant dans les yeux. Les souvenirs de leur vie passée défilaient dans sa tête, lui redonnant confiance en lui. Il se souvint de toutes les fois où il l'avait blessée, tous les anniversaires qu'il avait manqués, tous les soirs où il n'était pas rentré, tous les dîners gâchés par son absence. Et elle lui avait toujours pardonné ; parce que c'était sa nature. Comment était-il possible qu'elle ait changé à ce point ?

Elle regardait droit devant elle, avec dans les yeux une souffrance qu'il avait mise là. Il continua de la dévisager avec insistance pour l'obliger à le regarder en face. Si elle le faisait, ne serait-ce que pendant une seconde, il pourrait voir sa réponse dans ses yeux.

— Annie ? (Il prit sa main dans la sienne, elle était froide.) Je t'aime, Annie, dit-il d'une voix étranglée. Regarde-moi.

Lentement, très lentement, elle se tourna vers lui, et il vit que ses yeux étaient remplis de larmes.

— Tu t'imagines qu'il te suffit de me demander pardon pour que je te dise : on passe l'éponge et on repart de zéro, Blake ?

Il resserra son étreinte.

— Je suis prêt à faire amende honorable.

Elle ferma un instant les yeux, une larme roula sur sa joue. Puis elle rouvrit les yeux et dit :

— Tu m'as rendu service, Blake. Je ne suis plus... (elle ôta sa main et essuya sa joue mouillée) la potiche que j'étais naguère. Je suis une autre femme à présent.

— Tu es toujours mon Annie.

— Non. Je ne suis à personne.

— Reviens, Annie. Je t'en supplie. Donne-moi une chance. Tu ne peux tout de même pas tout effacer...

— Comment oses-tu parler ainsi ? Je n'ai jamais rien fait de la sorte. C'est toi qui as tout gâché avec ton égoïsme, tes mensonges, tes infidélités. Et maintenant que la petite Suzannah t'a fait comprendre qu'elle n'avait aucune envie de te servir d'épouse, de mère ou de boniche, tu t'empresses de venir me relancer, moi, la femme qui encaisse tous tes coups bas sans broncher, celle qui veille à ton petit confort et à ce que tu ne manques jamais de rien.

La véhémence et la verdeur de ses propos le laissèrent sans voix.

– Annie...

– J'ai rencontré quelqu'un.

Il en resta bouche bée.

– Un homme ?

– Oui, Blake, un homme.

Penaud, il retourna s'asseoir à sa place et prit une longue gorgée de café tiède, pour essayer de digérer la nouvelle. *Un homme ? Annie avait rencontré un homme ?*

L'homme aux cheveux gris et aux yeux bleus mélancoliques sans doute.

Lorsqu'ils s'étaient séparés, trois mois auparavant, pas une seule fois il n'avait envisagé une telle éventualité. Elle, d'ordinaire si discrète, si maternelle, si souriante, si serviable. Il s'était imaginé qu'elle était restée bien tranquillement à l'attendre en faisant du canevas et en se morfondant. Il leva les yeux vers elle.

– Tu as... couché avec lui ?

– Au nom du ciel, Blake.

C'était un aveu. Annie, sa femme, avait couché avec un autre homme. Il se sentit soudain gagné par une fureur aveugle, quasi animale, une fureur comme il n'en avait jamais connu auparavant. Il avait envie de rejeter la tête en arrière et de se mettre à hurler, mais il n'en fit rien. Il se figea sur place, les poings serrés comme deux blocs de pierre sous la table. Car la situation avait radicalement changé, et exigeait qu'il agisse avec tact, beaucoup de tact.

– Tu as pris un amant dit-il doucement, tandis que des images insupportables se mettaient à défiler dans son esprit, lui arrachant une grimace. (Annie se pâmant de plaisir entre les bras d'un autre homme, embrassant ses lèvres, caressant son corps.)

Il repoussa au loin ces horribles pensées.

– Tu l'as fait pour me reconquérir, n'est-ce pas ?

Elle rit.

– Tu ne t'imagines tout de même pas que la terre entière tourne autour de toi ?

– Mais...

Que pouvait-il répondre à cela ? Il eut soudain envie de balancer un grand coup de poing dans la vitrine, mais au lieu de ça il resta assis bien sagement à sa place, comme un parfait gentleman, alors qu'elle venait de lui arracher le cœur et de le fouler aux pieds.

– Mais je pense qu'on pourrait se pardonner mutuellement.

– Je n'ai que faire de ton pardon.

Il tiqua. Quelques mois auparavant il lui avait jeté exactement les mêmes paroles à la figure. Et bon Dieu, ça faisait mal.

– Je suis désolé, Annie, dit-il doucement, en levant les yeux vers elle.

Pour la première fois il venait de comprendre le mal qu'il lui avait fait. Dans son égoïsme et son arrogance il avait bafoué ses sentiments sans se soucier du chagrin qu'il lui causait. Il avait justifié son attitude avec des formules creuses, typiques des années quatre-vingt-dix : *J'ai besoin d'un espace de vie à moi ; à quoi bon rester ensemble si tu n'es pas heureuse ? Tu seras moins malheureuse sans moi ; nos chemins se sont séparés.* Et le pire c'est qu'il y avait cru. Mais maintenant il voyait qu'il s'était fourvoyé. Il ne s'agissait là que de paroles creuses, les paroles d'un homme qui se figure que les règles sont faites pour les autres, pas pour lui. Il s'était comporté comme si leur mariage n'était rien de plus qu'un fardeau encombrant, une entrave à sa liberté. Quant aux paroles qui avaient vraiment un sens – *aimer, honorer, chérir, jusqu'à ce que la mort nous sépare* – il les avait tout simplement écartées d'une chiquenaude, comme si elles n'avaient eu aucune valeur.

Pour la première fois de sa vie il se sentit gagné par une culpabilité sincère.

– J'ignorais à quel point ça pouvait faire mal. Mais je t'aime, Annie – tu peux en être sûre. Et je t'aimerai jusqu'à la fin de mes jours. Quoi que tu fasses, quoi que tu décides, quoi que tu dises. Je serai toujours là, à attendre ton pardon.

Il vit une lueur de chagrin dans ses yeux, tandis que l'expression amère de sa bouche se relâchait un peu. Il avait réussi à l'attendrir. Comme tout bon avocat, il comprit qu'il lui fallait saisir sa chance au vol. Il lui caressa doucement la joue, l'obligeant à le regarder dans les yeux.

– Tu crois que je ne t'aime pas vraiment, que je ne suis qu'un égoïste et un salaud, et que je te veux parce que tu simplifies la vie... mais ce n'est pas vrai, Annie. Sans toi, je suis un homme incomplet.

– Blake...

– Souviens-toi du bon vieux temps. Quand on habitait la maison sur la plage, à Laguna Niguel. J'étais tellement impatient de rentrer du bureau le soir, pour te retrouver – tu t'en souviens ? – tu ouvrais tout grand la porte et tu te jetais dans mes bras. Et à la naissance de Natalie, quand je suis venu me faufiler dans ton lit d'hôpital et que j'ai passé la nuit avec toi – jusqu'à ce que cette vieille pie d'infirmière me trouve et me jette dehors ? Et la fois où on avait fait des châteaux de sable, à minuit, sur la plage, en buvant du champagne et en rêvant à la maison que nous posséderions un jour. Tu voulais une chambre bleu et blanc, et moi je t'ai dit que tu pouvais la peindre en violet si ça te faisait plaisir, du moment que tu restais avec moi toute la vie...

Elle pleurait à présent.

– Arrête, Blake, je t'en prie...

– Arrête quoi ? De te rappeler qui nous sommes et depuis combien de temps nous sommes mariés ?

Il sortit un mouchoir et essuya ses larmes.

– Nous formons une famille. J'aurais dû m'en rendre

compte plus tôt. Mais je me suis comporté comme un imbécile et un égoïste, et j'ai pris tout ce que j'avais pour argent comptant. (Sa voix se noua soudain dans sa gorge, et il posa sur elle un regard brouillé de larmes.) Je t'aime, Annie. Tu dois me croire.

Elle s'essuya les yeux avec les mains, et détourna la tête, en reniflant discrètement.

– Je t'ai cru pendant vingt ans, Blake. Mais c'est fini maintenant.

– Je le sais.

– Non, tu ne le sais pas.

Il lui décocha un petit sourire contrit.

– Tu as raison. Je m'imaginais que tu allais accepter mes excuses et te jeter à mon cou et qu'on allait s'en retourner bras dessus bras dessous à la maison. (Il soupira.) Bon, qu'est-ce qu'on décide, alors ?

– Je n'en sais rien.

C'était une ouverture. Enfin !

– Je voudrais que... que tu me donnes une autre chance. Quand tu m'as demandé d'en faire autant, j'ai accepté, et puis j'ai essayé de faire le point, et me voilà de retour. Cette chance, tu me la dois, Annie. Tu la dois à ta famille.

– Allons bon, voilà que tu me fais la morale maintenant. (Elle sortit un poudrier de son sac et se regarda dans le miroir.) C'est parfait, j'ai l'air d'un vrai clown à présent, avec mes yeux bouffis.

– Tu es superbe.

Elle lui décocha un regard de glace.

– Et puis mes cheveux vont repousser, c'est ça ?

– Je n'aurais pas dû te dire ça.

Elle referma son poudrier d'un claquement sec.

– Non, tu n'aurais pas dû.

Elle braqua sur lui un regard particulièrement déplaisant, et il se rappela soudain que malgré vingt ans de mariage il ne connaissait pas la femme qui était assise en face de lui.

– Le quatorze juin, je te retrouverai à la maison. Et nous parlerons de tout ça... à ce moment-là.

Elle se leva, et il vit qu'elle était légèrement chancelante. Elle faisait visiblement un gros effort pour ne pas s'effondrer.

Il reprit soudain espoir.

– Je ne renoncerai pas, Annie. Je suis prêt à tout faire pour que tu reviennes vivre à la maison.

Elle soupira.

– Gagner a toujours été ton principal souci, Blake.

Puis, sur cette remarque blessante, elle tourna les talons et quitta le salon de thé.

22

Nick attendait le retour d'Annie qui était partie discuter avec son mari. Au début il s'était exhorté à la patience, songeant qu'elle ne serait certainement pas de retour avant deux heures.

Mais les deux heures s'étaient transformées en trois, puis en quatre et enfin en cinq heures. Et Annie n'était toujours pas de retour.

À l'heure du dîner, faisant contre mauvaise fortune bon cœur, il avait essayé de préparer une des recettes favorites d'Annie pour faire plaisir à Izzy : des escalopes de poulet panées. Malheureusement, il avait oublié de mettre le riz à cuire à temps, si bien qu'il avait servi le poulet trop cuit avec des bananes en tranches et des dés de fromage. Tout au long du repas il s'était efforcé de sourire mais l'absence d'Annie se faisait cruellement sentir.

Tout s'était passé à peu près normalement, jusqu'au moment où Izzy l'avait regardé dans les yeux en demandant de but en blanc :

– Elle va revenir, dis, papa ?

La fourchette de Nick avait heurté le bord de son assiette avec un *ping* retentissant. Ne sachant que répondre, il s'était bêtement réfugié derrière l'autorité parentale.

– On ne parle pas la bouche pleine.

Au moment du coucher, trop tendu pour pouvoir lui lire une histoire, il l'avait embrassée et avait quitté aussitôt sa chambre.

Blake était exactement comme Nick se l'était imaginé – et comme il l'avait craint. En voyant cet homme élégant et sûr de lui, Nick avait eu l'impression de n'être rien. Ses propres défauts lui avaient sauté aux yeux : son jean élimé et déchiré, son tee-shirt d'un bleu-gris délavé, la boucle arrachée de son ceinturon qu'il n'avait jamais eu le courage de recoudre. Sans parler de sa tête – les rides profondes qu'il portait au coin des yeux depuis la mort de Kathy, et ses cheveux grisonnants.

Blake avait tout, Nick n'avait rien.

Il aurait voulu pouvoir penser à autre chose – n'importe quoi. Mais il avait beau faire, l'image d'Annie lui revenait sans cesse, obsédante, comme si elle avait tenu son cœur et son âme dans le creux de sa main.

Jamais il ne s'était senti aussi possessif vis-à-vis d'une femme.

Et cette femme était la femme d'un autre.

Annie l'aperçut debout au bord du lac. Elle descendit de la Mustang et referma la portière sans bruit, puis traversa la pelouse.

Sans un mot, elle s'approcha et vint se poster à côté de lui. Elle avait espéré qu'il la prendrait dans ses bras, mais il resta figé sur place, raide comme la justice.

– Comment ça s'est passé ?

À quoi bon chercher à lui mentir ?

– Il a commis une grave erreur, et il m'aime toujours.

– Il a en effet commis une grave erreur.

Il avait dit cela d'une voix rauque, nouée par le chagrin.

– Qu'est-ce que tu vas faire ? demanda-t-il tout bas.

– Je n'en sais rien. Voilà deux mois et demi que j'essaye de l'oublier, et juste au moment où je suis sur le point d'y parvenir il revient et remet tout en cause.

Il se tut, et elle réalisa brusquement ce qu'elle venait de dire : *sur le point de.* Sur le point d'oublier son mari. Elle regretta aussitôt ces paroles maladroites. Mais c'était pourtant la triste vérité. Elle avait *presque* réussi à oublier Blake. Dire autre chose eût été un mensonge.

269

Sur la rive, les vaguelettes lapaient doucement les galets. La brise soufflait à travers les feuilles d'un immense érable.

L'idée de quitter cet endroit la terrorisait. Elle songea à sa grande maison vide de Californie, et à toutes les heures de solitude qu'elle allait passer.

– Que dirais-tu si...

Il se tourna vers elle.

– Si quoi ?

Elle inspira profondément.

– Que dirais-tu si... je revenais vivre ici ? Lorsque... tout aura été réglé ? Je songe de plus en plus à ouvrir une librairie. Tu as raison, la maison de la Grand-Rue conviendrait parfaitement. Et Dieu sait si cette ville a besoin d'une librairie...

Il se figea sur place.

– Que dis-tu ?

– Après le divorce... et quand Natalie sera entrée à l'université, je vais me retrouver seule en Californie.

– Ne fais pas ça, Annie. Ne me donne pas de faux espoirs. Je n'ai pas envie de passer le reste de ma vie à attendre ton retour, à me dire *demain peut-être*. Je t'en prie, ne me fais pas de promesses que tu ne pourras pas tenir.

Elle eut soudain l'impression que l'air lui manquait. Elle chancela. Il avait raison. Elle ignorait de quoi était fait l'avenir. Elle n'avait pas la moindre idée de ce qui allait se passer quand elle rentrerait en Californie. Et à dire vrai, elle n'était même pas certaine de ce qu'elle voulait.

– Je te demande pardon, dit-elle.

Elle aurait voulu se justifier, lui rappeler qu'elle connaissait Blake depuis toujours, que Natalie était sa fille, mais les mots n'avaient plus d'importance.

Il ne dit rien. Il restait là, debout, à vaciller légèrement en la regardant comme s'il l'avait déjà perdue.

Le lendemain matin, Annie était tellement déprimée qu'elle ne trouva pas la force d'aller chez Nick. Elle resta au lit à pleurer et à se morfondre.

Les idées tourbillonnaient dans sa tête et la rendaient folle. Elle pensait à son mari – l'homme qu'elle avait aimé depuis qu'elle avait dix-neuf ans – et qui avait imploré son pardon et l'avait suppliée de lui donner sa chance.

Ne l'avait-elle pas supplié, elle aussi, de lui donner sa chance quelques mois plus tôt ?

Le téléphone qui se trouvait à côté du lit sonna. Elle décrocha.

– Annie Colwater ? Ici Madge, la secrétaire du Dr Burton. Je vous rappelle que vous avez rendez-vous ce matin à dix heures et demie.

Elle avait complètement oublié.

– Oh ! Je ne sais pas si...

– Si, si, le Dr Burton insiste.

Annie soupira. Elle, qui la semaine dernière encore croyait avoir réussi à surmonter sa dépression, voilà qu'elle sombrait à nouveau dans le désespoir. Elle se dit qu'elle ferait peut-être mieux d'aller chez le médecin. À défaut d'autre chose cela lui donnerait un but, l'obligerait à sortir du lit.

– Merci, Madge, murmura-t-elle. J'y serai.

Avec un soupir fatigué, elle se leva péniblement et se dirigea vers la salle de bains. À dix heures et quart elle était habillée. Sans même prendre la peine de se donner un coup de peigne – à quoi bon ? – elle saisit son sac à main et ses clés de voiture et quitta la chambre.

Hank était sur la véranda, dans son fauteuil à bascule, en train de lire. En la voyant sortir précipitamment de la maison, il leva les yeux et dit :

– Tu es en retard, ce matin.

– J'ai rendez-vous chez le médecin.

Le sourire de Hank s'évanouit.

– Quelque chose ne va pas ?

– Mis à part que je me sens complètement déprimée et que je suis gonflée comme une outre, tout va bien. Le docteur Burton m'avait fixé un autre rendez-vous la dernière fois que je l'ai vu. Il voulait s'assurer que je n'avais plus le blues avant de... rentrer à la maison.

Le blues. Un petit mot de rien du tout pour exprimer le désespoir qui la rongeait intérieurement.

Avec un sourire forcé elle se pencha vers lui et l'embrassa sur le front.

– Salut, 'pa.

– Salut.

Elle dégringola les marches de la véranda et sauta dans sa Mustang.

En ville, elle gara sa voiture à l'ombre d'un orme, puis gravit quatre à quatre les marches qui menaient au cabinet du médecin.

Madge l'accueillit avec un grand sourire.

– Bonjour ! Le docteur vous attend. Entrez dans la salle d'examen numéro deux.

Avec un petit hochement de tête, Annie longea le couloir aux murs blancs jusqu'à une porte portant le numéro 2. Elle entra, puis s'assit sur la table d'examen et commença à feuilleter un magazine.

Cinq minutes plus tard, le Dr Burton entra.

– Bonjour, Annie. Eh bien, comment vous sentez-vous ?

Comment pouvait-elle répondre à cette question ? Depuis la visite de Blake elle changeait d'humeur à chaque instant, tantôt elle reprenait espoir, tantôt elle sombrait dans la dépression la plus noire. Elle jeta son magazine sur une chaise.

– Couci-couça, répondit-elle.

– Madge m'a dit que vous aviez essayé de me joindre pendant mon absence. À quel sujet ?

– J'ai eu la grippe. J'allais beaucoup mieux mais... depuis un jour ou deux je recommence à avoir la nausée.

– Je vous avais pourtant bien dit de prendre soin de vous. Quand la dépression nous tient, notre organisme a du mal à lutter contre les microbes. Que diriez-vous de faire une petite prise de sang, histoire de s'assurer que tout va bien ? Et si c'est le cas, nous reparlerons de votre dépression.

Trois heures plus tard, Annie était de retour chez son

père. Debout devant la véranda, elle grelottait de tous ses membres et avait l'impression que ses jambes ne pouvaient pas la porter.

Lentement, elle gravit les marches du perron et entra dans la maison.

Hank était assis au coin du feu, en train de faire des mots croisés. À son entrée, il leva les yeux.

– Je ne t'attendais pas avant...

Elle éclata en sanglots. En un éclair il était à ses côtés. Il la prit dans ses grands bras et l'amena tout doucement vers le sofa où il la fit asseoir, puis s'assit à côté d'elle.

– Que se passe-t-il, Annie ?

Elle renifla en s'essuyant le nez d'un revers de manche. Elle voulut répondre, mais les mots refusaient de sortir.

– Annie ?

– Je suis enceinte, murmura-t-elle, et elle se mit à pleurer de plus belle.

Pourtant elle aurait dû sauter de joie. Elle était enceinte de trois mois. Pendant des années elle avait fait des pieds et des mains, pris sa température chaque matin, noté scrupuleusement les dates de ses cycles pour que cela arrive, et voilà qu'elle se retrouvait enceinte sans avoir rien fait pour.

L'enfant de Blake.

Jamais elle ne s'était sentie aussi confuse et bouleversée, même lorsque Blake lui avait annoncé qu'il voulait divorcer. Sur le coup, quand le Dr Burton lui avait communiqué les résultats d'analyse, elle avait pensé qu'il faisait erreur. Puis elle avait réalisé qu'il disait vrai. Et brusquement, elle avait senti son estomac se nouer et elle s'était demandé qui était le père.

Puis elle s'était souvenue que Nick lui avait dit avoir subi une vasectomie quand Izzy avait deux ans. L'examen clinique avait ensuite révélé qu'Annie était enceinte de trois mois.

Ça ne pouvait être que l'enfant de Blake.

Hank lui caressa doucement la joue, et l'obligea à le regarder.

– C'est un miracle, dit-il.

Il avait raison. Elle le sentait, le minuscule bébé qui était en train de pousser en elle. Elle posa une main sur son ventre. Elle était tout à la fois heureuse et inquiète.

– Cela change tout, murmura-t-elle.

C'était là ce qui l'épouvantait le plus. Elle n'avait pas envie de renouer avec la vie solitaire et stérile qu'elle avait menée en Californie. Elle voulait rester ici, à Mystic, parmi les arbres et la fraîcheur. Elle voulait rester avec Nick. Elle voulait voir grandir Izzy. Elle voulait ouvrir une librairie et vivre dans sa maison et ne rien devoir à personne.

Mais par-dessus tout elle voulait rester amoureuse jusqu'à la fin de ses jours, se réveiller chaque matin avec Nick à ses côtés, et s'endormir chaque soir entre ses bras. Mais c'était impossible. Il n'y avait pas un seul obstétricien ni une seule maternité convenables à des kilomètres à la ronde. Lorsqu'elle avait appelé sa gynécologue de Beverly Hills celle-ci lui avait ordonné de rentrer immédiatement chez elle. Il lui fallait beaucoup de repos. Exactement comme lorsqu'elle avait eu Adrian. À cette différence près que cette fois, Annie avait presque quarante ans ; il ne fallait prendre aucun risque. La gynécologue attendait sa visite dans trois jours – et pas un de plus.

– Tu en as parlé à Blake ?

Cette fois, elle eut envie de pleurer, mais elle en était incapable. Elle regarda son père sans rien dire ; elle avait l'impression que tous ses rêves étaient en train de s'effondrer.

– Oh, papa, Blake va vouloir...

– Mais, toi, qu'est-ce que tu veux ?

– Moi, je veux Nick, murmura-t-elle.

Hank lui décocha un sourire peiné.

– Alors comme ça tu t'es amourachée de lui. Annie, tu ne le connais que depuis quelques mois. Alors que Blake et toi êtes ensemble depuis toujours. Il n'y a pas deux mois, tu étais ravagée par le chagrin à l'idée de devoir divorcer. Et aujourd'hui, tu es prête à tout envoyer valser sur un coup de tête ?

Elle savait que son père avait raison. Ce que Nick lui donnait était spécial, magique même, mais qu'était-ce comparé à la solidité d'un mariage ?

– Blake et moi avons essayé pendant des années d'avoir un autre enfant. Après Adrian, je ne pensais qu'à une chose : avoir un autre enfant. Mais les années passaient et... rien du tout. Quand il va apprendre que je suis enceinte...

– Tu vas retourner là-bas, dit Hank d'un ton sentencieux.

C'était la seule chose à faire, la seule chose sensée. Et Annie le savait. Elle n'avait pas le droit de priver Blake de son enfant pour venir vivre ici toute seule. Et puis son enfant avait le droit d'avoir un père.

Elle recommença à pleurer, incapable de retenir ses larmes. Elle ne pouvait s'empêcher de penser au moment fatidique – le moment où elle allait devoir annoncer à Nick qu'elle était enceinte. Elle ne voulait pas être forte, elle ne voulait pas être raisonnable. Elle en avait assez de dire *amen* à tout.

Elle repensa aux moments qu'ils avaient passés ensemble, aux baisers et aux caresses qu'ils avaient échangés. Elle pensa à Izzy, et à tout ce qu'elle avait perdu. Puis elle pensa à la Californie, à cet endroit où l'air était pollué et la terre desséchée, et elle pensa au lit de Blake. Mais surtout, elle pensa combien la vie allait lui sembler vide et triste sans Nick...

Annie roulait droit devant elle. Elle roula pendant des heures, jusqu'à ce qu'elle n'en ait plus la force, et pour finir elle prit le chemin de la maison de Nick. En arrivant là-bas elle le trouva dans le jardin en compagnie d'Izzy.

Tout cela, cette maison, cette famille, tout allait continuer sans elle. Izzy allait grandir, et apprendre à danser et aller à son premier rendez-vous d'amour, mais Annie ne serait pas là pour le voir.

Elle regarda Nick, et réalisa tout à coup qu'elle avait les larmes aux yeux.

– Annie ?

Elle prit une profonde inspiration. Elle aurait voulu se jeter entre ses bras et lui dire les mots magiques, *je t'aime*, mais elle n'osait pas. Elle savait que, s'il l'avait pu, Nick serait allé lui décrocher la lune. Mais ni l'un ni l'autre n'était assez naïf pour y croire. Car l'un et l'autre savaient que dans la vie tout pouvait basculer du jour au lendemain, et que les promesses d'amoureux, si sincères soient-elles, étaient fragiles et cassantes comme le verre.

Il s'approcha d'elle et, d'un doigt plein de terre, lui toucha délicatement le menton.

– Ma chérie, que se passe-t-il ?

Elle se força à sourire.

– J'ai une poussière dans l'œil, ce n'est rien. Je vais aller me changer et ensuite je viendrai vous donner un coup de main.

Sans lui laisser le temps de répondre – ou de lui poser une autre question –, elle s'enfuit vers la maison.

Allongés dans le lit, les draps rejetés sur leurs jambes nues, Annie et Nick ne parlaient pas, se touchaient à peine. Au-dessus de leurs têtes un gros ventilateur brassait paresseusement l'air moite.

Après avoir couché Izzy, ils s'étaient approchés prudemment l'un de l'autre, sans rien dire. À présent il la tenait serrée entre ses bras, caressant la peau douce et moite de ses seins. Elle n'avait pour ainsi dire pas parlé de toute la soirée, et chaque fois qu'il la regardait, il avait l'impression de voir de la tristesse dans ses yeux. Son silence l'intimidait. Chaque fois qu'il s'apprêtait à lui demander ce qui n'allait pas, les mots restaient collés dans sa gorge, et il les ravalait. Il avait peur d'entendre la vérité qui se tenait lovée au fond de ce silence.

– Il faut que nous parlions, dit-elle doucement, en se tournant vers lui.

276

— Tiens, tiens, tu te décides enfin à parler, dit-il en croyant qu'elle allait rire avec lui.

— Je ne plaisante pas.

Il soupira.

— Je m'en doute.

Elle se serra contre lui, et posa sur lui des yeux immenses et tristes.

— Je suis allée voir le médecin, aujourd'hui.

Il eut l'impression que son cœur s'arrêtait de battre.

— Tu n'es pas malade au moins ?

Elle lui décocha un petit sourire tremblant.

— Non, non, rassure-toi.

Il laissa échapper un soupir de soulagement.

— Dieu merci.

— Mais je suis enceinte de trois mois.

— Oh, non...

Tout à coup il sentit l'air lui manquer.

— Pendant des années, j'ai essayé d'avoir un autre enfant.

L'enfant de Blake. L'enfant de son mari, l'homme qui avait dit qu'il avait commis une grosse erreur et qui l'avait suppliée de revenir. Nick eut brusquement l'impression de fondre entre les draps froissés.

J'ai toujours voulu avoir un autre enfant. Ces mots résumaient à eux seuls le drame d'une vie. C'était la seule chose qu'il ne pouvait pas lui donner. Et il connaissait trop bien Annie pour savoir qu'elle ne priverait jamais Blake du droit de voir son enfant. Car Annie était une femme aimante, intègre et à l'instinct maternel prodigieux.

C'était la fin de tous leurs rêves. Jamais ils ne connaîtraient la joie de voir s'écouler les années ensemble, de vieillir côte à côte.

Si seulement il avait pu prononcer une formule magique qui puisse transformer cet instant douloureux en un mauvais souvenir.

Avant même d'avoir commencé, leur beau rêve d'amour partait en fumée.

23

Nick savait qu'Annie était en train de préparer son retour en Californie bien qu'elle prît soin de le faire discrètement. Chaque fois qu'il entrait dans une pièce et qu'elle était au téléphone, elle raccrochait.

De son côté il s'efforçait de se faire à l'idée qu'elle allait bientôt partir, mais en vain. Hier, ils étaient allés ensemble à Seattle pour consulter un spécialiste des grossesses à risques. Malgré lui, il n'avait pas réussi à rester indifférent. Il lui avait tenu la main pendant tout le temps qu'avait duré l'échographie. Lorsqu'il avait vu le fœtus – ce minuscule filament gris flottant dans un océan d'ombre –, il avait promptement détourné les yeux et invoqué une excuse pour se rendre aux toilettes.

Il avait beau essayer de ne pas penser au moment fatidique de la séparation, chaque heure, chaque minute qui s'écoulait lui rappelait qu'il allait perdre la femme à laquelle il tenait le plus au monde.

Parfois, lorsqu'un rayon de soleil entrait par la fenêtre entrouverte et illuminait le visage d'Annie, il restait bouche bée, émerveillé par sa beauté. Et puis elle lui souriait, un sourire triste et complice, et la réalité lui revenait d'un seul coup et il recommençait à entendre le tic-tac du temps qui passe.

Annie lui avait donné une famille, et lui avait fait croire que l'amour était éternel. Grâce à elle il avait arrêté de boire et avait recommencé à s'occuper de sa fille. Elle lui avait donné tout ce dont il rêvait.

Tout sauf un avenir.

Lorsqu'ils étaient ensemble ils ne parlaient jamais de l'avenir, ou du bébé.

À présent, Annie était dans le salon, en train de regarder les photos posées sur le rebord de la cheminée tout en caressant machinalement son ventre.

À quoi songeait-elle ? se demanda Nick en s'approchant tout doucement.

– Nick ? dit-elle.

Il l'enveloppa de ses bras et l'attira contre lui. Elle appuya sa tête contre son épaule. Timidement, il tendit la main et la posa sur son ventre. L'espace d'un instant, il se laissa aller à imaginer que l'enfant était le sien, qu'elle était à lui, et qu'ils en étaient au début et non pas à la fin de leur histoire d'amour.

– À quoi penses-tu ? demanda-t-il tout bas.

– Je pense à toi et à ton travail, dit-elle en levant les yeux vers lui. Je... veux que tu me promettes de reprendre ton travail.

Ça faisait du mal à entendre, cette petite phrase toute simple et pleine de tendresse. Il savait qu'elle attendait un sourire, une parole ou un geste rassurants, qu'il lui dise de ne pas s'inquiéter, qu'il s'en sortirait sans elle. Mais il n'avait pas cette force en lui.

– Je ne peux pas, Annie...

– Je sais que tu es un flic excellent, Nick, consciencieux et bienveillant.

– Tellement bienveillant que ça a failli me perdre...

– Mais est-ce que tu serais prêt à renoncer... à la tendresse... parce que tu as peur de souffrir ?

Il lui caressa doucement la joue.

– Là, tu n'es plus en train de parler de mon travail...

– C'est la même chose, Nick. Tout ce qui nous reste, c'est la tendresse. Le reste... la souffrance... la séparation... nous ne pouvons rien y faire.

– Vraiment ?

Une larme unique se mit à rouler sur sa joue, mais Nick n'osa pas l'essuyer, de crainte que la minuscule perle de rosée ne le brûle jusqu'au fond de l'âme. Il savait que cet instant resterait à jamais gravé dans son cœur, quoi qu'il fasse.

– Je n'oublierai jamais, Annie.

Cette fois, peu lui importait de souffrir, il se laissa aller à imaginer que le bébé qu'elle portait en elle était le sien.

Annie rentra chez son père de bonne heure le lendemain matin. En descendant de voiture, elle resta un instant à contempler la maison de son enfance comme si elle la découvrait pour la première fois. Les fenêtres étincelaient au soleil, renvoyant des reflets dorés, et une multitude de fleurs multicolores festonnaient les piliers de la véranda. Elle songea qu'elle ne serait pas là pour voir fleurir les chrysanthèmes cette année, et cela la rendit triste.

Son père aussi allait lui manquer. Et pourtant, quand elle était en Californie, il lui arrivait de ne pas le voir pendant des mois sans qu'il lui manque et sans qu'elle ait cette sensation de poids qui lui étreignait la poitrine. Elle avait l'impression d'être redevenue une petite fille qui s'apprête à quitter le giron paternel pour la première fois et qui a peur.

Elle soupira, puis se dirigea vers la maison.

À peine avait-elle atteint la véranda que la porte s'ouvrit à la volée et que Hank s'écria :

– Eh bien, il était temps ! Voilà des jours que je ne t'ai pas vue. Je commençais à...

– Je pars demain matin.

– Oh !

Il sortit sur la véranda en refermant la porte derrière lui. Après quoi il alla s'asseoir sur la causeuse en rotin en faisant signe à Annie de le rejoindre.

Hank regardait fixement la forêt vert sombre qui s'étirait au loin.

– Je suis désolé pour tout ce qui est arrivé, Annie.

Annie sentit sa gorge se serrer.

– Je sais, papa.

280

Hank se tourna vers elle.

– Je t'ai préparé un petit quelque chose.

Il entra dans la maison et en ressortit quelques instants plus tard avec un joli paquet emballé dans du papier bleu métallisé. Il le lui tendit. À l'intérieur se trouvait un gros album de photos relié en cuir. Elle l'ouvrit. La première page contenait une petite photo noir et blanc qui avait connu des jours meilleurs. Les bords en étaient écornés, et le cliché était strié de petites lignes blanches qui couraient en tous sens.

C'était une des rares photos d'Annie et de sa mère, une photo qu'elle n'avait jamais vue. Sa mère était vêtue d'un pantalon corsaire blanc et d'une chemise sans manches, et portait une queue de cheval. Elle souriait. À côté d'elle, une Annie toute frêle exhibait fièrement une bicyclette flambant neuve.

Annie se souvenait de cette bicyclette. Elle l'avait eue pour son anniversaire, parmi une avalanche de baudruches, de friandises et d'éclats de rire. Elle se souvenait comme sa mère la regardait fièrement lorsqu'elle était montée dessus la première fois. *Vas-y, Annie, chérie. Pédale, tu y es presque.*

Lentement, elle tournait les pages, savourant chaque photo. Elle se retrouvait enfin, telle qu'elle avait été depuis la maternelle jusqu'à l'adolescence.

C'était sa vie tout entière qui défilait sous ses yeux, chaque cliché apportant avec lui une foule de souvenirs doux-amers. Lady, la petite chienne qu'ils avaient ramenée de l'épicerie..., les décorations de Noël qu'elle avait réalisées dans la classe de sculpture sur bois de M. Quisdorff..., la robe de satin blanc, sans manches, qu'elle portait pour son premier bal.

Les souvenirs se bousculaient dans sa tête, de plus en plus vivaces et de plus en plus présents, et elle se demanda comment elle avait fait pour les oublier. Sur chaque photo elle se voyait, elle entrevoyait la femme qui allait émerger sous le visage édenté et criblé de taches de rousseur de cette petite fille. La dernière page de l'album était réservée à la

281

dernière photo de famille, prise deux ans auparavant, où elle posait en compagnie de Blake et de Natalie.

Et me voilà aujourd'hui, songea-t-elle, en contemplant la femme en pull-over noir, au visage souriant et à l'œil pétillant... *même si ce n'est plus moi.*

– J'ai eu beau fouiller le grenier de fond en comble, ce sont là toutes les photos de ta mère que j'ai pu trouver. Je suis désolé.

Le son de sa voix rappela brusquement Annie à la réalité. Elle était tellement absorbée par ses pensées qu'elle en avait oublié la présence de son père à ses côtés. Elle lui décocha un petit sourire.

– C'est le destin des mères, je crois. Elles prennent des photos, mais oublient de se faire photographier. Et quand on s'en aperçoit, il est déjà trop tard...

Elle retourna aux premières pages de l'album, à une photo de sa mère le jour de la remise des diplômes. Elle semblait si incroyablement jeune. Bien qu'il se fût agi d'un cliché en noir et blanc, Annie se souvenait parfaitement que sa mère avait des yeux noisette. Elle caressa la photo du bout des doigts.

Pour la première fois, elle se demanda à quoi aurait ressemblé sa mère aujourd'hui, si elle avait vécu. Se serait-elle teint les cheveux en blond ? Aurait-elle porté du bleu à paupières comme cela se faisait dans les années soixante-dix, et des queues de cheval retenues par des brins de laine rose vif ? Ou aurait-elle opté pour une coupe mi-longue plus élégante et conventionnelle ?

– Elle était belle, dit Hank tout doucement. Et elle t'aimait beaucoup.

Il effleura la joue d'Annie de sa main parcheminée de vieil homme.

– Il y a longtemps que j'aurais dû te le dire, et que j'aurais dû te donner ces photos. Mais j'étais jeune et stupide à l'époque...

– Pourquoi dis-tu cela ? demanda Annie, surprise par cet aveu inattendu.

Hank haussa les épaules.

– Je pensais que tu allais pleurer pendant quelques mois, puis que tu oublierais. J'ignorais combien... l'amour est un sentiment profond, j'ignorais qu'il est comme le sang qui coule dans nos veines, et qui nous donne la vie. Je croyais qu'il était préférable que tu l'oublies. J'aurais dû savoir que c'était impossible.

Annie sentit son cœur se serrer douloureusement dans sa poitrine. Jamais son père ne s'était ouvert à elle avec autant de franchise. Elle eut soudain envie de caresser sa vieille joue veloutée.

– Elle a eu beaucoup de chance, papa. Nous l'avons beaucoup aimée, toi et moi.

– Et nous l'aimons encore – et elle nous manque. Jamais personne ne pourra prendre sa place dans mon cœur, à part toi, Annie. Tu es ce que nous avons fait de mieux, Sarah et moi, et parfois, quand tu souris, j'ai l'impression que ta mère est ici, à côté de moi.

Elle comprit soudain que ce jour resterait à jamais gravé dans son cœur. En hommage à sa mère, elle allait acheter une causeuse en rotin qu'elle installerait sur sa terrasse en Californie, et où elle s'assiérait avec son bébé.

– Cette fois, je te promets de revenir souvent te voir, promit-elle. Et je veux que tu viennes passer Thanksgiving ou Noël avec nous. Pas d'excuses. Je t'enverrai un billet d'avion.

– Je préfère l'autocar.

Elle sourit. Elle s'attendait à ce qu'il dise exactement ça.

– D'accord. L'important c'est que tu viennes me voir.

– Tu crois que tu vas tenir le coup, Annie ?

– Ne t'inquiète pas pour moi, papa. S'il y a une chose que j'ai apprise ici, à Mystic, c'est que je suis plus forte que je ne le croyais. Je m'en sortirai toujours, papa.

Il pleuvait, le jour du départ d'Annie. La nuit précédente, elle et Nick l'avaient passée au lit, à parler et à s'embrasser.

En silence, ils avaient regardé le coucher du soleil teinter de rose les cimes enneigées du mont Olympus ; ils avaient regardé les nuages qui filaient dans le ciel emportant avec eux les derniers rayons de lumière. Ils s'étaient regardés dans les yeux, et y avaient vu de la tristesse et un immense désir refoulé, et pourtant ils n'avaient rien dit.

Puis Annie s'était finalement levée et lentement, comme si chaque geste avait été un supplice, elle avait ôté son tee-shirt et passé un caleçon et une tunique.

– Mes bagages sont dans la voiture, dit-elle enfin. Je... je vais dire au revoir à Izzy et puis... je m'en irai.

– Et à moi, tu ne me dis pas au revoir ? dit-il doucement, avec un sourire plein de tendresse qui lui donna envie de pleurer. Bah, au fond c'est comme si on s'était dit adieu dès le premier jour.

– Je sais...

Ils se dévisagèrent pendant un long moment encore. Et Annie eut l'impression de tomber encore plus profondément amoureuse de lui, comme si cela avait été possible. Pour finir, n'y tenant plus, elle détourna les yeux et s'approcha de la fenêtre. Il vint la rejoindre. Elle aurait voulu qu'il la prenne dans ses bras, mais il se contenta de rester là, sans bouger et sans rien dire.

– Cela va faire vingt ans que je suis mariée, murmura-t-elle en regardant son reflet dans la vitre.

Elle vit ses lèvres bouger, entendit les paroles qu'elle prononçait, mais c'était comme si une autre femme avait parlé à sa place.

Et c'était vrai d'une certaine façon. C'était Annie Colwater qui avait parlé.

Lentement, très lentement, elle se tourna vers lui.

– Je t'aime, Annie, dit-il avec calme et dignité. J'ai l'impression de t'aimer depuis toujours. Je ne savais pas que c'était possible... de tomber amoureux alors qu'on est sur le point de s'effondrer...

Ses paroles l'ébranlèrent au point qu'elle eut l'impression qu'elle allait se briser comme du verre.

– Oh, Nick...

Il s'approcha un peu plus, suffisamment près pour pouvoir l'embrasser. Mais il ne la toucha pas. Il se contenta de la dévisager de ses yeux bleus et tristes et de lui adresser un sourire qui contenait toute sa joie et sa tristesse, tout son espoir et toutes ses angoisses.

L'amour n'était pas aussi merveilleux qu'on voulait bien le dire. Parfois l'amour pouvait vous briser le cœur.

– J'ai besoin de savoir, Annie... suis-je le seul à être amoureux ?

Annie ferma les yeux.

– Je t'en supplie, Nick, ne m'oblige pas à te le dire...

– Je vais me sentir très seul, Annie, tu le sais. Et puis les mois vont passer et je vais t'oublier – oublier tes yeux qui se plissent quand tu souris, oublier la façon dont tu mords ta lèvre inférieure quand tu es anxieuse, oublier la façon dont tu te mordilles le pouce quand tu regardes les nouvelles à la télé.

Il lui caressa la joue avec une tendresse qui lui brisa le cœur.

– Je n'ai pas envie de te voir pleurer. Simplement, je voudrais que tu saches que je ne suis pas fou. Je t'aime. Et si je dois te laisser partir pour te rendre heureuse, je le ferai. Et tu n'entendras plus jamais parler de moi. Mais, pour l'amour de Dieu, Annie, j'ai besoin de savoir ce que tu éprouves pour moi.

– Je t'aime, Nick, dit-elle avec un sourire triste. Follement, éperdument. Mais cela n'a pas d'importance. Et tu le sais aussi bien que moi.

– Tu te trompes, Annie, l'amour est important. C'est probablement la seule chose qui compte vraiment.

Sans attendre sa réponse, il se pencha vers elle et lui donna un dernier baiser – un baiser au goût de larmes et de regrets, un baiser d'adieu.

Soudain, Annie réalisa qu'elle allait quitter cette maison

sans rien laisser derrière elle, pas le moindre pull oublié dans un placard, ni même une paire de chaussures abandonnée sous un lit. Il ne restait désormais plus rien d'elle ici, aucun objet rappelant qu'elle avait ri dans cette pièce ou dormi entre les bras de Nick.

Tout en se mordillant nerveusement la lèvre, elle s'approcha de la chambre d'Izzy. Elle trouva la fillette assise au pied de son lit, les jambes pendantes. Elle portait le pull en cachemire blanc d'Annie, son cardigan avec des boutons en nacre. Une jolie petite boîte laquée reposait sur ses genoux.

– Bonjour, Izzy jolie, dit-elle doucement. Je peux entrer ?

Izzy leva les yeux. Elle essaya de sourire, mais déjà ses yeux bruns se remplissaient de larmes.

– Tu veux que je te montre ma collection ?

Annie s'approcha du lit et s'assit à côté d'Izzy. Désignant du doigt une bague violette, elle dit :

– Celle-ci est absolument superbe.

– C'est celle de ma grand-mère Myrtle... et ça c'est les boutons de ma mère. (Izzy en prit un beige percé de quatre trous, qu'elle tendit à Annie.) Sens-le.

Annie prit le bouton et l'approcha de son nez.

– Il sent comme ma maman.

Lentement, Annie reposa le bouton dans la boîte. Puis elle fouilla dans sa poche et en ressortit un joli mouchoir rose brodé aux initiales *AVC*.

– Est-ce que tu le veux, pour ta collection ?

Izzy le pressa contre ses narines.

– Il a ton odeur.

Annie crut qu'elle allait se mettre à pleurer.

– Vraiment.

Izzy sortit un ruban rose défraîchi de sa boîte.

– Tiens, c'est un ruban qui me sert à nouer mes nattes. Je te le donne.

Annie prit le ruban de satin.

– Merci, ma chérie.

Fermant sa boîte, Izzy grimpa sur les genoux d'Annie.

Annie la serra tendrement contre son cœur et savoura le parfum délicat de ses cheveux.

Pour finir, Izzy se recula, ses yeux bruns grands ouverts, et Annie comprit que la fillette faisait de son mieux pour ne pas pleurer.

– C'est aujourd'hui, n'est-ce pas, que tu t'en vas ?

– Oui, Izzy, c'est aujourd'hui.

Izzy avala sa salive avec difficulté.

– Mais qui est-ce qui va me faire mes nattes, si tu t'en vas ? Qui est-ce qui va me vernir les ongles et me faire jolie ?

S'efforçant de sourire, Annie prit la main de l'enfant dans la sienne.

– Viens avec moi, dit-elle en l'entraînant vers le jardin.

Elles traversèrent la pelouse humide de rosée, puis Annie ouvrit la barrière blanche toute neuve et ensemble elles descendirent l'allée de pierre en direction du banc qui se trouvait parmi les fleurs.

En silence elles contemplèrent les massifs de fleurs qu'elles avaient plantés ensemble. Et lorsque la première fleur avait fleuri, elle, Izzy et Nick étaient venus s'asseoir dans le jardin dans le jour finissant et avaient évoqué les souvenirs qu'ils gardaient de Kathy. Ils avaient ri et pleuré. Et depuis lors, Izzy disait que chaque nouvelle fleur lui faisait penser à sa mère.

Izzy s'approcha d'Annie. Prenant son courage à deux mains, Annie plongea une main dans sa poche et en sortit une vieille pièce de monnaie. Serrant la pièce entre ses doigts moites, elle regarda droit devant elle parmi les fleurs et dit :

– Tu vas me manquer terriblement, Izzy.

– Je sais, mais il faut que tu ailles rejoindre ta fille, maintenant.

– Oui, dit Annie quand elle eut retrouvé sa voix.

– J'aimerais... j'aimerais tellement être ta fille.

– Oh, Izzy... ta maman t'aimait beaucoup, tu sais. Et ton papa t'aime de tout son cœur.

Izzy se tourna vers elle.

– Mais Natalie pourrait venir habiter ici. Je lui laisserais ma chambre, et quand le bébé sera né, il pourra dormir avec moi. Je lui prêterai Miss Jemmie. Promis, juré. Et je serai gentille. Je me laverai les dents et je ferai mon lit et je mangerai tous mes légumes.

– Tu es déjà gentille, Izzy, dit-elle en caressant sa petite joue mouillée de larmes. Natalie et moi avons déjà une maison, en Californie. Et le bébé a un papa.

Izzy soupira.

– Je sais. Tu habites à côté de Disneyland, n'est-ce pas ?

– Oui. (Elle serra la main de la fillette dans la sienne.) Mais cela ne veut pas dire que je ne t'aime pas, Izzy. Je vais beaucoup penser à toi, et te téléphoner souvent... (Sa voix se brisa soudain, et l'espace d'un instant Annie crut qu'elle allait tout gâcher en éclatant en larmes.) Je t'aimerai toujours, Izzy jolie.

– Oui, soupira la petite dans un murmure à peine audible.

– J'aimerais que tu fasses quelque chose pour moi, pendant que je serai partie.

– Quoi donc ?

– J'aimerais que tu prennes soin de ton papa. Il est grand et fort, mais il va avoir besoin de toi par moments.

– Il va être triste.

– Oui.

Elle tendit à Izzy la pièce qu'elles avaient trouvée dans la cabane abandonnée du garde forestier, celle qu'Izzy avait confiée à Annie.

– Tu devrais la confier à ton père. Il ne la perdra pas. Tu peux lui faire confiance.

Izzy regarda la pièce dans la main d'Annie.

– Je préfère que tu la gardes, Annie. Comme ça je suis sûre que tu reviendras.

Incapable de se retenir, Annie éclata en sanglots. Elle attira Izzy sur ses genoux et la serra contre elle. La pluie commença à tomber ; les gouttes d'eau ruisselaient sans bruit le long des piquets blancs de la barrière, comme les larmes d'une femme.

— Je t'aime Izzy, murmura-t-elle, en caressant les cheveux de la fillette. (Puis tout doucement, elle ajouta :) Au revoir.

Après avoir laissé Izzy chez Lurlene, Nick prit sa voiture de patrouille, et suivit Annie hors de la ville en ayant soin de rester à bonne distance. Il avait beau se dire que c'était délirant, il ne pouvait pas s'en empêcher. Il la suivit ainsi jusqu'au pont de Hood Canal.

Puis il s'arrêta, sortit de la voiture et regarda sa Mustang rouge s'éloigner à toute allure, puis disparaître à l'horizon.

Et voilà, songea-t-il, elle était repartie aussi soudainement qu'elle était entrée dans sa vie.

Tournant la tête, il aperçut un massif de fleurs jaunes superbes qui poussaient sur le bord de la route.

Regarde, Annie, les lys des neiges sont en train de fleurir. À cette pensée soudaine, venue de nulle part, son cœur se serra dans sa poitrine. Jamais plus il ne pourrait se tourner vers elle et lui dire ce qui lui venait à l'esprit. D'ailleurs, là où elle habitait, les fleurs fleurissaient toute l'année.

Soudain une envie de boire, brutale, impérieuse, s'empara de lui.

Il ferma les yeux.

Oh, non, mon Dieu, non, par pitié... aidez-moi à tenir le coup.

Mais sa prière ne servait à rien. Il commençait à perdre pied, et cette fois il n'y avait personne pour le retenir. En un bond il regagna sa voiture et démarra sur les chapeaux de roues. Après avoir fait demi-tour il s'engagea sur l'autoroute et fila tout droit en direction du centre-ville.

Chez Zoe, il trouva sa table préférée qui l'attendait dans un coin sombre. Il était midi, et l'endroit était calme, hormis le bruit sourd des chopes de bière retombant lourdement sur le comptoir et le bourdonnement lointain de la télévision.

L'endroit était tel qu'il avait toujours été, mais pour une

raison qu'il ne comprenait pas, cela l'étonna. Le même comptoir de chêne massif, flanqué de tabourets vides. Les mêmes ventilateurs de pacotille suspendus au plafond, qui tentaient sans grand succès de brasser l'air chargé de fumée. Il n'y avait guère plus de quatre ou cinq clients en tout, des habitués installés à leur place habituelle, l'œil vitreux, la cigarette au bec, le poing crispé sur leur verre.

– Eh, mais c'est Nick ! Ça faisait une paye, mon vieux.

Nick leva les yeux. Zoe se tenait à côté de lui. Elle posa lourdement un verre plein devant lui puis regagna sa place derrière le comptoir.

Nick saisit le verre. Celui-ci était froid et parfaitement lisse et réconfortant. Il le fit tourner en regardant le liquide doré scintiller dans la lumière.

Il approcha le verre de ses lèvres et huma le parfum familier du scotch. *Vas-y... bois-le,* lui disait une petite voix intérieure. *Ça te fera du bien, ça t'aidera à oublier...*

La petite voix, mêlée à l'odeur du scotch, était terriblement tentante. Elle lui promettait de noyer son chagrin, de lui faire oublier Annie.

Il allait descendre ce verre, puis un autre, et encore un autre et ainsi de suite jusqu'à ce qu'il oublie qu'il l'avait aimée.

Mais soudain il pensa à Izzy.

Est-ce que tu veux bien que je revienne à la maison, Izzy ? Lorsqu'il lui avait dit cela, il y avait mis tout son cœur pour qu'elle sache qu'il était sincère. Et il voulait le rester.

L'alcool n'allait rien arranger ; sa raison le lui disait. Il allait se soûler – retomber dans l'alcoolisme – et puis quoi ? Cela ne ferait pas revenir Annie, sans compter qu'il aurait trahi la confiance que sa fille avait placée en lui.

Reposant brusquement son verre, il jeta un billet de dix dollars sur la table et se dirigea vers la sortie. En passant devant le comptoir, il fit un salut à Zoe en s'écriant :

– Salut la compagnie.

Zoe saisit son torchon et fit mine d'essuyer son comptoir en le regardant d'un air intrigué.

– Ça va pas fort, on dirait, Nick ?

Il essaya de sourire, mais en vain.

– Bah, on fait aller.

Puis il sortit précipitamment dans la rue. Ses mains tremblaient et il avait la gorge sèche, mais il était content d'avoir résisté.

Il se mit à courir jusqu'à perdre haleine, jusqu'à ce que l'envie de boire se dissipe. Puis il alla s'asseoir pendant deux heures sur un banc public, et regarda le soleil se coucher lentement. Peu à peu la panique et la peur disparurent, même si le chagrin était toujours là, présent à chaque battement de cœur. Mais Annie l'avait changé, elle l'avait aidé à se voir autrement, avec plus d'indulgence. Et c'est ce qu'il allait s'efforcer de faire désormais. Il avait une famille, une fille qui l'aimait et avait besoin de lui. Perdre les pédales était un luxe qu'il ne pouvait pas s'offrir.

Lorsque la séance des AA débuta, Nick avait réussi à refouler son envie de boire et à la remiser dans un recoin obscur de son âme. Il entra dans la salle enfumée.

Joe qui arrivait juste derrière lui, lui posa une main sur l'épaule en disant de sa voix râpeuse comme du papier de verre :

– Salut, Nicholas, comment ça va, mon vieux ?

Nick réussit à esquisser un sourire.

– On fait aller.

Puis il prit une chaise et Joe s'assit à côté de lui.

– Tu es sûr que ça va ?

Nick savait qu'il avait l'air pâle et les traits tirés.

– Oui, oui, Joe, merci.

Joe lui décocha un grand sourire.

– Je suis fier de toi, Nicholas.

Nick ferma les yeux et soupira profondément en se calant sur son siège. Brusquement, il réalisa que quelqu'un était en train de lui taper sur l'épaule. Il se redressa d'un seul coup, le cœur battant d'espoir. Annie avait changé d'avis, elle avait fait demi-tour et était revenue à Mystic. Il se retourna d'un bond.

C'était Gina Piccolo. Ses yeux ne portaient pas la moindre trace de maquillage et donnaient à son visage blafard un air fatigué. Il remarqua qu'elle ne portait plus d'anneau dans le nez, ni de rouge à lèvres noir. Elle avait l'air aussi jeune et innocente que lorsqu'elle se rendait à vélo au golf miniature.

Il se leva lentement.

– Gina. Qu'est-ce que tu fais là ?

– Drew est mort cette semaine, d'une overdose, dit-elle d'une petite voix tremblante, tandis que des larmes se mettaient à ruisseler sur son visage émacié. Vous aviez dit que, si j'avais besoin d'un coup de main... je veux dire... vous êtes la seule personne qui puisse... au poste de police, ils m'ont dit que je vous trouverais ici...

– Tu as bien fait, Gina.

– Je ne veux pas mourir, monsieur Delacroix.

Quelques mois plus tôt, Nick aurait cédé à la panique à l'idée qu'une autre tragédie était en train de se tramer, qu'un nouvel échec se profilait à l'horizon. Mais aujourd'hui, il avait l'impression de sentir la présence chaleureuse et rassurante d'Annie à ses côtés. Il entendit sa voix murmurer en lui : *Est-ce que tu serais prêt à renoncer... à la tendresse, Nick... parce que tu as peur de souffrir ?*

Peut-être qu'il allait échouer – il y avait de fortes chances pour qu'il échoue – mais ça n'était pas une raison pour baisser les bras. Il n'y avait que la volonté d'agir qui puisse le sauver, et sauver la pauvre gosse qui se tenait devant lui.

Il lui prit la main et dit :

– Tu as bien fait de venir, Gina. Au début, c'est dur de décrocher, mais je serai là pour te soutenir. Je ne te laisserai pas tomber, à condition que tu fasses un effort, bien entendu.

Un sourire plein d'espoir illumina le visage de la jeune fille.

– Je vais chercher un Coca et puis je reviens.

– D'accord.

Il la regarda fendre la foule, puis se rassit.

– Eh bien, Nicholas, dit Joe. De quoi s'agit-il cette fois ?

Nick se tourna vers son mentor et dit en souriant :

– C'est l'histoire d'un flic qui essaye de sortir un gosse de la mouise.

Joe sourit à son tour.

– Content de te retrouver, Nicholas. Tu nous as manqué, tu sais.

Les paroles de Joe lui allèrent droit au cœur, et Nick se sentit soudain rasséréné.

– Tu m'as manqué, toi aussi, dit-il doucement. J'aimerais bien reprendre mon service. Lundi matin, ce serait possible ?

– Quand tu veux, Nicholas.

Un sourire de contentement sur les lèvres, Nick se renversa confortablement sur sa chaise.

La réunion commença. À mesure que les récits de vies semblables à la sienne se succédaient, Nick se sentait de plus en plus fort. Lorsque la réunion fut près de finir, il leva la main pour prendre la parole.

– Mon nom est Nick, dit-il dans la pièce complètement silencieuse, et je suis alcoolique.

– Bonjour, Nick, dirent les autres à l'unisson, en lui souriant fièrement.

Il vit de la bienveillance dans leurs yeux, et dans la façon qu'ils avaient de hocher la tête et de se pencher en avant en l'écoutant. Il avait l'impression qu'ils lui disaient : *Parle sans crainte, mon vieux, on sait ce que c'est.*

– Je crois que j'étais déjà alcoolique avant même de toucher à mon premier verre d'alcool. Mais c'est il y a un an, environ, que les choses ont vraiment commencé à se gâter, quand ma femme est morte...

Un à un, il commença à rassembler les morceaux épars de sa vie brisée, à raconter ses déboires, ses échecs, ses triomphes, ses déceptions, à se livrer totalement aux gens réunis dans cette pièce inconfortable et enfumée, pour qu'ils recueillent son chagrin et le transforment en autre chose, en une force positive qui allait l'aider à surmonter le vide laissé par Annie. Et tandis qu'il parlait, il sentit que le poids d'une année de souffrance commençait à s'alléger. Et ce n'est que lorsqu'il parla d'Izzy, sa chère petite Izzy, qui lui avait dit : *Je t'aime, papa,* qu'il éclata en sanglots.

Troisième partie

Dieu nous a donné une mémoire
pour que nous puissions avoir des roses en décembre

James M. Barrie

Troisième partie

24

La chaleur montait par vagues suffocantes de l'asphalte noir et se fondait dans l'air sale, chargé de fumée. Annie s'adossa en soupirant à la banquette malodorante du taxi et posa une main sur son ventre.

Déjà, la séparation d'avec Nick et Izzy lui était insupportable. Elle avait l'impression qu'une partie vitale d'elle-même avait été sectionnée et abandonnée à Mystic.

Le paysage emprisonné par le béton qui défilait sous ses yeux ne faisait déjà plus partie de sa vie. Il lui donnait l'impression d'une vision d'apocalypse, un paysage du futur dans lequel le vert des arbres et le bleu du ciel auraient disparu au profit d'une grisaille monotone.

Le taxi quitta l'autoroute et s'engagea sur la route qui menait chez elle – chez elle, c'était drôle qu'elle continue à l'appeler comme ça. Après avoir franchi le portail de la « colonie », ils longèrent les somptueuses villas de facture contemporaine qui jalonnaient la plage. Immenses et à plusieurs niveaux, elles étaient si rapprochées les unes des autres que certaines n'étaient pas éloignées de plus de huit pieds de leurs voisines. Et malgré cela, chacun de ces royaumes miniatures jouait des coudes pour tenir le reste du monde à distance.

Ils s'engagèrent enfin dans l'allée privative, et bientôt la maison apparut, blanche et anguleuse, contre le bleu du ciel. Le jardin était en pleine floraison, partout c'était une explosion d'hibiscus rose et carmin et de beaux feuillages vernissés à la beauté terriblement... artificielle. S'il n'avait pas été arrosé chaque jour, ce jardin se serait desséché sur pied.

Le taxi s'arrêta devant le garage et coupa le moteur. Puis le chauffeur descendit et alla ouvrir le coffre. Lentement, Annie descendit. Elle contempla l'allée qui s'étirait sous ses yeux, et dont elle avait supervisé la construction, brique par brique. *Celle-ci est de travers, pouvez-vous l'ôter et la remettre droite avant que le ciment ne durcisse ?*

– Voilà, dit le chauffeur en lui présentant ses bagages.

– Merci, dit-elle en ouvrant son sac pour en sortir l'argent de la course, ainsi qu'un généreux pourboire qu'elle tendit au chauffeur.

L'homme empocha aussitôt l'argent, en disant :

– Surtout, n'hésitez pas à m'appeler si vous voulez que je vous dépose à l'aéroport.

L'aéroport.

– Merci, je n'y manquerai pas.

Lorsque le taxi fut reparti, elle se tourna vers la maison. L'espace d'un instant, elle crut qu'elle ne pourrait pas remonter l'allée jusqu'à la lourde porte d'acajou. Et pourtant elle se mit en marche, passa sous le porche qui embaumait le jasmin et sortit son trousseau de clés de son sac.

Elle glissa la clé dans la serrure. La porte s'ouvrit avec un murmure. Annie entra et fut accueillie par une odeur de renfermé.

Elle parcourut la maison, errant de pièce en pièce, s'attendant à éprouver quelque chose... tristesse, joie, désespoir. Les immenses portes-fenêtres donnaient sur le bleu vibrant du ciel et de la mer.

Elle avait l'impression de pénétrer dans la maison de quelqu'un d'autre. Des souvenirs de Nick et Izzy ne cessaient de lui revenir à l'esprit, la harcelant, la suppliant de refaire le chemin inverse. Mais elle ne le pouvait pas. Si bien qu'elle essaya de se concentrer sur de petits détails : le piano à queue qu'elle avait acheté à une vente aux enchères, chez Sotheby's, le lustre qu'elle avait récupéré dans un des plus vieux hôtels de San Francisco, la collection de statuettes Lladro qu'elle avait commencée quand Natalie était au collège.

298

Des objets.

Elle monta dans sa chambre. Leur chambre.

Une fois là-haut, certainement qu'elle allait éprouver *quelque chose*. Mais une fois de plus, elle eut l'étrange sensation de se retrouver parmi les vestiges d'une civilisation disparue. Cette chambre était celle d'Annie Colwater, une autre femme.

Sa penderie était pleine de luxueuses toilettes de soie et de cachemire, de jupes de toutes les couleurs et de toutes les longueurs, de chaussures rangées dans des cartons dont l'étiquette annonçait un prix exorbitant.

Elle décrocha le téléphone qui se trouvait sur la table de chevet et écouta la tonalité pendant un long moment. Elle aurait voulu appeler Nick et Izzy, mais elle ne le fit pas, et appela Blake à la place. Elle ne demanda pas à lui parler personnellement mais chargea la secrétaire de lui annoncer qu'elle était rentrée.

Puis elle raccrocha et se laissa tomber lourdement sur le lit.

Bientôt, elle allait revoir Blake. Autrefois, elle aurait immédiatement songé à ce qu'elle allait porter, mais aujourd'hui cela lui était complètement égal. Plus rien de ce que contenait cette vaste penderie ne l'intéressait, tous ces vêtements lui étaient indifférents, comme s'ils avaient appartenu à une autre femme.

Le bureau était à l'image de l'homme qui y officiait : discret, luxueux, et imbu de pouvoir. Des années auparavant, lorsque Blake était encore loin de pouvoir s'offrir un bureau comme celui-là, avec ses baies vitrées et sa vue imprenable sur les gratte-ciel de béton et de verre fumé, il en avait rêvé. Il savait depuis toujours que son bureau serait froid et impersonnel, qu'il ne contiendrait aucun détail accueillant qui semblait vous dire : *Entrez donc, asseyez-vous et racontez-moi vos problèmes*. Ici, le tic-tac de l'horloge murale était censé rappeler au client que chaque minute passée entre ces murs allait lui coûter une fortune.

C'était Annie qui s'était chargée de le décorer. C'était elle qui avait choisi le revêtement mural, les tapis, les sièges. Elle avait dessiné elle-même et fait exécuter le bureau en acajou richement sculpté, ainsi que tous les accessoires de cuir. Partout où il posait les yeux, il la voyait.

Il soupira et se renversa sur son siège. La pile de dossiers qui s'entassait devant lui se brouilla soudain. D'un geste de la main, il repoussa le tas de paperasses qui alla choir sur le sol de marbre.

Depuis l'entrevue qu'il avait eue avec elle dans cet infâme salon de thé de Mystic, il était mal dans sa peau.

Il avait pensé qu'il allait pouvoir lui faire des excuses puis recommencer comme par le passé, sans rien changer à ses vieilles habitudes. Sauf qu'Annie n'était plus la même, et qu'il ne savait que faire ou que dire pour la reconquérir.

L'Interphone qui se trouvait sur son bureau sonna. Il enfonça le bouton avec un geste impatient.

– Oui.

– Votre femme a appelé...

– Passez-la-moi.

– Elle a laissé un message, pour dire qu'elle était rentrée.

Blake n'en croyait pas ses oreilles.

– Annulez tous mes rendez-vous, Mildred. Je serai absent pour le reste de la journée.

Sur quoi il quitta son bureau et sauta dans sa Ferrari, puis quitta le parking sur les chapeaux de roues.

Une fois à la maison, il gravit quatre à quatre les marches du perron et enfonça précipitamment la clé dans la serrure.

Il y avait une pile de bagages au pied de l'escalier.

– Annie ?

Elle se tenait sous la voûte qui séparait le salon de la salle à manger.

Elle était de retour. *Enfin*, tout allait rentrer dans l'ordre.

Il s'approcha d'elle prudemment.

– Annie ?

300

Elle entra dans le salon et alla se poster devant la fenêtre.

– J'ai quelque chose à te dire, Blake.

Cette façon qu'elle avait de ne pas le regarder le mettait mal à l'aise.

Elle était si raide, si volontaire dans son port, rien à voir avec la femme qu'il avait quittée quelques mois auparavant. Il sentit soudain sa gorge se nouer.

– De quoi s'agit-il ?

– Je suis enceinte.

Sa première pensée fut : *Oh ! non, pas encore.* Il n'avait aucune envie d'en repasser par là. Puis il se rappela l'autre homme, l'homme avec qui Annie avait couché, et il en eut le souffle coupé, comme si quelqu'un venait de lui glisser un cube de glace dans le dos.

– De moi ?

Elle soupira.

– Oui, je suis enceinte de trois mois.

Il en resta bouche bée.

– Bon sang, soupira-t-il, un bébé... de-depuis le temps qu'on en voulait un.

Elle se tourna vers lui, un petit sourire hésitant sur les lèvres.

C'était elle, son Annie. Il la retrouvait enfin. Puis soudain il réalisa que c'était le bébé qui la lui avait rendue.

– Un bébé, répéta-t-il, avec le sourire, cette fois. Notre bébé...

– Pendant des années, j'ai cru que le bon Dieu faisait la sourde oreille. En tout cas il ne manque pas d'humour. Il a absolument tenu à ce que j'aborde la ménopause et la maternité en même temps.

– Cette fois, ça va marcher, tu verras, dit-il doucement.

Elle tiqua, et il regretta d'avoir été aussi péremptoire.

– Blake...

Il n'avait pas envie d'entendre ce qu'elle avait à dire.

– Tout ce qui a pu arriver à Mystic est terminé, Annie. C'est notre enfant que tu portes en toi. Notre bébé. Nous voilà redevenus une famille. Je t'en prie, donne-moi une autre chance.

Elle ne répondit pas, mais resta un long moment à contempler la main de Blake posée sur son ventre. Puis, sans sourire, elle détourna les yeux.

« Je t'en prie, donne-moi une autre chance. »

Annie ferma les yeux. Elle songea à toutes les nuits qu'elle avait passées à se morfondre, seule dans son lit, à attendre qu'il lui dise ces mots. Et, maintenant qu'il les lui disait, elle avait l'impression d'entendre des pierres, froides et sans vie, tomber au fond d'un puits.

Et que lui avait-elle dit, il y a trois mois ? *Je n'arrive pas à y croire. Tu ne peux tout de même pas tout effacer d'un coup. Tu as une famille, Blake, une famille.*

— Annie...

— Pas maintenant, dit-elle d'une voix fragile. Pas maintenant.

Elle l'entendit soupirer. Il était déçu, fatigué, elle le connaissait suffisamment pour savoir ce qu'il éprouvait. Il était déconcerté, et fâché ; il ne savait pas perdre, de même qu'il ne savait pas être patient ou silencieux.

— Il va falloir que je reste au lit, comme pour... Adrian, dit-elle. Ce qui veut dire que tu vas devoir faire un effort. Car je ne pourrai pas m'occuper de toi comme par le passé. Désormais, c'est toi qui vas devoir être aux petits soins pour moi.

— Tu peux compter sur moi.

Elle aurait aimé le croire.

— Je sais que je vais avoir du mal à gagner à nouveau ta confiance. Je me suis conduit comme un imbécile.

— C'est le moins qu'on puisse dire.

Il ajouta d'une voix à peine audible :

— Je n'arrive pas à croire que tu ne m'aimes plus...

— Moi non plus, dit-elle doucement, et elle était sincère. Elle l'avait aimé pendant vingt ans. Était-il possible qu'un

302

sentiment aussi fort puisse disparaître du jour au lendemain ?

– J'essaie d'y croire, et je prie le ciel pour que nous puissions nous retrouver un jour. Mais dans l'immédiat, je dois
avouer que je n'éprouve pas grand-chose pour toi.

– Nous nous retrouverons, dit-il avec une assurance qui
la fit grincer des dents.

Il se pencha vers elle.

– Allons dans la chambre.

– Pardon, Blake, mais je crains que tu ne m'aies pas bien
entendue. Je n'ai pas envie de coucher avec toi... et d'ailleurs
le Dr North me l'a déconseillé. Tu te souviens ? Les
contractions.

– Ah, oui, dit-il, l'air soudain dépité. J'avais pensé que
pour une fois, tu aurais pu...

– Ça n'est pas à toi de me dire ce que je dois faire, Blake.
Je ne suis plus la même. Mais j'ai bien peur que tu n'aies
pas changé d'un iota.

– Mais non, ce n'est pas vrai. J'ai changé, moi aussi. Je
regrette ce que j'ai fait et je ne recommencerai plus.

– Espérons-le.

Il s'approcha d'elle.

– Tu disais toujours qu'il n'y a que le premier pas qui
coûte.

Il avait raison, c'était un de ses proverbes favoris. Mais à
présent, ce genre de formule optimiste lui semblait complètement étrangère.

Il attendait visiblement qu'elle réponde quelque chose,
mais voyant qu'elle ne disait rien, il jeta un coup d'œil autour
de lui.

– Bien, dans ce cas, que dirais-tu de regarder la télévision ? Je vais aller faire des pop-corn et du chocolat chaud
– comme au bon vieux temps.

Le bon vieux temps.

À ces mots, sa vie tout entière se mit à défiler devant ses
yeux. Depuis plus de deux mois, elle essayait de redonner
vie à la véritable Annie, et voilà que Blake s'appliquait à

303

l'ensevelir à nouveau sous le sable des vieilles habitudes. Demain, elle savait qu'il lui faudrait faire un effort, un effort sincère pour aller vers Blake, mais pas ce soir. Elle était trop fatiguée.

– Non, merci, dit-elle doucement. Je crois que je vais aller m'allonger un peu. La journée a été rude. Tu peux dormir dans la chambre verte, si tu veux. J'ai changé les draps tout à l'heure.

– Ah, bon. Je croyais que...

– Je sais. Mais il n'en est pas question.

Elle aurait pu rire en voyant sa mine dépitée – mais ça n'avait rien de drôle. Il était son mari, le père de ses enfants, l'homme à qui elle avait juré amour, honneur et fidélité et voilà qu'à présent, ici même dans la maison qu'ils partageaient depuis si longtemps, elle découvrait qu'elle n'avait rien à lui dire.

Ce fut Blake qui alla chercher Natalie à l'aéroport.

Elle le serra très fort dans ses bras puis, jetant un regard autour d'elle, demanda :

– Où est maman ?

– Elle n'a pas pu venir. Je t'expliquerai dans la voiture.

– Tu as pris la Ferrari ?

– Oui, pourquoi ?

– Est-ce que je pourrais conduire ?

Blake fronça les sourcils.

– J'espère que tu plaisantes. Jamais je ne laisse...

– Oh, papa, s'il te plaît. Il y a des mois que je n'ai pas conduit.

– Raison de plus pour t'abstenir.

– Oh, papa, je t'en supplie.

Il imagina la tête que ferait Annie si elle apprenait qu'il avait laissé le volant à Natalie. Lentement, il tira les clés de sa poche et les jeta en l'air. Natalie les rattrapa au vol.

– Allez, viens, papa ! dit-elle, en le saisissant par la main et en l'entraînant vers le parking.

Quelques instants plus tard ils s'installaient dans la voiture de sport et prenaient l'autoroute qui conduisait à la maison.

Comme toujours, quand il était avec sa fille, Blake était mal à l'aise. Il cherchait quelque chose à dire pour rompre le silence inconfortable.

Elle alluma la radio. Un air de hard rock explosa soudain dans les haut-parleurs.

– Baisse-moi ça, veux-tu ? dit-il aussitôt.

Elle éteignit le poste, puis mit son clignotant et s'engagea dans la voie rapide, talonnant un coupé Mercedes noir. Sans laisser à son père le temps de la rabrouer, elle rétrograda et regagna la file de droite.

– Au fait, comment se porte grand-père Hank ?

– Comment veux-tu que je le sache ?

Elle le regarda, stupéfaite.

– Tu n'es pas allé à Mystic ?

Il remua nerveusement sur son siège. Il ne savait trop comment lui présenter les choses. Il aurait préféré que ce soit Annie qui lui raconte l'épisode peu glorieux de leur séparation.

– Je... j'étais trop occupé. J'avais un litige, entre une star du rock et...

– Tu devais être très occupé, en effet, dit-elle les mains crispées sur le volant, en regardant droit devant elle.

– Du boulot par-dessus la tête.

– C'est pour cela que tu ne m'as pas appelée une seule fois, dit-elle sur un ton de reproche.

Il ne sut que répondre.

– Je t'ai envoyé des fleurs chaque vendredi.

– Oui. Tu as pris le temps de demander à ta secrétaire de m'envoyer des fleurs chaque semaine.

Blake soupira. Il ne savait comment dire à sa fille qu'il avait tiré un trait sur sa famille, qu'il avait eu une aventure de quelques mois avec une femme qui n'était pas encore née à l'époque où le président Kennedy avait été assassiné.

Que devait-il lui dire ? La vérité, un mensonge, ou quelque chose entre les deux ?

Annie aurait su quoi dire, elle. Mais en attendant, il fallait qu'il dise quelque chose. Natalie attendait manifestement une explication

– Ta mère... est fâchée avec moi. J'ai fait quelques erreurs et... enfin...

– Vous vous êtes séparés, c'est ça ? dit-elle d'une voix désabusée, sans même le regarder.

Il tiqua.

– Une petite coupure. Mais tout va s'arranger.

– Vraiment ? Personnellement je ne vois pas comment. Tu ne supportes pas d'être à la maison.

Il fit la grimace, surpris de l'entendre tenir de tels propos.

– Mais tu te trompes.

– Je ne crois pas. Est-ce que tu savais que je n'ai aucun souvenir de toi avant le collège ? Pas le moindre.

Il s'enfonça plus profondément dans son siège. Annie et Natalie étaient championnes quand il s'agissait de vous culpabiliser. C'était en partie pour cela qu'il avait toujours cherché à fuir la maison.

– Tout va s'arranger désormais, Natalie. Ta maman... attend un bébé.

– *Un bébé ?* Oh, mon Dieu, et elle ne m'en a pas parlé ? (Elle rit.) Je n'arrive pas à y croire.

– C'est la vérité pourtant. Elle est obligée de garder le lit – comme pour Adrian. Et elle va avoir besoin qu'on s'occupe d'elle.

– Qu'*on* s'occupe d'elle ?

Elle ne dit plus rien, et il fut soulagé de voir qu'elle avait abandonné le sujet de la séparation. Mais très vite le silence recommença à lui peser. Cette petite phrase stupide ne cessait de lui trotter dans la tête. *Je n'ai aucun souvenir de toi.*

Il tourna la tête vers la fenêtre et vit défiler sa vie sous ses yeux. Des années auparavant, quand Natalie n'était encore qu'un bébé, les choses n'étaient pas comme cela entre eux. Elle le regardait avec adoration.

306

Mais quelque part en cours de route, quelque chose s'était brisé, elle avait cessé de croire qu'il était un dieu, et sur le coup il ne s'en était pas préoccupé, il avait d'autres chats à fouetter.

Il n'avait jamais eu beaucoup de temps à lui consacrer. Mais n'était-ce pas là une tâche qui revenait à Annie ? Elle s'occupait toujours de tout, si bien que Blake avait pensé que sa présence n'était pas indispensable. Sa tâche à lui consistait à ramener de l'argent à la maison. Et puis le temps avait passé, et quand il avait réalisé que sa fille ne venait plus jamais le trouver quand elle avait un problème – une dent qui bougeait, un nounours égaré – il était déjà trop tard. Ils étaient devenus des étrangers l'un pour l'autre. Un jour elle n'était encore qu'une fillette haute comme trois pommes et le lendemain elle se rendait toute seule au centre commercial en compagnie de filles qu'il ne connaissait pas.

À bien y réfléchir, lui non plus n'avait pas beaucoup de souvenirs de sa fille. Des instants, oui, des images. Mais des souvenirs, des journées passées ensemble, non.

Annie entendit d'abord un grand cri.

– Mamaaaaan !

Elle se redressa dans le lit et remit de l'ordre dans ses oreillers.

– Je suis ici, Nana chérie !

Natalie entra en trombe dans la chambre et se précipita en riant entre les bras d'Annie. Blake entra quelques instants plus tard et resta debout à côté du lit.

Pour finir, Natalie se recula. Elle avait les larmes aux yeux, mais elle souriait de toutes ses dents.

– Oh, Nana, comme tu m'as manqué, murmura Annie en dévorant sa fille des yeux.

Natalie inclina légèrement la tête et scruta sa mère d'un œil critique.

– Qu'est-ce que tu as fait à tes cheveux ?

– Je les ai coupés.

– C'est super. Maintenant on a l'air de jumelles, toi et moi. (Puis prenant un air faussement affolé :) J'espère que tu ne vas pas t'inscrire à l'université avec moi...

Ce à quoi Annie répondit avec un air faussement contrarié :

– Et moi qui croyais que ça te ferait plaisir. J'avais déjà réservé ma chambre à côté de la tienne.

Natalie roula des yeux étonnés, puis regarda Blake.

– Tu ne vas pas la laisser partir, j'espère ?

Annie regarda Blake qui la regardait lui aussi.

Il fit un pas en avant et posa une main protectrice sur son épaule.

– Je fais de mon mieux pour essayer de la faire rester à la maison.

– Papa m'a dit que tu étais enceinte. (Une petite lueur de tristesse traversa les yeux de Natalie puis disparut.) Pourquoi ne me l'as-tu pas dit ?

Annie caressa tendrement la joue de sa fille.

– Parce que je ne le savais pas, ma chérie.

Natalie sourit de toutes ses dents.

– Je t'ai réclamé une petite sœur pendant seize ans, et voilà que tu m'en fais une juste au moment où je m'en vais à l'université. Merci mille fois.

– Il s'agit d'un accident. Je t'assure. Personnellement, j'ai toujours rêvé d'avoir une famille nombreuse. Mais pas juste au moment où je m'apprête à partir à la retraite.

– Tu n'es pas si vieille que ça. J'ai lu quelque part qu'une femme de soixante ans venait d'avoir un bébé.

– Voilà qui est réconfortant. Et bien entendu, il est hors de question que tu aies un enfant avant que ton frère ou ta sœur n'ait passé son bac. Et j'insiste pour que tu me présentes à ta belle-mère.

Natalie rit.

– Devine quoi, maman. Papa m'a laissé conduire sa Ferrari.

– Quoi ?

– Heureusement que tu n'étais pas là, sans quoi tu

m'aurais obligée à porter un casque et à conduire sur la bande d'arrêt d'urgence – et avec mes feux de détresse, par-dessus le marché.

Annie rit, c'était tellement bon de rire et de plaisanter, de renouer avec leur intimité.

Ils formaient à nouveau une famille.

Blake se pencha vers elle et lui murmura au creux de l'oreille :

– Il arrive que les gens changent, Annie.

Elle prit peur en entendant cette petite phrase toute simple, qui semblait lui promettre le soleil, la lune et les étoiles.

Car elle se sentait en danger face à cet homme qu'elle avait aimé pendant des années, et qui savait toujours quand et comment toucher en elle la corde sensible. Il aurait pu la rendre folle à nouveau. Et si elle n'y prenait pas garde, elle risquait de se faire happer par son ancienne vie, sans émettre le plus petit murmure de protestation. Encore une mère de famille emportée par la tourmente.

25

Comme un vase brisé dont on a soigneusement recollé les morceaux, leur famille éclatée se ressouda avec une surprenante facilité. Tels deux soldats qui se tiennent mutuellement en respect, Blake et Annie négociaient pas à pas une paix qu'ils savaient fragile mais nécessaire.

Habituée depuis vingt ans à une certaine routine, Annie ne tarda pas à retomber dans ses anciennes habitudes. Chaque matin elle se levait de bonne heure, passait un peignoir de soie et se maquillait avec soin afin de masquer ses traits tirés par les nuits sans sommeil.

Chaque lundi, elle dressait la liste des commissions et envoyait Natalie au ravitaillement chez le traiteur le plus proche. Le mardi, elle réglait les factures. Le mercredi elle s'entretenait avec la femme de ménage et le jardinier, et le jeudi Natalie faisait pour elle diverses courses. La maison était une fois de plus parfaitement tenue.

Elle aidait Blake à choisir ses costumes et ses cravates, et lui rappelait quand il devait passer chez le teinturier. Chaque matin, quand il partait au bureau, elle déposait un petit baiser sur sa joue – et chaque soir, elle l'accueillait avec un sourire. Puis il s'asseyait sur son lit et lui racontait brièvement sa journée de travail.

À la vérité, elle n'était pas mécontente de passer ses journées au lit, loin de la morne réalité de son mariage. Quand Blake était au bureau, elle et Natalie en profitaient pour parler, échanger des plaisanteries, évoquer des souvenirs.

C'est ainsi qu'Annie apprit que Blake n'avait pas appelé une seule fois Natalie à Londres.

– Je suis désolée, dit-elle à sa fille déçue et contrariée, bien qu'elle sût qu'elle ne pouvait pas grand-chose pour la consoler.

Annie avait remarqué un changement chez Natalie, une maturité qui n'était pas là jadis. De temps à autre, elle lui faisait une observation qui la laissait sans voix. Comme hier.

Tu t'inquiètes toujours du bonheur des autres, maman, mais tu ne penses jamais à toi.

Ou bien : *Il y a quelques mois tu étais si... différente. Tu avais l'air tellement heureuse.*

Et le plus surprenant de tout : *Est-ce que tu aimes papa ?*

Juste au moment où Annie allait lui répondre instinctivement : *Mais oui, bien sûr que j'aime ton père,* elle avait croisé le regard de Natalie et compris que celle-ci n'était plus une petite fille. Si bien qu'elle lui avait parlé comme à une adulte.

J'ai connu ton père quand j'étais adolescente. Nous sommes en train de traverser une crise, voilà tout.

Il t'aime, avait dit Natalie. *Et il m'aime aussi..., mais il est... tellement froid.*

Ces paroles lui avaient fait venir les larmes aux yeux, car elle savait que Natalie ne saurait jamais ce que c'est que d'avoir un père affectueux.

Contrairement à Izzy.

Elle ferma les yeux et se mit à penser à Nick et à Izzy. Elle les revit en train de jouer à l'Île aux bonbons, ou aux Barbies, sur le tapis du salon, Nick demandant d'une voix de fausset : *Tu as vu mes ballerines bleues ?*

Hier, quand Natalie l'avait accompagnée chez le médecin, Annie s'était soudain sentie très seule, sans mari pour lui tenir la main et rire avec elle dans la salle d'attente. Sans mari pour scruter l'écran noir et crier au miracle.

Sans Nick.

Combien de temps allait-elle pouvoir tenir ainsi ? Allait-elle passer le reste de sa vie à regretter, à se dire que son cœur était ailleurs ?

La première lettre arriva, toute petite et chiffonnée. Le cachet de la poste d'un bleu délavé disait : *Mystic, Wa.*

Annie considéra un long moment l'enveloppe rose avant de la décacheter tout doucement. À l'intérieur il y avait un dessin du mont Olympus, et une lettre d'Izzy.

Ma cher Annie,
Comen ça va ? Moi sa va.
Les fleur son belles. Jai appris a monté a vélo.
Cé drôle.
Tu me menque. Quand esse que tu reuvien ?
Je taime, Izzy.
Ps : mon papa ma aidé a aicrire cette letre.

Annie serra la lettre contre son cœur, dont chaque phrase, chaque faute d'orthographe l'émouvait profondément. Assise dans le lit, elle se mit à regarder le ciel bleu qui s'étirait au-dehors et pria intérieurement pour qu'il se mette à pleuvoir. Il fallait qu'elle réponde à Izzy, mais qu'allait-elle lui dire ? Quelques paroles impersonnelles, qui ne contenaient pas l'ombre d'un espoir, ou une enfilade de banalités pour lui assurer qu'ils resteraient amis. Amis, et rien d'autre...

Seules quelques paroles comptaient, quelques paroles vraies. « Tu me manques, à moi aussi, Izzy, chérie... »

Elle ouvrit le tiroir de la table de nuit et en sortit le ruban de satin que lui avait donné Izzy. Elle se mit à le caresser machinalement. Demain elle allait répondre à Izzy, elle allait remplir une page entière de mots sans importance. Car les mots qu'Izzy voulait entendre, elle ne pouvait pas les lui dire.

Saisissant le téléphone, elle l'appliqua contre son oreille et écouta un long moment la tonalité, puis raccrocha. Elle n'avait pas le droit d'appeler Nick et Izzy, pas le droit de les appeler pour essayer d'oublier sa solitude. *Ne me fais pas ça, Annie,* avait dit Nick, *ne me donne pas de faux espoirs...*

– Maman ? Natalie passa la tête par la porte entrebâillée. Tu te sens bien ?

Annie renifla en détournant les yeux.

Natalie se précipita vers elle et monta dans le lit à côté d'elle.

– Maman ? Tu te sens bien ?

Non, elle aurait voulu répondre : *Non, je ne me sens pas bien. J'aime un autre homme qui a une petite fille, et ils me manquent...*

Mais ça n'était pas le genre de choses qu'une mère pouvait dire à sa fille adolescente, si mûre soit-elle.

– Oui, ça va, ne t'inquiète pas.

Mais Annie avait beau faire, elle n'arrivait pas à se fondre dans le vieux moule du passé. Et plus le temps passait, plus elle voyait l'avenir en noir, comme un nuage de brouillard arrivant lentement dans sa direction et engloutissant tous ses espoirs.

Cet été-là, une vague de chaleur inhabituelle déferla sur la Californie. Les vertes collines de Malibu étaient toutes grillées par le soleil. Les feuilles se desséchaient et tombaient une à une, brunes et cassantes comme du parchemin sur des pelouses entretenues artificiellement.

Pieds nus sur la terrasse de sa chambre, Blake était en train de boire un whisky soda. Il avait fait particulièrement chaud aujourd'hui.

Il avait mal dormi la veille au soir. Depuis qu'il avait fait des excuses à Annie, et découvert que cela lui était indifférent, il n'arrivait plus à dormir.

Elle faisait de gros efforts, il le voyait bien. Chaque matin, elle se maquillait avec soin et choisissait pour s'habiller des couleurs qu'il aimait. Il lui arrivait même de lui frôler la main – d'un petit geste furtif destiné à le mettre à l'aise, mais qui, malheureusement, produisait l'effet inverse. Chaque fois qu'elle le touchait, sa poitrine se serrait, et il se rappelait le bon vieux temps, le temps où elle était souriante et où elle lui passait une main affectueuse dans les cheveux.

Mais elle n'était plus la même, c'était évident. Elle passait ses journées au lit, à broyer du noir. Et quand elle souriait, c'était un petit sourire furtif et cassant, rien à voir avec l'Annie d'avant.

Il avait l'impression qu'elle... comment dire ?... qu'elle disparaissait.

Elle qui était d'un tempérament si gai jadis, elle qui riait tout le temps, plus rien ne l'amusait désormais. Elle était devenue mélancolique et taciturne.

La semaine dernière, il l'avait surprise en train de regarder tomber la pluie en pleurant. Elle tenait un vieux morceau de ruban à la main comme s'il s'était agi d'une relique sacrée.

Il n'en pouvait plus. Il voulait bien faire un effort, mais cette fois, la coupe était pleine.

Posant son verre sur la table, il entra dans la maison et alla frapper à la porte d'Annie.

– Entrez, dit-elle.

Il ouvrit la porte et entra. La chambre était toujours aussi accueillante, avec ses murs et sa moquette bleu océan et son lit blanc.

Annie était au lit, en train de lire un livre intitulé : *Comment ouvrir un petit commerce.* Plusieurs manuels du même genre étaient empilés à côté d'elle.

Allons bon, voilà qu'elle s'est mis en tête de travailler maintenant, songea-t-il.

L'idée ne lui plaisait guère. D'ailleurs elle savait qu'il n'était pas d'accord pour que sa femme travaille. D'autant qu'elle n'était absolument pas qualifiée. Qu'aurait-elle pu faire, à part servir du café et des croissants dans un fast-food ?

Décidément, la femme qui se tenait devant lui était devenue une parfaite étrangère. Rien à voir avec Annie. Il fallait qu'il réagisse avant qu'il ne soit trop tard.

Elle releva le nez de son livre, et il remarqua qu'elle avait de grands cernes noirs sous les yeux et le teint grisâtre. Elle s'était considérablement arrondie au cours du dernier mois, mais curieusement son visage s'était amaigri. Ses cheveux avaient légèrement repoussé et les pointes commençaient à rebiquer.

– Blake ? dit-elle doucement en fermant son livre. Je croyais que le film ne commençait pas avant...

Il alla s'asseoir à côté d'elle et plongea ses yeux dans ses beaux yeux verts.

– Je t'aime, Annie. Je sais que nous pouvons surmonter cette crise... à condition d'y mettre du nôtre.

– Mais c'est ce que nous faisons.

– Où est ta bague ?

Elle désigna le chiffonnier d'un petit signe de tête.

– Dans mon coffret à bijoux.

Il se leva et s'approcha du chiffonnier, puis souleva délicatement le couvercle du coffret qui contenait tous les trésors qu'il lui avait offerts depuis le début de leur mariage. Là, sur un coussin de velours noir, se trouvait le solitaire de trois carats qu'il lui avait offert pour leur dixième anniversaire de mariage. À côté se trouvait l'alliance toute simple qu'ils avaient achetée pour leur mariage. Il sortit les deux bagues du coffret et revint s'asseoir à côté d'Annie.

– Tu te souviens de notre petit séjour à l'hôtel Del Coronado, il y a si longtemps ? Natalie avait à peine...

– Six mois, dit-elle doucement.

– On avait emmené la vieille couverture bleue avec nous, celle dont je me servais à l'université. Et on s'est allongé sur la plage. Il n'y avait que nous trois sur la plage.

Annie sourit presque.

– On s'était baigné, et l'eau était glacée.

– Et toi, tu pataugeais dans l'eau avec Natalie dans tes bras. Tu avais les lèvres bleues et la chair de poule, mais tu riais à gorge déployée. Comme je t'aimais alors ! Chaque fois que je te regardais mon cœur se serrait dans ma poitrine.

Elle baissa les yeux.

– C'était il y a longtemps.

– J'avais trouvé un dollar dans le sable, tu te souviens ? Je te l'ai donné. Et la petite était en train d'essayer de ramper sur la couverture, entre nous.

Annie ferma les yeux, et il se demanda à quoi elle pensait. Est-ce qu'elle se souvenait de ce qu'ils avaient fait ensuite... de la façon dont il n'arrêtait pas de l'embrasser dans la nuque ? *Eh, Godiva*, lui avait-il murmuré à l'oreille. *Il y a un poney-club pas loin...*

Et elle avait répondu dans un rire : *Les bébés ne peuvent pas monter à cheval.*

– Quand est-ce que nous avons cessé de nous amuser, Annie ? Quand ?

Il cherchait à l'émouvoir avec des souvenirs, et à la façon dont elle regardait fixement ses mains pour cacher ses yeux brillants de larmes, il voyait qu'il avait réussi.

Lentement, il lui prit la main et replaça les deux bagues à ses doigts.

– Pardonne-moi, Annie, dit-il doucement.

Elle releva la tête. Une larme roula sur sa joue et tomba sur sa chemise de nuit.

– Je voudrais bien.

– Laisse-moi dormir avec toi cette nuit.

Elle soupira, et mit si longtemps avant de répondre, qu'il finit par perdre espoir.

– D'accord, dit-elle enfin.

Ce qui comptait, c'est qu'elle ait dit oui, songea-t-il, en ignorant l'hésitation dans sa voix, les larmes dans ses yeux et son regard fuyant. Une fois qu'ils auraient dormi ensemble tout rentrerait dans l'ordre.

Il avait envie de la serrer dans ses bras, mais il se retint. Il se leva, se dirigea vers le dressing et passa son pyjama. Puis, très lentement, il s'approcha du lit et se glissa entre les draps de coton blanc. C'était tellement réconfortant de la tenir entre ses bras. C'était comme d'enfiler une bonne paire de pantoufles après une rude journée de travail. Il l'embrassa tout doucement et, comme toujours, elle se laissa faire sans protester. Ensuite il se retourna – comme il le faisait toujours avant de s'endormir – et au bout d'un long moment, elle vint se pelotonner contre lui, son ventre pressé contre ses reins. C'est ainsi qu'ils s'endormaient toujours, sauf que, cette fois, elle ne l'enveloppa pas de son bras.

Ils restèrent ainsi, collés l'un contre l'autre, mais sans se toucher vraiment, dans le lit qui avait abrité leurs ébats amoureux pendant si longtemps. Elle ne lui dit rien, hormis « bonne nuit », et il lui répondit la même chose.

Ce soir-là, il fallut longtemps à Blake avant de s'endormir.

Natalie posa un grand bol de pop-corn au pied du lit d'Annie, puis vint se blottir contre sa mère. On était vendredi après-midi, le jour des filles. Annie, Natalie et Terri passaient tous les vendredis ensemble depuis le retour d'Annie. Elles parlaient, riaient, jouaient aux cartes, et regardaient la télévision.

– J'ai laissé la porte ouverte pour Terri, dit Natalie en prenant le bol de pop-corn et en le posant sur ses genoux.

Annie sourit.

– Ton père serait fou s'il savait. Lui qui voit des criminels partout, embusqués dans les taillis et prêts à bondir à la moindre occasion.

Natalie rit. Elles se mirent à rire et à parler, et à évoquer le passé, l'enfance de Natalie. Annie était surprise de voir à quel point sa fille avait changé. Depuis son retour de Londres elle n'était plus la même. L'adolescente rebelle qui s'était rasé et teint les cheveux en blond platine et qui portait trois anneaux à chaque oreille avait disparu.

– Comment se fait-il que papa ne parle jamais du bébé ?

La question, posée à l'emporte-pièce, prit Annie de court. Elle s'efforçait de ne pas comparer Nick et Blake, mais c'était impossible. Car elle savait que Nick l'aurait accompagnée tout au long de sa grossesse, qu'il aurait regardé son ventre s'arrondir, qu'il lui aurait tenu la main pendant l'amniocentèse, en lui parlant pour lui faire oublier le

317

cathéter... et qu'ils auraient ri ensemble en apprenant que c'était une fille, et en passant en revue des listes de prénoms.

Elle soupira.

– Ton père n'est pas très à l'aise avec ce genre de choses. Il y a beaucoup d'hommes comme cela. Il se sentira mieux quand le bébé sera né.

– Allons, maman, sois réaliste. Papa ne s'intéresse qu'à son boulot. Vous êtes censés essayer de « recoller les morceaux » et il n'est jamais là. Il continue à travailler soixante-dix heures par semaine, à jouer au basket le mardi soir, et à aller au club le vendredi avec ses collègues. Quand est-ce que vous êtes ensemble, toi et lui ? Pendant la météo ?

Annie sourit tristement.

– Quand tu grandiras, tu comprendras mieux. La routine a quelque chose de rassurant.

– Je n'ai pour ainsi dire pas de souvenirs de papa. Est-ce que tu le savais ? Mis à part quelques embrassades et quelques claquements de porte, je ne me souviens de rien. Quand j'entends une voiture démarrer et une porte de garage se fermer, je pense à mon père. Et que se passera-t-il ensuite... quand je serai à l'université ?

Annie frissonna, malgré la chaleur qui régnait dans la chambre. Elle détourna les yeux, incapable de soutenir le regard scrutateur de sa fille.

– Quand tu seras partie, j'aurai un bébé à nourrir et je ne saurai plus où donner de la tête. Après quoi il faudra que je me fasse lifter les seins si je ne veux pas qu'ils me tombent sous le nombril. La routine, quoi.

– Et tu te sentiras seule.

Annie voulait protester. Elle voulait se comporter en adulte responsable et trouver le mot juste pour rassurer Natalie. Mais pour une fois, l'habituel mensonge parental refusa de sortir.

– Peut-être un peu. Mais c'est la vie, Nana, on ne fait pas toujours ce qu'on veut.

– Quand j'étais petite, tu me disais qu'on obtenait toujours ce qu'on voulait dans la vie, à condition de le vouloir

318

vraiment et de se battre pour l'obtenir. Tu me disais qu'après l'orage venait le beau temps.

– C'étaient les mots qu'une mère dit à sa petite fille. Mais te voilà devenue une femme à présent.

Natalie la dévisagea longuement, puis détourna les yeux.

Annie se sentit soudain très loin de sa fille. Quatre ans plus tôt il lui était arrivé la même chose. Du jour au lendemain, Natalie avait changé, au point qu'elles ne tombaient plus d'accord sur rien. Tout ce qu'Annie aimait, Natalie l'avait en horreur. Si bien qu'à Noël, cette année-là, l'atmosphère avait été particulièrement tendue. Chaque fois qu'elle ouvrait un cadeau, Natalie murmurait : *Merci, maman*, en levant les yeux au ciel.

– Nana, que se passe-t-il ?

Natalie se tourna lentement vers sa mère.

– Tu n'es pas obligée de te comporter comme ça, tu sais.

– Que veux-tu dire ?

Natalie secoua la tête et regarda ailleurs.

– Peu importe.

Lentement, la vérité s'imposa à elle, et avec elle, un immense chagrin. Elle commençait à comprendre : le désir de Natalie d'aller étudier la biochimie à Stanford, son brusque départ pour Londres, son refus de sortir pendant plus de deux mois avec le même garçon. Derrière tout cela, il y avait un message : je ne veux pas te ressembler, maman. Je ne veux pas dépendre entièrement d'un homme.

– Je vois, dit Annie.

Natalie se tourna vers elle. Cette fois elle avait les larmes aux yeux.

– Qu'est-ce que tu vois ?

– Peu importe.

– Si, dis-le-moi. Je veux savoir. Tu n'as pas envie de ressembler à ta mère plus tard... et même si ça me fait de la peine... je suis fière de toi, ma fille. Je veux que tu puisses te débrouiller seule dans la vie.

Natalie soupira.

– Jamais tu n'aurais parlé comme ça s'il ne t'avait pas brisé le cœur.

– Je crois que j'ai mûri un peu, moi aussi, ces derniers temps. La vie n'est pas toujours semée de roses.

– Mais tu m'as appris à toujours regarder le bon côté des choses. Est-ce que tu en fais autant, maman ?

– Évidemment, s'empressa-t-elle de mentir.

Mais sa fille n'était pas dupe ; elle posa sur Annie un regard pénétrant.

– Je n'ai pas envie que tu me ressembles, Nana.

Le chagrin se peignit sur les traits de Natalie.

– Je n'ai pas envie d'avoir une vie comme la tienne. Et je ne comprends pas pourquoi tu restes avec lui – je ne l'ai jamais compris. Mais cela ne veut pas dire que je ne veux pas te ressembler. Il n'y a que deux personnes au monde qui ne te respectent pas... à ma connaissance, tout au moins.

Annie regarda sa fille en secouant la tête, comme si elle avait voulu l'empêcher de parler.

– Deux personnes, ajouta Natalie en essuyant promptement une larme qui s'était mise à couler sur sa joue. Papa... et toi.

Et toi. Annie eut brusquement envie de s'enfoncer entre les draps et de disparaître complètement. Elle avait l'impression d'être l'enfant et Natalie la mère.

Juste au moment où elle ouvrait la bouche pour répondre quelque chose – n'importe quoi –, Terri fit irruption dans la chambre à coucher, tel un taureau de corrida, enveloppée de lamé rouge et or.

Hors d'haleine, elle s'arrêta au pied du lit et, posant ses poings sur ses hanches rebondies, jeta un coup d'œil envieux au bol de pop-corn.

– Dites donc, les filles. Où sont mes pop-corn ? Il y en a tout juste assez pour deux coucous comme vous, mais moi il me faut une ration normale. Et avec beaucoup de beurre, s'il vous plaît.

Natalie sourit.

– Bonjour, Terri.

Terri lui rendit son sourire en plissant ses paupières fardées à outrance.

– Bonjour, princesse.

– Je vais faire une autre ration de pop-corn.

– Bonne idée, dit Terri en ôtant le turban en lamé qui lui ceignait la tête.

Puis elle s'assit au bord du lit en soupirant.

– Bon sang, quelle journée ! Désolée d'être en retard.

Annie sourit vaguement.

– Que s'est-il passé ?

– Mon personnage fuit la justice – encore une fois – sauf que, cette fois, elle prend l'avion. (Terri hocha la tête.) Ce qui n'augure rien de bon.

– Et pourquoi cela ?

– Dans les séries télé, il ne peut rien arriver de pire à un personnage, que de monter en avion, ou en voiture. Ça se termine généralement dans un cercueil avec une marche funèbre en musique de fond. S'ils programment le décollage demain, je suis foutue.

– Tu rebondiras.

– Mais oui, très drôle. (Terri se leva et contourna le lit pour s'asseoir à côté de Annie.) Eh bien, fillette, comment se porte notre petit ?

Annie jeta un coup d'œil à son ventre.

– Plutôt bien.

– Sache que ma patience a des limites.

– Que veux-tu dire ?

Terri braqua sur elle un regard impitoyable.

– Tu le sais parfaitement.

Annie soupira.

– Nick ?

– Évidemment. Mais, comme je te l'ai dit, ma patience a des limites. J'en ai assez de tes cachotteries. Avoue ! Est-ce que tu l'as appelé ?

– Bien sûr que non.

– Et pourquoi pas ?

– Arrête, Terri.

– Ah, oui, j'oubliais, l'honneur. On en entend parler, mais on n'en voit guère la couleur en Californie. Et dans les séries télé encore moins. Mais est-ce que tu l'aimes ?

– Je n'ai pas envie d'en parler.

– Ça n'est pas à une vieille guenon comme moi que tu vas apprendre à faire la grimace. J'ai eu plus d'amants que Liz Taylor et Madonna réunies. Tu l'aimes, oui ou non ?

– Oui, murmura-t-elle, en croisant les bras, puis elle le regretta aussitôt. Mais ça me passera. Il faut que ça me passe. Blake fait de gros efforts pour essayer de recoller les morceaux. Pour l'instant tout n'est pas rose mais... ça devrait s'arranger.

Terri lui décocha un sourire morose.

– J'espère pour toi que ça va s'arranger, Annie. Mais en ce qui me concerne, quand l'amour n'est plus là, c'est fini, et toutes les simagrées de la terre n'y changeront rien.

– Change rien à quoi ? demanda soudain Natalie qui arrivait avec le bol de pop-corn et une bouteille d'eau minérale.

– Rien, chérie, dit doucement Annie.

Natalie sortit une cassette vidéo de derrière son dos.

– J'ai loué ça pour nous, dit-elle en insérant la cassette dans le magnétoscope puis en venant s'asseoir à côté de Terri sur le lit.

Terri saisit une pleine poignée de pop-corn.

– C'est quoi, comme film ?

– *Même heure, l'année prochaine.*

– Ah, le film de Robert Mulligan ? dit Terri avec un regard appuyé à Annie. J'ai toujours trouvé ça délirant, cette histoire d'amants qui se retrouvent une fois l'an. Le mari d'Ellen Burstyn est probablement le dernier des salopards – le genre obsédé du boulot avec une moralité de chat de gouttière. Il trompe Ellen à tour de bras et ensuite il vient la supplier de le reprendre, le rat. Et comme cette pauvre Ellen est une poire de première, elle le reprend et fait comme si tout allait pour le mieux dans le meilleur des mondes. Ce qui ne l'empêche pas d'aller retrouver son amoureux en douce, un week-end par an, sur la côte de l'Oregon. Mouais, ça me plaît assez comme idée.

— Chhut ! dit Natalie. Ça commence.

Annie détourna les yeux, en s'efforçant de refouler la nostalgie qui s'emparait d'elle. Mais dès que le générique commença à défiler, elle se sentit happée par les souvenirs.

26

Nick survivait tant bien que mal. Au jour le jour. Chaque soir, il allait méditer au bord du lac, là où le souvenir d'Annie était le plus fort. Parfois, elle lui manquait tellement qu'il éprouvait une oppression douloureuse dans la poitrine. Ces soirs-là, la tentation de l'alcool était particulièrement forte, mais il tenait bon.

Grâce à Annie il avait repris en main les rênes de sa propre existence. Il avait repris le travail et cela l'aidait à maintenir la tête hors de l'eau.

Il s'occupait de jeunes comme Gina, qui continuait à se battre contre les vieux démons de la drogue et de l'autodestruction et à qui les autres gosses menaient la vie dure. Les « enfants bien » la rejetaient parce qu'elle n'était pas comme eux, et les « vauriens » cherchaient par tous les moyens à l'attirer à nouveau dans la drogue et la délinquance. Mais tout comme Nick, Gina tenait bon. Elle était retournée vivre chez ses parents, s'efforçant de renouer les liens qu'elle avait rompus avec sa famille. Le mois dernier elle était revenue au lycée.

Et puis il y avait Izzy, qui accueillait Nick chaque soir, avec un sourire et un dessin ou une chanson. Ils étaient devenus inséparables. Comme les doigts de la main. Et Nick faisait tout ce qu'il pouvait pour mériter la confiance de sa fille.

Chaque soir, sitôt son service terminé, il allait chercher Izzy à l'école et ils passaient ensuite la soirée ensemble.

Ce soir, ils avaient dîné sous la véranda (des lasagnes et de la salade achetées chez Vittorio), puis ils avaient fait la vaisselle ensemble.

À présent, assis en tailleur, Nick étudiait l'échiquier de l'Île aux bonbons. Il y avait trois pions dans la boîte, un rouge, un vert et un bleu.

Mais nous ne sommes que deux, Izzy, avait-il dit quand Izzy avait sorti les trois pions.

Celui-là, c'est pour Annie, papa.

Nick vit la tristesse se peindre sur le visage d'Izzy lorsque celle-ci fit avancer le pion bleu d'Annie sur l'échiquier.

– Viens ici, dit-il soudain.

Elle s'approcha à quatre pattes et s'assit sur ses genoux. Il l'observa un moment en silence. Les mots se nouaient dans sa gorge ; comment pouvait-il lui dire de renoncer à ses rêves ?

– Elle va revenir, papa, dit Izzy sur un ton péremptoire.

Il lui caressa les cheveux.

– Je sais qu'elle te manque, chérie, mais il ne faut pas attendre qu'elle revienne. Elle a une vie à elle. Et nous avons eu de la chance de l'avoir avec nous pendant si longtemps.

Izzy se renversa entre les bras de son père et déclara :

– Tu te trompes, papa. Elle va revenir. Ne sois pas triste.

Triste. Juste un petit mot, à peine un murmure, qui ne pouvait pas décrire l'océan de souffrance qu'Annie avait laissé derrière elle.

– Je t'aime, Izzy jolie, chuchota-t-il.

Elle déposa un baiser sur sa joue.

– Moi aussi, papa, je t'aime.

Il considéra longuement sa petite fille dans son pyjama rose, avec ses cheveux noirs encore humides tire-bouchonnant autour de sa figure, et ses grands yeux bruns pleins d'espoir, et remercia intérieurement Annie de ce qu'elle avait fait pour lui.

Il faisait frais le lendemain matin, une promesse d'automne flottait dans l'air. Les fleurs commençaient à faner et le jaune et l'écarlate avaient remplacé les couleurs vibrantes de l'été. Le ciel chargé de nuages jetait des ombres sur le petit cimetière de Mystic.

À chaque pas qu'il faisait, Nick sentait son estomac se nouer et, lorsqu'il atteignit enfin la tombe de Kathy, sa gorge se serra et une soudaine envie de boire s'empara de lui.

Ses yeux tombèrent sur l'inscription figurant sur la pierre tombale : *Kathleen Marie Delacroix. Épouse et mère bien-aimée.*

Il soupira. Ces mots étaient censés résumer toute sa vie, mais comment pouvait-on résumer la vie d'une personne en quelques mots gravés sur une plaque de granit ?

Il regarda Izzy et dit :

– Il y a longtemps que j'aurais dû t'amener ici.

Plongeant une main dans sa poche, Izzy en ressortit un morceau de papier tout chiffonné. La veille, quand il lui avait dit où il allait l'emmener le lendemain, Izzy avait pris une feuille de papier et des crayons de couleur et était allée s'enfermer dans sa chambre. Plus tard, elle en était ressortie avec un dessin de la fleur préférée de sa mère. *Papa, je vais lui donner ça. Comme ça elle saura que je lui ai rendu visite.*

Il avait hoché la tête solennellement.

La fillette alla s'asseoir sur un banc tout proche et se mit à regarder la tombe tout en lissant avec la main la feuille de papier qui se trouvait sur ses genoux.

– Papa a dit que je pouvais te parler, maman. Est-ce que tu m'entends ? (Elle inspira par petites saccades.) Tu me manques, maman.

Nick baissa la tête.

– Salut, Kath.

Il attendit sa réponse mais rien ne se produisit, naturellement, hormis le chuchotement du vent dans les cyprès, et les trilles d'un oiseau.

Cet endroit avait si peu à voir avec Kathy. C'est pour cette raison qu'il n'avait jamais remis les pieds au cimetière depuis l'enterrement. Il ne pouvait pas se faire à l'idée que sa femme reposait sous ce gazon parfaitement entretenu, elle qui avait eu si peur du noir et de la solitude de son vivant...

Il tendit la main et, avec le doigt, se mit à tracer son nom gravé dans la pierre.

– Je suis venu te dire adieu, Kathy, murmura-t-il en fermant les paupières pour contenir le picotement des larmes.

Sa voix se brisa soudain l'empêchant de poursuivre à haute voix. *Je t'ai aimée depuis toujours, et je sais que tu m'as aimé, toi aussi. Ce... ce que tu as fait, tu l'as fait pour une autre raison, une raison que je ne comprends pas. Je suis venu te dire que je t'avais pardonné. Nous avons fait de notre mieux...*

Il effleura à nouveau la tombe de la main, et cette fois – l'espace d'un court instant semblable à un battement d'ailes – il éprouva une sensation de chaleur au bout des doigts, et il imagina Kathy à côté de lui, ses cheveux blonds ruisselant de soleil, ses yeux bleus plissés par un sourire, comme le jour de la naissance d'Izzy. Il la revoyait assise dans son lit d'hôpital, les cheveux défaits, les traits tirés par la fatigue, sa chemise de nuit rose boutonnée de travers. Jamais elle ne lui avait paru aussi belle, et quand elle avait regardé le bébé qui dormait entre ses bras, elle s'était mise à pleurer doucement. « Isabella », avait-elle dit en levant les yeux vers Nick.

– Est-ce qu'on pourrait l'appeler Isabella ?

Puis, sans cesser de le regarder avec ses yeux pleins de larmes, elle avait ajouté :

– Tu prendras toujours bien soin d'elle, n'est-ce pas Nicky ? comme si elle avait déjà su ce qui allait se passer.

Mais savait-elle qu'il l'aimait, qu'il l'avait toujours aimée et qu'il l'aimerait toujours ? Elle était une partie de lui-même, et parfois, même encore aujourd'hui, il entendait son rire dans le murmure du vent. La semaine dernière, en voyant les cygnes blancs qui glissaient sur le lac, il avait pensé : *Les revoilà, Kath... ils sont de retour...*

Izzy glissa sa petite main dans la sienne.

– T'en fais pas, papa. Elle le sait.

Il la prit dans ses bras et la serra contre son cœur. *Il me reste notre fille, Kath – la meilleure partie de nous-mêmes – et j'en prendrai soin jusqu'au bout.*

Ils déposèrent une gerbe de chrysanthèmes sur la tombe puis s'en retournèrent à la maison.

– Je vais aller faire un tour dans le jardin, dit Izzy dès qu'ils s'engagèrent dans l'allée.

– Ne tarde pas trop. J'ai l'impression qu'il va pleuvoir.

Elle hocha la tête et descendit de voiture, puis fila tout droit en direction de la barrière. Nick ferma la portière et se dirigea vers la maison. Il n'avait pas atteint la véranda que la pluie commençait à tomber.

– Papa, papa, viens voir, papa !

Il se retourna et vit Izzy debout à côté du cerisier qu'ils avaient planté l'année passée. Izzy sautillait nerveusement d'une jambe sur l'autre en agitant les bras.

Il accourut vers elle à toutes jambes. Elle l'accueillit avec un grand sourire, le visage ruisselant de pluie.

– Regarde, papa.

Nick regarda l'endroit qu'elle désignait du doigt. Lentement il se laissa tomber à genoux dans l'herbe humide.

Une fleur, une unique fleur rose sublime avait fleuri sur le cerisier.

L'automne avait redonné un peu de couleur à la Californie. L'herbe jaunie par le soleil commençait à reverdir. Le ciel gris, balayé par les brises de septembre, retrouvait son bleu printanier. Le bourdonnement lointain des taille-haies emplissait l'air.

C'était la saison des contrastes violents : aux journées chaudes et ensoleillées succédaient des nuits froides et remplies d'étoiles. Les tee-shirts d'été avaient regagné le fond des placards pour être remplacés par des pulls à col roulé. Les oiseaux commençaient à émigrer, laissant derrière eux des nids défaits. Et tandis que la bise dépouillait les arbres de leurs dernières feuilles, les Californiens, habitués aux tenues légères, commençaient à grelotter. Parfois, plusieurs minutes s'écoulaient sans qu'une seule voiture ne prenne la direction de la plage. Les touristes avaient déserté les carrefours, et seuls les plus courageux d'entre eux osaient encore affronter la fraîcheur mordante des eaux du Pacifique. Il en allait de même pour la cohue des surfers qui se comptaient désormais sur les doigts de la main.

L'heure était venue pour l'oiseau de quitter le nid. Mais après dix-sept ans ça n'était pas facile de le regarder partir.

– Maman ? dit Natalie en passant la tête dans l'embrasure de la porte.

– Nana, répondit-elle, en s'efforçant de mettre un peu de gaieté dans sa voix. Entre.

Natalie entra et vint s'allonger sur le lit à côté de sa mère.

– Je n'arrive pas à croire que je vais m'en aller.

Annie passa un bras autour des épaules de sa fille. Elle n'arrivait pas à croire que cette superbe créature était le bébé haut comme trois pommes qu'elle avait emmené faire du ski à Mammoth Mountain... ou la fillette qui se glissait dans le lit de ses parents quand elle avait fait un cauchemar.

Dix-sept ans avaient passé. Beaucoup trop vite...

Machinalement, Annie se mit à caresser les cheveux blonds de sa fille. Elle se préparait depuis longtemps à cette séparation, et pourtant elle ne se sentait pas prête.

– Est-ce que je t'ai déjà dit que j'étais fière de toi ?

– Un milliard de fois seulement.

Natalie se blottit contre sa mère et posa une main sur son ventre.

– Comment s'est passée la dernière échographie ?

– Bien. Le bébé est en parfaite santé, sois sans crainte.

– Elle a de la chance d'avoir une mère comme toi, dit Natalie, avant d'ajouter : Qu'est-ce que tu vas faire quand je serai partie ?

Partie. Un mot terrible, dur, sans appel. Un mot comme *mort*, ou *divorce*. Annie avala sa salive avec difficulté.

– Je vais penser à toi.

– Tu te souviens quand j'étais petite... tu me demandais toujours ce que je voulais faire quand je serais grande ?

– Oui, je m'en souviens.

– Et toi, maman ? Qu'est-ce que tu disais à grand-père Hank quand il te posait la question ?

Annie soupira. Comment pouvait-elle lui expliquer que Hank ne lui avait jamais posé cette question ? Hank était un père de la vieille école, qui avait inculqué à sa fille que le rôle de la femme consistait à seconder les hommes. On lui avait appris, et il croyait dur comme fer, que les filles n'avaient pas de rêves d'avenir – que les rêves étaient réservés aux garçons, qui en grandissant se lançaient dans les affaires et ramenaient de l'argent à la maison.

Annie avait commis tant d'erreurs, le plus souvent parce qu'elle n'avait pas su choisir entre deux modèles. Mais à présent, elle savait qu'on ne pouvait pas vivre sans courir de risques, et que ceux qui menaient une existence paisible et routinière étaient ceux qui n'avaient pas eu d'ambition au départ.

Annie avait découvert qu'elle avait une ambition dans la vie. Et elle était prête à prendre le risque. Elle se tourna vers sa fille et dit :

– Quand j'étais à Mystic, j'ai songé à ouvrir une librairie. Il y a une vieille maison victorienne dans la Grand-Rue, elle conviendrait tout à fait et elle est à louer.

– C'est pour cela que tu as toujours le nez fourré dans des manuels de commerce depuis quelque temps ?

Annie réprima un sourire en hochant la tête. Elle avait l'impression d'être une petite fille qui vient de montrer son trésor le plus cher à sa meilleure amie.

– Oui.

Un grand sourire s'épanouit lentement sur les lèvres de Natalie.

– Excellent, maman. C'est exactement ce qu'il te faut. Tu pourrais faire la pige aux libraires de Malibu. Et je pourrais venir te donner un coup de main l'été.

Annie détourna les yeux. Cela ne faisait pas partie de son rêve, pas ici, à Malibu, sous l'œil méfiant et critique de son mari. Elle entendait déjà ses commentaires...

Tout le contraire de Nick.

On frappa à la porte.

Annie se raidit. *C'est l'heure.*

– Entrez, cria-t-elle.

Blake entra dans la chambre, vêtu d'un costume noir très élégant et le sourire aux lèvres.

– Natalie est prête ? Mme Peterson et Sally sont venues la chercher.

Annie eut un petit rire forcé.

– Et moi qui me voyais déjà portant avec toi tes valises jusqu'au dortoir et t'aidant à déballer tes affaires. J'aurais aimé être certaine que tu ne vas manquer de rien avant de commencer les cours.

– C'est ça, et moi, j'aurais été obligée de faire appel aux vigiles pour qu'ils t'expulsent, dit Natalie en riant.

Puis son rire se transforma soudain en larmes.

Annie la prit dans ses bras.

– Tu vas me manquer, ma chérie.

Natalie s'agrippa à elle en murmurant :

– N'oublie pas. Pense à ta librairie quand je serai partie.

Annie caressa la joue de Natalie, et plongea ses yeux dans ses beaux yeux bleus.

– Au revoir, Nana-Banana, murmura-t-elle.

– Je t'aime, maman.

Ça n'était pas une voix de petite fille qui avait prononcé ces mots, mais la voix d'une jeune femme prête à prendre son envol. Un sourire tremblant sur les lèvres, Natalie se releva, puis elle adressa un petit sourire à son père et dit :

– Bon. Tu m'accompagnes jusqu'à la porte, papa ?

Annie les regarda partir, puis regarda la porte se refermer tout doucement derrière eux avec un petit claquement sec. À son grand étonnement, elle ne pleura pas.

Les premières contractions arrivèrent au début du mois de novembre. Annie se réveilla en pleine nuit, le ventre en feu. La deuxième contraction fut si violente qu'elle lui coupa le souffle.

– Oh... mon Dieu !

Elle se plia en deux et attendit que la douleur passe. Puis elle rejeta les couvertures et se hissa péniblement hors du lit. Elle voulut crier, mais une nouvelle contraction lui coupa le souffle, réduisant sa voix à un murmure.

– Blake...

Il se redressa d'un bond dans le lit.

– Annie ?

– C'est trop tôt... souffla-t-elle d'une voix rauque, en s'agrippant à sa manche de pyjama.

– Doux Jésus.

Bondissant hors du lit, Blake s'empara des affaires empilées sur une chaise. Quelques minutes plus tard, il installait Annie à bord de la voiture et ils fonçaient à la maternité.

– Tiens bon, Annie. Encore quelques minutes, dit-il en jetant un regard inquiet à sa femme.

Elle ferma les yeux, en serrant les paupières. *Imagine que tu es sur une plage de sable fin.*

Encore une contraction.

– Oh, non, murmura-t-elle.

Elle n'y arriverait pas, la douleur était beaucoup trop vive. Elle avait l'impression qu'une pointe de fer rouge lui transperçait l'abdomen. *Son bébé.* Elle saisit son ventre à deux mains.

– Tiens bon, bébé... tiens bon.

Mais le souvenir d'Adrian lui revenait sans cesse, le minuscule Adrian relié à des dizaines de machines, puis enseveli sous terre dans un cercueil de la taille d'une boîte à pain...

Oh, non, mon Dieu, non, pria-t-elle en silence.

Blake faisait les cent pas dans la salle d'attente ; il avait l'impression d'étouffer. À chaque instant il regardait l'horloge ou se mettait à feuilleter des magazines stupides qui racontaient la vie des célébrités.

Il revoyait Annie transportée d'urgence à la salle d'opération, les yeux écarquillés par la terreur, la voix brisée par l'émotion, et gémissant : *C'est trop tôt, c'est trop tôt.*

D'un seul coup, en la voyant s'éloigner sur le chariot, sa vie tout entière s'était mise à défiler sous ses yeux, les bons moments, comme les mauvais. Il avait revu Annie sous les traits d'une jeune étudiante puis sous ceux d'une mère de trente-neuf ans.

— Monsieur Colwater ?

Il fit volte-face et vit le Dr North qui se tenait sur le pas de la porte, un sourire fatigué sur les lèvres.

— L'enfant est...

— Comment va Annie ?

Le Dr North fronça les sourcils.

— Votre femme dort. Vous pouvez aller la voir si vous le voulez.

Il laissa échapper un long soupir de soulagement.

— Dieu merci. Allons-y.

Il suivit le Dr North jusqu'à la porte d'une chambre individuelle.

La pièce était plongée dans une pénombre bleutée. Le lit étroit muni de garde-fou métalliques occupait un coin d'un box en forme de L. Sur la table de chevet se trouvaient un téléphone et un pichet de plastique bleu portant le numéro de la chambre – comme si quelqu'un avait eu l'intention de le faucher. Des goutte-à-goutte étaient disposés de chaque côté du lit comme deux vautours, munis de poches transparentes et de cathéters reliés aux poignets blêmes d'Annie.

En la voyant ainsi si petite et frêle dans ce lit d'hôpital, de sombres pensées se mirent à l'assaillir.

— Quand va-t-elle se réveiller ? demanda-t-il.

— Dans peu de temps.

Blake ne se sentait pas la force de bouger. Il était hanté par l'idée qu'il avait failli la perdre.

Prenant une chaise, il s'assit à côté du lit où reposait la

femme qui avait été son épouse pendant près de vingt ans. Le Dr North dit quelque chose – qu'il n'entendit pas – puis quitta la chambre.

Au bout d'un long moment elle finit par ouvrir les yeux.

– Blake ?

Il releva brusquement la tête. Elle s'était assise dans le lit et le regardait.

– Annie, murmura-t-il, en lui prenant la main.

– Mon bébé. Où est notre petite fille ?

Zut. Il avait oublié de demander.

– Je vais aller demander au médecin, dit-il en s'élançant dans le couloir.

Quelques instants plus tard, il revenait avec le Dr North.

À l'entrée du médecin, Annie se redressa. Elle essayait désespérément de ne pas pleurer.

– Bonjour, docteur, dit-elle en avalant sa salive avec difficulté.

Le Dr North s'approcha d'Annie et lui prit la main.

– Votre fille est vivante, Annie. Elle a été placée en couveuse. Il y a eu quelques complications. Elle pèse à peine deux kilos et nous sommes inquiets pour son développement mental...

– Elle est vivante ?

Dr North hocha la tête.

– Elle n'est pas encore complètement tirée d'affaire, la pauvre chérie, mais elle est vivante. Vous voulez la voir ?

Annie posa une main sur sa bouche pour étouffer un sanglot et hocha la tête.

Blake aida le médecin à faire asseoir Annie dans un fauteuil roulant puis suivit les deux femmes jusqu'à l'unité de soins intensifs.

Assise à côté de la couveuse, Annie regardait son bébé à travers les parois de plastique transparent. Des dizaines de sondes et de cathéters étaient reliés à ses petits bras rouges.

Blake s'approcha d'elle et lui posa une main sur l'épaule.

– J'aimerais l'appeler Kathleen Sarah, dit-elle. Est-ce que tu es d'accord ?

– Mais, oui, bien sûr, dit-il en évitant de regarder la couveuse. Je vais aller chercher une bricole à manger.

– Tu ne veux pas rester ici, avec nous ?

– Je... je ne peux pas, dit-il, sans regarder le bébé.

Le cœur d'Annie se serra dans sa poitrine. Blake n'était décidément pas l'homme des situations tragiques. Il ne l'avait jamais été. Une fois de plus, elle allait devoir faire face seule. Elle hocha la tête d'un air résigné.

– Va te chercher quelque chose à manger, si tu veux, mais moi je n'ai pas faim. Oh, et puis appelle Hank et Natalie, s'il te plaît. Il faut les prévenir.

– D'accord.

Lorsqu'il fut parti, elle glissa la main dans la petite ouverture stérile ménagée dans la paroi de la couveuse et prit la main de son bébé dans la sienne. Elle ne pouvait s'empêcher de penser à Adrian. Pendant quatre jours, elle était restée à son chevet, dans une pièce exactement comme celle-là, à prier et à pleurer toutes les larmes de son corps, en vain.

La main de Katie était si petite et si fragile. Annie glissa ses doigts autour du minuscule poignet. Pendant près d'une heure, elle se mit à parler, espérant que le son familier de sa voix rassurerait sa petite fille, lui ferait comprendre que dans ce monde tout neuf, plein de lumière, d'aiguilles et d'insufflateurs, elle n'était pas seule.

Quelques instants plus tard les infirmières vinrent chercher Annie. Celle-ci essaya de protester, de leur dire qu'elle ne pourrait pas manger ou dormir tant que son bébé ne serait pas tiré d'affaire.

Puis au bout d'un moment elle finit par se laisser convaincre de regagner sa chambre. Elle appela Stanford, et parla à Natalie qui avait retenu son billet d'avion pour vendredi soir. Puis elle appela Hank et Terri.

Dès qu'elle eut raccroché, Annie sentit ses forces la quitter. Elle ne cessait de penser à son bébé, à ses jambes et ses poings minuscules. La douleur qui lui étreignait la poitrine était si forte qu'elle se demanda si son cœur n'allait pas lâcher.

Soudain, la sonnerie du téléphone retentit, la tirant de ses sombres pensées. Clignant des yeux, elle décrocha.

– Allô ?

– Annie ? C'est, moi, Nick. Ta copine Terri m'a appelé...

– Nick ?

Elle prononça son nom, rien de plus, et soudain elle sentit que les vannes s'ouvraient d'un seul coup.

– Terri t'a dit, au... au sujet du bébé ? Ma petite fille... oh, Nick... elle se mit à sangloter. Elle ne pèse que deux kilos. Ses poumons sont trop petits pour qu'elle puisse respirer. Oh, si tu la voyais, avec toutes ces aiguilles...

– Où es-tu ?

– À la maternité de Beverly Hills, mais...

– J'arrive.

Elle ferma les yeux.

– Non, c'est inutile. Je vais très bien et... Blake est là.

Il y eut un long silence ponctué de grésillements, puis Nick dit :

– Tu es plus forte que tu ne le crois. Tu t'en remettras, quoi qu'il arrive, tu t'en remettras, ne l'oublie jamais.

Elle faillit lui dire : *Je t'aime, Nick*, mais elle se retint au dernier moment.

– Merci.

– Je t'aime, Annie Bourne.

En entendant ces mots, dits avec une telle gentillesse, elle se rappela soudain qu'elle avait perdu quelque chose et faillit éclater à nouveau en larmes. *Colwater*, eut-elle envie de dire. *Je m'appelle Annie Colwater, et tu aimes une femme qui est en train de disparaître*. Mais à la place elle se força à sourire, un petit sourire fatigué et sans joie, et murmura :

– Merci, Nick. Merci. Dis à Izzy que je l'appellerai dans quelques jours, quand... quand je serai fixée.

– On va prier pour toi... pour vous tous, dit-il enfin. Elle soupira, et sentit les larmes qui recommençaient à couler.

– Au revoir, Nick.

27

Malgré l'heure tardive Annie n'arrivait pas à dormir. Bien que ne faisant officiellement plus partie des patientes de la maternité, le personnel avait mis une chambre à sa disposition afin qu'elle puisse rester avec Katie.

Elle avait passé des heures assise à côté de la couveuse, à lire, à chantonner, à prier. On lui avait tiré du lait, mais quand elle avait vu le liquide crémeux, elle s'était demandé si son bébé aurait jamais la chance de le boire, ou même une chance de grandir suffisamment pour pouvoir sortir de la couveuse stérile, une chance d'aller un jour à l'école et de faire des câlins à sa maman...

On va s'en sortir, se disait-elle pour se donner du courage en rejetant les épaules en arrière, mais chaque fois que le moniteur se mettait à bourdonner, Annie songeait : *Ça y est, c'est la fin, elle ne respire plus.*

Blake avait essayé de lui venir en aide, à sa façon, mais en pure perte. Il avait beau lui répéter : *Tu verras, elle va s'en sortir*, il avait l'air soucieux.

Si bien qu'Annie s'était sentie soulagée lorsqu'il avait quitté l'hôpital.

Je ne peux pas rester ici, c'est plus fort que moi, avait-il dit.

Tant pis, lui avait-elle répondu dans la chambre silencieuse.

Il avait essayé de prendre la chose à la légère. *Tu ne vas tout de même pas me demander de dormir sur une chaise pour te prouver mon amour ?*

Non, bien sûr, avait-elle répondu, tout en sachant que c'était un mensonge. *Va chercher Natalie. Son avion arrive à neuf heures.*

Et naturellement, il s'était empressé de sauter sur l'occasion. Il aurait fait n'importe quoi plutôt que de rester ici, dans cet hôpital froid et impersonnel aux côtés d'une épouse éplorée.

Elle sortit du lit et s'approcha lentement de la fenêtre. Elle pressa son front contre la vitre froide. En bas, l'aire de stationnement s'étirait, immense et grise, ponctuée çà et là de silhouettes de voitures.

Juste au moment où elle regagnait son lit, le téléphone sonna. Elle décrocha.

— Allô ?

— Annie ? C'est moi, Nick.

— Nick, dit-elle dans un murmure.

— Je me suis dit que tu avais peut-être besoin de moi.

Des paroles toutes simples et banales, mais qui lui réchauffèrent le cœur. Toute sa vie durant, elle avait appris à faire face seule, à se montrer forte et courageuse, et jusqu'à ce jour elle n'avait jamais réalisé à quel point elle avait besoin elle aussi d'être réconfortée.

— Comment va le bébé ? demanda-t-il.

Elle se passa une main tremblante dans les cheveux.

— Elle se débat avec la mort. Les médecins disent qu'elle s'en sortira si... si elle arrive à tenir encore quelques semaines... (Elle se remit à pleurer, en silence.) Excuse-moi, Nick. Je suis fatiguée et à bout de nerfs. Je passe mon temps à pleurer.

— Tu veux que je te raconte une histoire ?

Elle ne demandait que ça, se laisser emporter loin de la réalité, sur les ailes de sa voix réconfortante.

— Oui, s'il te plaît.

— C'est l'histoire d'un homme qui est né dans la misère, un gosse qui se nourrissait de ce qu'il trouvait dans les poubelles et qui dormait sur la banquette arrière d'une vieille Ford Impala. Quand sa mère est morte, la vie a donné sa chance à ce gosse, et il est allé s'installer dans une petite bourgade miteuse dont il n'avait jamais entendu parler, et où personne ne connaissait rien de son misérable passé. Il

338

est allé au lycée là-bas, et il est tombé amoureux de deux filles. L'une était le soleil, et l'autre la lune. Il était jeune, alors il a essayé de décrocher la lune, en pensant que c'était un endroit sûr et tranquille – car il savait que s'il essayait de décrocher le soleil il se brûlerait les ailes. Quand sa femme est morte, il a perdu son âme. Il a tourné le dos à sa fille et à ses rêves, et il s'est roulé en boule au fond d'une bouteille de whisky. Tout ce qu'il voulait c'était mourir, mais il n'avait pas assez de courage pour ça.

– Nick, je t'en prie...

– Alors ce pochard a attendu que quelqu'un survienne qui l'aide à en finir. Quelqu'un qui aurait pris son enfant. Et ainsi il aurait trouvé le courage de se faire sauter la cervelle. Seulement rien de tout cela n'est arrivé, car une fée est entrée dans sa vie. Il se souvient encore du jour où elle est arrivée. Il venait juste de commencer à pleuvoir et le lac était aussi immobile qu'un miroir.

– Nick, je t'en prie...

– Et en entrant dans sa vie, cette femme l'a métamorphosé et l'a obligé à donner le meilleur de lui-même. Grâce à elle il a arrêté de boire, et petit à petit il a repris son rôle de parent, et puis il est tombé amoureux – pour la seconde et dernière fois de sa vie.

– Arrête, Nick, je t'en supplie, murmura-t-elle d'une voix brisée par l'émotion.

– Je voulais simplement te dire que tu n'es pas seule. L'amour est plus fort que la tragédie, c'est lui qui nous montre la voie, Annie. C'est toi qui me l'as appris, et maintenant, c'est à mon tour de te le rappeler.

Pour Annie, les heures et les jours se succédaient, confus, et monotones, au chevet de la couveuse. Le personnel de l'hôpital avait mis une nouvelle chambre à sa disposition, de façon qu'elle soit tout près de Katie, mais le soir venu, allongée dans son petit lit étroit, elle se sentait seule, à des milliers de kilomètres des gens qu'elle aimait.

Elle se raccrochait à de petites choses pour essayer de tromper sa solitude : Natalie passait la semaine à l'université et venait lui rendre visite les week-ends, Hank venait chaque jour à l'hôpital, jamais à heures fixes. Terri et Blake venaient également lui rendre visite chaque jour, après le travail. Elle écoutait le tic-tac de l'horloge. Chaque jour, Rosie O'Donnell faisait son apparition à la télévision, lui rappelant qu'une autre journée était passée. Ils célébrèrent Thanksgiving autour d'une portion de dinde surgelée, dans le hall sinistre de la cafétéria de l'hôpital.

Mais Annie ne s'en souciait pas. Parfois, quand elle montait la garde à côté de la couveuse, Natalie prenait la place d'Adrian, et Adrian celle de Katie. Dans ces moments-là, Annie fermait les yeux et voyait un petit cercueil recouvert de fleurs. Puis l'alarme du moniteur se mettait à sonner, la tirant brutalement de sa rêverie. Avec Katie, il y avait de l'espoir.

Elle s'approcha de la couveuse. *Je suis à côté de toi, ma chérie. Est-ce que tu le sens ? Est-ce que tu entends ma respiration ? Est-ce que tu sens que je te touche ?*

– Maman ?

Annie s'essuya les yeux et se tourna vers la porte. Natalie et Hank se trouvaient là. Son père semblait avoir dix ans de plus.

– On a amené un jeu de Yahtzee, dit-il.

Annie sourit vaguement. Une semaine s'était écoulée. Natalie était de retour.

– Bonjour. Comment s'est passé ton examen de psycho, Nana ?

Natalie approcha une chaise.

– C'était il y a deux semaines, maman. Et je t'ai déjà dit que je l'avais passé haut la main. Tu ne te souviens plus ?

Annie soupira. Elle n'avait plus la moindre notion du temps.

– Oh, désolée.

Natalie et Hank s'assirent à côté du lit et, tout en

déballant le jeu, commencèrent à bavarder gaiement. Mais Annie n'arrivait pas à suivre le fil de la conversation.

Elle regardait fixement le berceau vide, disposé à côté du lit et destiné à recevoir le bébé lorsqu'il serait en bonne santé. Elle se souvint qu'il y avait un berceau à la naissance de Natalie, mais aucun à la naissance d'Adrian.

Hank se pencha vers elle et lui caressa la joue.

– Elle va s'en sortir, Annie. Tu verras.

– Elle prend régulièrement du poids, maman. J'ai parlé avec Mona – tu sais, l'infirmière de nuit – et elle m'a dit que Katie était une battante.

Annie gardait les yeux baissés.

– Personne ne l'a encore prise dans ses bras...

Cette pensée la démoralisait complètement, l'empêchait de dormir la nuit. Son bébé transpercé d'aiguilles et de sondes n'avait pas une seule fois senti le réconfort des bras de sa maman, ni entendu le doux murmure d'une berceuse...

– Elle s'en sortira, maman, dit Natalie en lui serrant le poignet. Peut-être que...

Quelqu'un frappa à la porte, et le Dr North entra, suivie du Dr Overton, le responsable du service de néonatalogie.

À la vue des deux médecins, le cœur d'Annie s'arrêta de battre. À l'aveuglette, elle chercha la main de Natalie, et serra ses doigts entre les siens. Hank se leva d'un bond et posa une main ferme sur l'épaule d'Annie.

– Oh, mon Dieu, murmura-t-elle.

La porte s'ouvrit à nouveau et une infirmière de forte corpulence entra à son tour, avec dans les bras un petit paquet rose.

Le Dr North s'approcha du lit.

– Aimeriez-vous prendre votre fille dans vos bras ?

– Est-ce que...

Annie sentit soudain l'air lui manquer. Elle n'arrivait pas à y croire. Elle avait tant espéré ce moment.

Incapable de proférer une parole, elle tendit les bras.

341

L'infirmière s'approcha d'elle et plaça sa fille entre ses bras.

L'odeur du nourrisson lui emplit aussitôt les narines, tout à la fois familière et nouvelle. Elle repoussa délicatement la couverture et caressa le front de sa fille, en s'émerveillant de la douceur de sa peau.

La petite bouche rose de Katie se plissa et bâilla, et un minuscule poing rose émergea de dessous la couverture. Un sourire émerveillé sur les lèvres, Annie ôta le reste de la couverture et regarda son bébé emmailloté dans une couche de poupée. De minuscules veines bleues striaient sa poitrine, ses bras et ses jambes.

Katie ouvrit la bouche et poussa un petit piaillement de mécontentement.

Annie éprouva soudain un picotement au niveau des seins, et le lait se mit à couler à travers sa chemise de nuit. Vite, elle en défit les boutons et approcha Katie de son sein. Après quelques tentatives infructueuses, le bébé réussit à trouver le mamelon et à téter.

– Oh, Katie, murmura-t-elle, en caressant la tête veloutée de son enfant et en riant de bonheur. Bienvenue parmis nous.

Le retour à la maison se passa dans la joie et l'allégresse. Hank et Terri étaient aux petits soins pour Annie et ne toléraient pas la moindre protestation. Ils commencèrent à faire les préparatifs de Noël, descendant du grenier des boîtes de guirlandes et poussant des cris de joie à la vue de chaque nouveau trésor. Ils installèrent un sapin de dix pieds de haut dans le séjour sous lequel ils disposèrent une quantité invraisemblable de cadeaux. Annie, tout absorbée par sa fille, les laissa faire sans prendre part aux préparatifs. Lorsque tout fut fini, Hank rentra chez lui – non sans avoir promis d'être de retour pour Noël.

De nouveau seuls, Blake et Annie s'efforcèrent de reprendre leurs vieilles habitudes, mais la chose n'allait pas sans mal. Annie passait le plus clair de son temps sur le canapé, en compagnie de Katie, et Blake passait de plus en plus de temps au bureau.

Lorsque arriva la troisième semaine de décembre, Hank et Natalie se retrouvèrent à l'aéroport de San Francisco, et prirent l'avion ensemble jusqu'à Los Angeles. Le dîner en famille se déroula dans une atmosphère tendue et silencieuse qui rappela à Annie à quel point ses relations avec Blake s'étaient détériorées. Même la remise des cadeaux, au matin de Noël, se déroula dans la morosité.

Hank, qui observait Blake, ne cessait de le harceler de questions : *Où allez-vous ? Pourquoi ne rentrerez-vous pas ce soir ? En avez-vous parlé à Annie ?*

Annie savait que Blake avait l'impression d'être un étranger dans sa propre maison. Natalie l'observait, elle aussi, espérant à chaque instant qu'il allait prendre Katie dans ses bras, mais il ne le faisait jamais. Et Annie savait pourquoi : Blake ne faisait tout simplement pas partie de ces hommes que la vue d'un nouveau-né rend fous de joie. Le bébé l'effrayait, au contraire, et l'embarrassait, deux sentiments qu'il n'appréciait guère. Mais Natalie ne pouvait pas l'accepter et sa déception allait croissant chaque fois qu'elle tendait le nourrisson à son père et que ce dernier se dérobait en secouant la tête.

À présent, Annie était allongée à côté de Blake qui, étendu de tout son long en travers du lit, monopolisait comme d'habitude toute la place.

Tout doucement, elle se glissa hors des couvertures et alla ouvrir la porte-fenêtre. La brise nocturne s'engouffra dans les rideaux de voile blanc, effleurant sa jambe nue.

Elle se réveillait souvent la nuit, car elle se sentait seule et désespérée. Son mari et elle étaient devenus deux étrangers l'un pour l'autre. Oh, ce n'était pourtant pas faute d'essayer, chacun de son côté et à sa manière. Lui avec des cadeaux et des promesses. Elle avec des sourires fragiles, des soirées télévision, des dîners raffinés en tête à tête. Mais rien n'y faisait. Ils étaient comme deux papillons voletant de part et d'autre d'une fenêtre, chacun essayant désespérément de briser la vitre qui les séparait.

Avec un soupir fatigué, Blake repoussa le Dictaphone et remit les dépositions dans leur dossier. Il n'arrivait pas à se concentrer et son travail commençait à s'en ressentir. Katie ne faisait pas encore ses nuits, et chaque fois qu'elle se réveillait, elle se mettait à pleurer ou à geindre. Et Blake n'arrivait pas à se rendormir.

Il se leva et alla se servir un scotch. Tout en faisant tourner le liquide ambré dans le verre de cristal, il s'approcha de la fenêtre et regarda au-dehors. La brume de janvier enveloppait la ville d'un voile gris. Çà et là quelques décorations de Noël oubliées étaient encore suspendues à des réverbères.

Il n'avait aucune envie de rentrer chez lui, de retrouver cette femme qui lui était devenue étrangère, et ce nourrisson qui n'arrêtait pas de brailler. Car, désormais, la vie d'Annie tournait entièrement autour du bébé. Elle n'avait jamais une minute à consacrer à Blake, et quand elle arrivait enfin à endormir le bébé, elle revenait se coucher à tâtons, trop exténuée pour lui donner autre chose qu'un baiser sur la joue en marmonnant un vague : *Bonne nuit.*

Il avait passé l'âge de jouer au père de famille. Il n'avait jamais été très bon dans ce rôle, même quand il était jeune, alors ça n'était pas maintenant...

Quelqu'un frappa à la porte.
Blake posa son verre.
– Entrez.
La porte s'ouvrit et ses deux associés, Tom Abramson et Ted Swain, entrèrent.
– Coucou, Blake. Il est six heures et demie, dit Ted en lui décochant un sourire malicieux. Que dirais-tu de venir boire un verre pour fêter l'affaire Martinson ?

344

Blake aurait dû refuser. Il savait qu'il était attendu ce soir à la maison. Mais il n'arrivait plus à se souvenir pourquoi.

– D'accord, dit-il en prenant son manteau. Mais juste un, car il faut que je rentre de bonne heure.

– Nous aussi, dit Tommy.

Et c'était vrai, naturellement, car tous les trois avaient des femmes et des enfants qui les attendaient à la maison. Cependant, à onze heures du soir ils étaient encore au bar, en train de trinquer joyeusement et de plaisanter.

Ted rentra chez lui à onze heures et demie, et Tom l'imita.

Moyennant quoi Blake se retrouva seul au comptoir. Il avait dit à ses amis qu'il voulait finir son verre, mais ce n'était qu'une excuse. Il jeta un coup d'œil du côté de la porte en songeant : *Je devrais partir*, puis il pensa au grand lit triste qui l'attendait à la maison, avec une femme qui le battait froid et il décida de rester.

Annie avait dressé la table avec soin ce soir-là. Des chandeliers jetaient une douce lumière sur la nappe brodée et les plats en argent qui contenaient les mets favoris de Natalie : macaronis au fromage, croissants chauds au miel et au beurre, épis de maïs grillés. Une pile de cadeaux joliment emballés était disposée en bout de table, et des ballons de baudruche aux couleurs chatoyantes étaient accrochés un peu partout.

Ce soir, on célébrait les dix-huit ans de Natalie, et tout le monde était invité.

Annie scruta à nouveau la table, son œil averti n'omettant aucun détail. Hank s'approcha d'elle et, lui passant un bras autour des épaules, l'attira contre lui. Par la porte entrebâillée de la cuisine, on entendait Natalie et Terri qui riaient à gorge déployée. Annie se blottit contre son père.

– Je suis contente que tu aies pu venir, papa. Tu sais combien cela compte pour Natalie et moi.

– Pour rien au monde je n'aurais voulu manquer l'anniversaire de ma petite-fille. (Il jeta un coup d'œil autour de lui.) Mais où est ton mari ? On n'attend plus que lui.

– Il n'a qu'un quart d'heure de retard. Pour Blake ce n'est rien. Je lui ai dit six heures et demie. Il sera là à sept heures.

Lentement, Hank ôta son bras. Puis, tournant silencieusement les talons, il s'approcha de la fenêtre qui donnait sur le jardin.

Elle lui emboîta le pas.

– Papa ?

Il hésita longuement avant de lui répondre, puis lui dit d'une voix douce qu'elle ne lui connaissait pas :

– Lorsque tu m'as présenté Blake, la première fois, j'ai été impressionné. Certes, ce n'était qu'un tout jeune homme, frêle et sans le sou, mais je pressentais l'homme qu'il allait devenir. Il était intelligent et ambitieux, tout ce dont un père peut rêver pour sa fille. Et si différent des garçons de Mystic. Et j'ai pensé, voilà un homme qui saura rendre ma fille heureuse.

– Je sais, papa, tu me l'as déjà dit...

Il se tourna soudain vers elle.

– Mais je me suis trompé.

Elle tiqua.

– Comment cela ?

– L'homme que tu m'as présenté ce jour-là ne songeait qu'à une chose : son propre bonheur. J'aurais dû être plus clairvoyant, au lieu de ne prendre en compte que ton confort matériel. Si ta mère avait été vivante... elle l'aurait pressenti. Moi je voulais que tu aies tout ce que je ne pouvais pas t'offrir.

– Je sais, papa.

– Et ça... (Sa voix trembla et il détourna les yeux.) Ça me fend le cœur de te voir comme ça. Au printemps dernier tu rayonnais de bonheur. Tu riais tout le temps. Je crois que... quand tu étais à Mystic, je t'ai mal conseillée. Je n'ai pas été à la hauteur. J'aurais dû t'encourager à ouvrir une librairie. J'aurais dû te dire que tu étais la femme la plus intelligente, la plus douée que j'aie jamais connue... et que j'étais fier de toi. Si ta mère avait vécu, c'est ce qu'elle t'aurait dit.

– Oh, papa... murmura Annie.

– Le rôle d'un père... c'est d'apprendre à ses enfants à grandir et à devenir responsables. Mais le rôle d'une mère... ah, une mère, c'est de leur apprendre à rêver, à décrocher la lune et à croire aux contes de fées. Et c'est ce que Sarah t'aurait enseigné. Mais moi ? Qu'est-ce qu'un malheureux bûcheron comme moi, qui n'a jamais rêvé ni jamais cru aux contes de fées, aurait pu t'enseigner ?

Il soupira, et tourna vers elle des yeux pleins de larmes.

– Si seulement je pouvais tirer un trait et recommencer à zéro, Annie...

Elle vint se blottir entre les bras de son père, et murmura :

– Je t'aime, papa.

Lorsqu'elle se recula enfin, elle avait deux traînées noires de mascara sur les joues. Elle sourit.

– Je dois avoir l'air d'un monstre. Je ferais mieux de filer faire un brin de toilette.

Tournant les talons, elle se hâta vers la cuisine où Terri et Natalie étaient en train de disposer les bougies sur le gâteau.

Natalie demanda :

– Tu vas bien, maman ?

Annie hocha la tête.

– Oui, oui. C'est mon mascara qui s'est mis à couler.

– Papa est rentré ?

– Je vais essayer de l'appeler sur son téléphone de voiture. Il est probablement en route.

Terri décocha un regard irrité à Annie. Annie haussa les épaules et se dirigea vers le téléphone. Elle composa le numéro du portable de Blake. Il n'y eut pas de sonnerie, la ligne bascula automatiquement sur le répondeur.

– Il n'est pas dans sa voiture.

Ils attendirent Blake pendant près d'une heure, puis voyant qu'il n'arrivait toujours pas, décidèrent d'un

347

commun accord de commencer sans lui. Une fois à table ils se mirent à parler de tout et de rien pour essayer de masquer leur déception et leur contrariété. Mais la chaise vide de Blake qui trônait en bout de table ne pouvait pas passer inaperçue.

Annie s'efforça de garder le sourire tout au long du dîner. Et pour détendre l'atmosphère, Terri les régala d'anecdotes croustillantes glanées sur les plateaux de tournage. Après le repas, ils allèrent s'asseoir au coin du feu et ouvrirent les cadeaux.

Quand dix heures sonnèrent, Terri rentra chez elle à contrecœur. Au moment de partir elle serra Natalie dans ses bras, puis murmura à Annie qui l'avait raccompagnée à la porte :

– Quel goujat !

À quoi bon répondre ? songea Annie en embrassant son amie pour lui dire au revoir.

Lorsqu'elle s'en revint dans le séjour, Hank se leva et dit,

– Je crois que je vais aller me coucher. Nous autres, les vieux, avons besoin de beaucoup de sommeil pour conserver notre fraîcheur.

Il embrassa Natalie.

– Joyeux anniversaire, ma chérie.

Puis avec un regard désolé à Annie, il quitta le salon.

Un silence pesant s'installa dans la pièce.

Natalie s'approcha de la fenêtre. Annie vint la rejoindre.

– Je suis désolée, Nana. J'aurais tellement voulu que les choses s'arrangent.

– Je ne sais pas pourquoi, je m'entête à espérer qu'il changera un jour...

– Il t'aime, tu sais. Simplement...

Les mots lui manquaient. Elle était lasse de répéter toujours la même chose tout en sachant que cela ne changeait absolument rien.

– Mais de savoir qu'il m'aime, ça m'avance à quoi ?

348

Sa question, posée calmement, lui transperça le cœur comme une pointe de fer chauffée à blanc.

– Tant pis pour lui, Natalie.

Lentement, les yeux de Natalie se brouillèrent.

– Quand j'étais petite, je faisais comme s'il n'était pas mon vrai père. Est-ce que tu le savais ?

– Oh, Nana...

– Pourquoi est-ce que tu restes avec lui ?

Annie soupira. Elle ne se sentait pas la force de discuter. Pas ce soir.

– Tu es jeune et rebelle, ma chérie. Mais un jour tu comprendras. Quand on grandit on a des obligations, des responsabilités, auxquelles on ne peut pas se soustraire. Je ne peux pas penser qu'à moi. Je dois penser aux autres.

Natalie eut un petit reniflement méprisant.

– Je suis peut-être jeune et rebelle, mais je ne suis pas naïve, maman. Parfois, j'ai l'impression que c'est moi l'adulte et toi l'enfant. Tu t'imagines que tout finit toujours par s'arranger.

– Je l'ai longtemps cru. Mais ça n'est plus le cas.

Natalie posa un regard solennel sur sa mère.

– Souviens-toi, au printemps, maman, comme tu étais rayonnante. À présent je sais pourquoi. Parce que papa n'était pas là pour te faire sursauter chaque fois qu'il entrait dans une pièce, ni pour te harceler avec ses exigences perpétuelles.

Annie en eut le souffle coupé. Au bout d'un moment, elle dit d'une petite voix triste :

– C'est donc ainsi que tu me vois ?

– Je te vois telle que tu es, maman. Comme une femme qui fait tout ce qu'elle peut pour nous rendre heureux. Mais au printemps dernier, pour la première fois, tu as connu le bonheur.

Annie avala la boule qu'elle avait dans la gorge, et détourna la tête pour que Natalie ne voie pas les larmes qui lui montaient aux yeux.

– Parle-moi d'Izzy. Je parie que c'est grâce à toi qu'elle a réussi à remonter la pente.

À ces mots, Annie sentit la porte des souvenirs qui s'ouvrait toute grande. Elle revit le jardin en friche, la poignée de marguerites rabougries, et une petite main gantée de noir.

– Elle était merveilleuse, Natalie. Tu l'aurais adorée.

– Et lui ?

Annie se retourna lentement vers sa fille.

– Qui ça ?

– Le père d'Izzy.

– C'est un vieux copain de classe, dit-elle sans pouvoir s'empêcher de sourire. C'est le premier garçon que j'ai embrassé.

– Tiens, tu vois ce que je te disais ?

Annie fronça les sourcils.

– Quoi donc ?

– Cette voix. Tu avais exactement cette voix-là quand j'étais en Europe. C'est lui qui t'a rendue heureuse, maman ?

Annie se sentit brusquement vulnérable et sans défense, comme une femme qui s'aventure sur un pont branlant et vermoulu. Elle ne pouvait pas dire la vérité à sa fille. Un jour, peut-être, dans quelques années, quand Natalie aurait découvert ce que sont l'amour et la vie. Quand elle serait capable de comprendre.

– Il y a beaucoup de choses qui m'ont rendue heureuse quand j'étais à Mystic.

– Peut-être qu'Izzy et lui pourraient venir ici, un de ces jours. Ou peut-être que tu pourrais aller leur rendre visite.

– Non, dit doucement Annie.

Elle aurait voulu ajouter quelque chose, broder une excuse autour de ce mot trop simple et qui ne semblait pas avoir beaucoup de sens. Mais elle n'y parvint pas. C'est pourquoi elle attira Natalie entre ses bras et la serra très fort contre son cœur.

– Je suis désolée que papa ait oublié ton anniversaire.

Natalie renifla.

– C'est pour toi que je suis désolée, maman.

– Pourquoi ?

– Parce que dans dix-huit ans tu devras dire la même chose à Katie.

28

Il était minuit environ quand une femme s'approcha de Blake. La taille sanglée dans une grosse ceinture argentée, elle portait une combinaison pantalon noire moulante et des chaussures à talons aiguilles. Avec un sourire aguicheur, elle s'assit à côté de lui, puis tapotant le comptoir avec un ongle à la longueur interminable, elle dit au garçon :

– Un martini vodka – avec deux olives.

En musique de fond, on entendait la voix rocailleuse d'un crooner.

La femme se tourna vers Blake. Tout en grignotant son olive, elle l'invita à danser.

Blake repoussa son tabouret, mettant autant de distance que possible entre elle et lui.

– Désolé, marmonna-t-il, je suis marié.

Cependant, il ne détourna pas les yeux. Il en était incapable. Il était comme médusé par cette femme et ne pouvait s'empêcher de penser quel effet cela ferait de caresser ces seins fermes et jeunes d'une femme qui n'avait jamais eu d'enfants, ces petits mamelons qui n'avaient jamais nourri un bébé.

À cette pensée, Blake prit subitement conscience d'une chose qu'il essayait de se cacher depuis des mois. Il aimait Annie, mais cela ne lui suffisait pas et il savait que tôt ou tard il allait la tromper. Peut-être pas ce soir, ni même cette année ; mais un jour viendrait où il retomberait dans ses vieux travers. Ce n'était qu'une question de temps.

Et quand cela arriverait, il serait à nouveau complètement désorienté. Il n'y avait rien de plus triste qu'un homme qui trompe systématiquement sa femme. Blake savait combien il était agréable de succomber à la tentation – la tentation de posséder une inconnue, de faire l'amour avec une étrangère. Mais ensuite, il se sentait coupable et n'arrivait plus à regarder sa femme dans les yeux.

Troublé, il détourna les yeux de la femme en noir et quitta le bar. Il rentra chez lui et mit la voiture au garage. Puis il rentra d'un pas traînant dans la maison froide et sombre. Sans prendre la peine d'allumer les lumières, il traversa la cuisine.

Il trouva Annie dans le séjour. Elle l'attendait. Elle était assise au bord du sofa, un genou replié et ramené sous elle.

– Bonsoir, Blake, dit-elle d'une voix lasse qui lui transperça le cœur comme une pointe d'acier.

Il se figea sur place. Brusquement il eut l'impression qu'elle l'avait vu ce soir, et qu'elle savait qu'il avait failli la tromper.

– Bonsoir, Annie, dit-il avec un sourire forcé.

– Tu es en retard.

– On est allé boire un verre, pour fêter un procès...

– Tu as oublié l'anniversaire de Natalie ?

Blake tiqua.

– Oh, mince ! J'avais complètement oublié de le noter.

– Voilà une excuse qui va lui faire chaud au cœur.

– Tu aurais dû me téléphoner pour me le rappeler.

– Je t'en prie, Blake, ne rejette pas la faute sur moi. C'est entièrement ta faute. Tu n'oublies jamais quand un de tes clients est en retard pour payer sa pension alimentaire, mais tu ne peux pas te souvenir de la date d'anniversaire de ta fille. (Elle soupira.) Tu devrais aller la voir. Je parie qu'elle ne dort pas encore.

– Elle est sûrement fatiguée...

– Tu lui dois des excuses.

– Natalie est en colère contre moi, murmura-t-il. Quand elle était à Londres, je ne l'ai pas appelée. Je lui ai envoyé des fleurs chaque semaine. Les filles adorent recevoir des fleurs, c'est ce que Suz... réalisant soudain qu'il allait faire une gaffe, il se tut brusquement.

– Suzannah se trompait, dit Annie d'une voix lasse. Une jeune fille de dix-sept ans a besoin d'autre chose que de recevoir un bouquet de fleurs adressé par la secrétaire de son père chaque vendredi.

Il se passa une main dans les cheveux.

– Sans toi, j'étais perdu... je ne savais pas comment m'y prendre avec Natalie. Je n'arrêtais pas de me dire qu'il fallait que je l'appelle, mais chaque fois une affaire urgente tombait et j'oubliais. Mais je vais faire amende honorable, dès ce soir.

Il se tourna vers Annie qui s'était levée du canapé, et qui se tenait à quelques pas seulement, les bras croisés. Dans son pantalon et son sweat-shirt de jogging délavés elle avait l'air d'une adolescente en fugue et non pas de sa femme.

– Tiens, pour la peine je vais lui offrir un ordinateur portable.

– Elle retourne à Stanford dimanche. On ne la reverra pas avant les vacances de printemps, et bientôt... on ne la verra plus du tout. Elle va partir faire sa vie de son côté et elle n'aura plus le temps de nous rendre visite.

Nous. Si seulement ce petit mot avait pu lui redonner courage.

– Bon, qu'est-ce que je dois lui dire ?

– Je n'en sais rien.

– Mais si, voyons. Tu sais toujours...

– Plus maintenant. Si tu veux te réconcilier avec ta fille, c'est ton problème. En ce qui me concerne, je n'ai plus de conseils à te donner.

– Allons...

– Est-ce que tu sais seulement comment s'appelle son petit ami, Blake ?

– Elle n'a pas de petit ami.

– Vraiment ? C'est Brian qui va faire une drôle de tête en l'apprenant. Et qu'est-ce qu'elle étudie à l'université ?

Il n'arrivait pas à se concentrer quand elle gardait les yeux braqués ainsi sur lui.

– Le droit, comme moi. Elle veut faire partie du cabinet un jour.

– Vraiment ? Il y a combien de temps que tu n'en as pas parlé avec elle ?

– Un an ? (C'était une question, car il n'en était pas sûr.) Deux ans ?

– Vraiment ?

Elle ne cessait de lui renvoyer ce mot en pleine figure, comme une gifle. Voyant qu'il s'enlisait de plus en plus, il finit par reconnaître :

– Je n'en sais rien.

L'expression d'Annie se radoucit soudain.

– Il faut que tu ailles lui parler, Blake, mais il faut surtout que tu l'écoutes.

Elle lui décocha un petit sourire triste.

– Bon, d'accord. J'irai lui parler.

Il avait dit ces mots calmement et avec détermination, mais ni l'un ni l'autre n'était dupe. Cette discussion ils l'avaient déjà eue mille fois auparavant, et chaque fois Annie l'avait supplié d'aller parler avec sa fille.

Mais jamais il ne l'avait fait.

Le trente et un janvier, Terri arriva tôt le matin avec une bouteille de Moët et Chandon et des croissants chauds.

– Quand une femme fête ses quarante ans, dit-elle gaiement, elle doit commencer la journée avec un verre de champagne. Inutile de protester, je sais que tu allaites et que l'alcool passe dans le lait. Je te rassure tout de suite : le champagne c'est pour moi et toi tu auras les croissants.

Elles s'installèrent confortablement à côté du bain à remous qui bouillonnait doucement.

– Tu sais que tu as une mine de papier mâché ? dit Terri en sirotant son champagne.

– Merci du compliment. J'espère que tu viendras fêter mes cinquante ans – quand j'aurai vraiment besoin de me faire remonter le moral.

– Tu ne dors pas assez.

Annie tiqua. Elle avait raison, il y avait des semaines qu'elle ne dormait plus.

– Katie a eu un rhume.

– Ah, je vois, dit Terri. C'est à cause de Katie.

– Non... pas vraiment, docteur Freud.

Annie tourna le regard vers l'océan qui scintillait au soleil et les vagues couronnées d'écume qui lapaient doucement la grève. Elle n'avait pas besoin de fermer les yeux pour s'imaginer qu'elle était ailleurs, dans un lieu où l'hiver ressemblait à l'hiver. Là-bas, la nature avait repris ses droits. Les touristes avaient depuis longtemps fui la forêt pluviale, chassés par la nuit qui tombait rapidement. Là-bas, une couche de neige épaisse de cinq pieds recouvrait les montagnes, et de petites fleurs pourpres continuaient à fleurir parmi le blanc éclatant de la neige défiant toutes les lois de la nature. Au plus profond de la forêt, là où la terre n'avait jamais été ravagée par l'homme, les arbres semblaient se presser les uns contre les autres, créant un rideau noir parsemé çà et là d'une minuscule pointe de vert. Quiconque était assez fou ou désespéré pour oser s'aventurer dans cette contrée sauvage n'en revenait jamais.

Annie avait envie de le sentir sur ses joues, cet air froid et piquant. Elle ne cessait d'y penser depuis l'anniversaire de Natalie. Elle songeait à Natalie, désormais adulte, et qui volait de ses propres ailes, et à Katie qui avait encore tant d'années devant elle. Dans ces moments-là, elle voyait la vie en noir et se sentait terriblement seule. Et quand elle regardait en arrière, elle voyait une frêle fillette qui avait toujours fait ce qu'on lui demandait.

La femme qu'elle était devenue sur les rives du lac Mystic, celle qui rêvait d'ouvrir une librairie, et qui avait appris à risquer son cœur au jeu dangereux de l'amour, cette femme lui manquait. Et Nick et Izzy lui manquaient, ainsi que la famille qu'ils avaient façonnée ensemble en ajustant les morceaux épars de leurs vies respectives.

C'était le genre de famille dont Annie avait toujours rêvé... le genre de famille que méritait Katie...

Est-ce que tu savais que je n'ai aucun souvenir de papa ?

Terri lui tapota l'épaule.

– Annie ? Tu pleures...

Il y avait trop longtemps qu'elle gardait tout cela pour elle, trop longtemps qu'elle faisait comme si tout allait bien et comme si ce qu'elle ressentait n'avait pas d'importance.

– Moi aussi, je compte, dit-elle tout bas.

– Et comment ! murmura Terri en prenant Annie dans ses bras pour la bercer doucement.

– Je ne peux plus continuer comme ça.

– Bien sûr que non.

Annie se recula doucement, en passant une main tremblante dans ses cheveux qui avaient recommencé à pousser et lui tombaient devant les yeux.

– Je n'ai pas envie que Katie me dise un jour qu'elle n'a aucun souvenir de son père.

– Et toi, Annie ?

– Je mérite mieux que ça... Blake et moi n'avons plus rien à partager, pas même le bonheur d'avoir deux filles.

Depuis des mois elle se voilait la face. Mais la vérité c'est qu'ils ne s'aimaient plus. Leur amour s'était éteint d'un seul coup, comme une bougie, ne laissant derrière lui qu'une odeur de suie, unique preuve qu'il avait jadis existé. Les jours heureux étaient si loin qu'Annie n'arrivait même plus à s'en souvenir.

Et elle s'en voulait d'avoir laissé mourir cette flamme, et à cet égard elle se sentait tout aussi responsable que Blake. Elle avait passé sa vie dans le noir parce qu'elle n'avait jamais trouvé le courage d'aller vers la lumière, parce qu'elle avait eu peur d'échouer, peur qu'il l'abandonne.

Et Blake, de son côté, n'était pas plus heureux qu'elle, de cela elle était certaine. Il n'était pas encore prêt à la laisser partir, mais la femme qu'il désirait c'était Annie Bourne Colwater, une femme façonnée par des années d'union bancale et qui avait cessé d'exister.

Leur mariage était bel et bien fini.

Et il ne leur restait plus qu'à se dire adieu.

De vagues accords de musique sortaient des haut-parleurs. Debout devant le berceau, Blake regardait le nourrisson emmailloté de rose.

Il glissa une main dans sa poche et en ressortit un petit écrin de velours noir. Chaque fois qu'il lui faisait un cadeau il s'efforçait de choisir un objet de valeur. Comme le gros solitaire qu'il lui avait offert pour leur dixième anniversaire de mariage, non pas parce qu'elle le lui avait demandé – Annie se serait parfaitement contentée de l'anneau en or qu'il lui avait offert à l'époque où ils ne pouvaient rien s'offrir d'autre, mais parce qu'il savait que cela rehausserait son prestige personnel et qu'en voyant ce diamant au doigt de sa femme les gens penseraient que Blake était un homme comblé, un homme qui avait réussi dans la vie.

Il ne lui avait jamais donné ce dont elle avait besoin ou envie. Il ne s'était jamais donné à elle.

– Blake ?

Au son de sa voix, douce et timide, il se retourna. Elle se tenait sous le porche, vêtue d'un peignoir de soie bleu qu'il lui avait offert des années auparavant. Elle était absolument exquise.

– Il faut que nous parlions, dit-elle.

Se préparant au pire, il s'approcha d'elle.

– Je sais.

Elle leva les yeux vers lui, et l'espace d'un instant il eut envie de la prendre dans ses bras et de la serrer très fort pour l'empêcher de le quitter. Cependant il n'en fit rien, car il savait que qui trop embrasse mal étreint.

– J'ai quelque chose pour toi, dit-il en lui tendant l'écrin noir.

Lentement, sans cesser de le regarder, elle prit le coffret et l'ouvrit.

Sur un coussinet de soie bleu métallique reposait une gourmette en or massif avec *Annie* gravé sur le dessus.

– Oh, Blake, murmura-t-elle en se mordant la lèvre.

– Retourne-la, dit-il.

Elle ôta le bracelet de son écrin, et il vit qu'elle tremblait lorsqu'elle le retourna pour lire l'inscription gravée sur la face interne.

Avec mon amour éternel.

Elle leva vers lui des yeux brillants de larmes.

– Ça ne sert plus à rien, Blake. C'est trop tard.

– Je sais, murmura-t-il, d'une voix soudain brisée par l'émotion.

Peut-être que s'il avait attaché moins d'importance à ce genre de détails par le passé, les choses se seraient passées différemment entre eux, et peut-être qu'il n'en serait pas réduit, comme aujourd'hui, à faire ses adieux à la seule femme qui l'avait vraiment aimée.

– J'aurais voulu...

Mais qu'aurait-il voulu au juste ? Qu'elle ait été différente ? Ou lui ? Ou qu'ils aient eu le courage de regarder la vérité en face avant qu'il ne soit trop tard ?

– Moi aussi, dit-elle.

– Est-ce que... tu te souviendras des mots gravés sur ce bracelet ?

– Oh, Blake, je n'ai pas besoin d'une gourmette pour me rappeler que je t'aime et que je t'ai aimé pendant plus de vingt ans. Chaque fois que je regarde en arrière, je pense à toi. (Des larmes coulaient à présent sur ses joues.) Qu'allons-nous faire pour Katie ?

– Je pourvoirai à ses besoins, naturellement...

Voyant qu'elle avait l'air blessée par sa réponse, il ajouta :

– Je ne voulais pas parler d'argent.

Il s'approcha d'elle et lui caressa la joue. Il savait ce qu'elle attendait de lui, mais il n'était pas en mesure de le lui donner. Il ne l'avait jamais été. Il ne serait pas plus là pour Katie qu'il ne l'avait été pour Natalie. Soudain il fut pris de remords en songeant aux bons et aux mauvais moments qu'ils avaient passés ensemble, à toutes les routes qui étaient restées inexplorées, à leurs vies qui s'étaient peu à peu séparées l'une de l'autre. Tristement, il baissa les yeux et dit :

– Tu ne veux pas que je te mente, n'est-ce pas ?

Elle secoua la tête.

– Non.

Lentement il la prit dans ses bras et la serra contre son cœur. Cet instant, il allait le garder gravé en lui jusqu'à la fin de ses jours.

– Cette fois, c'est bien fini, murmura-t-il en humant une dernière fois le parfum de ses cheveux.

Au bout d'un long moment, il l'entendit qui murmurait à son tour d'une voix tremblante :

– Oui.

La chambre de Natalie, à l'université, regorgeait de souvenirs qu'elle avait rapportés de Londres. Les photos de ses nouveaux amis parsemaient son bureau, mêlées à des photos de famille et des piles de devoirs. Un superbe couvre-pieds Laura Ashley recouvrait le petit lit au cadre métallique avec au centre un petit coussin rose sur lequel Annie avait brodé des années auparavant : À MA PRINCESSE.

Assise en tailleur sur son lit, ses longs cheveux flottant sur ses épaules, Natalie était tendue et anxieuse – une réaction normale de la part d'une étudiante qui reçoit la visite de ses parents à l'université.

Annie aurait voulu lui annoncer la triste nouvelle de leur divorce sans avoir recours à des mots, malheureusement cela n'était pas possible.

Blake, quant à lui, se tenait dans un coin de la chambre. Il semblait calme et détendu – comme lorsqu'il plaidait au tribunal – mais, à la façon dont il regardait sa montre, Annie voyait bien qu'il était dans ses petits souliers.

Annie savait que c'était à elle de prendre la parole. Inutile de repousser éternellement l'échéance. Elle s'approcha du lit et s'assit à côté de Natalie. Blake fit quelques pas hésitants en avant, puis s'arrêta au milieu de la pièce.

Natalie dit :

– Qu'est-ce qui se passe, maman ?

– Ton père et moi avons quelque chose à te dire, dit-elle en prenant la main de Natalie à laquelle scintillait la petite bague porte-bonheur qu'ils lui avaient offerte pour ses seize ans. Soudain elle se redressa, inspira profondément puis se jeta à l'eau.

– Ton père et moi allons divorcer.

Natalie se figea sur place.

– Ça n'est pas vraiment une surprise, dit-elle d'une voix affectueuse de petite fille.

Annie caressa les cheveux de sa fille, comme elle le faisait quand Natalie était enfant.

– Je suis désolée, ma chérie.

Natalie leva les yeux et vit qu'elle pleurait.

– Maman, tu pleures ?

– Ce n'est rien, ma chérie. Je ne veux surtout pas que tu t'inquiètes. Nous n'avons pas encore réglé tous les détails du divorce. Nous ne savons pas où nous allons habiter. Mais une chose est certaine. Nous formerons toujours une famille – mais sur de nouvelles bases. Désormais, tu vas avoir deux maisons au lieu d'une.

Natalie hocha lentement la tête, puis se tourna vers son père.

Blake se rapprocha de Natalie et s'agenouilla devant elle. Pour une fois il n'avait pas l'air d'un ténor du barreau. Il avait l'air d'un homme sensible et vulnérable.

– J'ai fait des erreurs... (Il se tourna vers Annie et lui adressa un sourire hésitant, puis se tourna à nouveau vers Natalie.) Avec toi et avec ta mère. J'en suis désolé, ma chérie.

Il lui caressa la joue.

Des larmes jaillirent des yeux de Natalie.

– Tu ne m'avais pas appelée comme ça depuis l'école primaire.

– Il y a beaucoup de choses que je n'ai pas faites ou dites pendant des années. Mais je veux faire amende honorable. Je veux que nous fassions des choses ensemble – si tu es d'accord.

– Ils vont donner le *Fantôme de l'Opéra* en mai. On pourrait y aller ensemble ?

Il sourit.

– D'accord.

– Tu es sûr ? Je peux réserver deux places ?

– Sûr.

À la façon dont il répondit, Annie sut qu'il était sincère. Comme toujours.

Lentement, Blake se releva et recula.

– Nous continuons de former une famille, dit Annie en ramenant une mèche de cheveux derrière l'oreille de Natalie.

Elle regarda Blake et sourit.

Elle était sincère. Blake ferait toujours partie de sa vie, de sa jeunesse. Ils avaient grandi ensemble, étaient tombés amoureux l'un de l'autre, avaient fondé une famille. Ces liens-là, rien ne pouvait les dissoudre. Ça n'était pas une feuille de papier et un jugement du tribunal qui pourraient le leur ôter, et Annie était prête à tout garder, le meilleur comme le pire. C'étaient leur identité, leur histoire.

Elle lui tendit la main. Il la prit et ensemble ils entourèrent Natalie de leurs bras, comme ils le faisaient quand elle était petite, et Annie ne put s'empêcher de se demander pourquoi ils avaient cessé un jour de le faire.

Puis en entendant les sanglots étouffés de Natalie, elle comprit que sa fille se posait la même question.

Annie eut l'impression de remonter dans le temps. Une fois de plus, elle et Blake cheminaient côte à côte sur le campus de Stanford. Mais à cette différence près qu'aujourd'hui Annie avait quarante ans, et autant d'années derrière elle que devant... et qu'elle était en train de pousser une voiture d'enfant.

– Ça me fait tout drôle de me retrouver ici, dit Blake.

– Oui, dit-elle doucement.

Ils avaient passé toute la journée avec Natalie, et s'étaient sentis plus proches les uns des autres qu'ils ne l'avaient jamais été auparavant. Mais l'heure était venue de se séparer. Annie avait pris sa Cadillac, et Blake était venu en avion et avait loué une voiture.

Une fois devant la voiture d'Annie, ils s'arrêtèrent. Annie se baissa et ôta Katie de sa poussette.

– Qu'est-ce que tu vas faire maintenant ? demanda Blake.

Annie fit une pause. Il lui avait posé la même question quand Natalie était partie à Londres, au printemps dernier. À l'époque, elle avait eu très peur. Aujourd'hui, des mois plus tard, les mêmes mots semblaient ouvrir une porte derrière laquelle Annie entrevoyait une foule de possibilités.

– Je n'en sais rien. J'ai encore des tonnes de choses à faire à la maison. Vingt ans de ma vie à classer, ranger, emballer. J'aimerais vendre la maison. Elle ne... représente plus rien pour moi. (Elle se redressa, et le regarda dans les yeux.) À moins que tu ne veuilles la garder ?

– Sans toi ? Non.

Annie jeta un regard embarrassé autour d'elle, ne sachant que dire. Ils étaient à la croisée des chemins à présent. Après toutes ces années passées ensemble, lui s'apprêtait à partir de son côté et elle du sien. Elle n'avait pas la moindre idée du moment où ils se reverraient. Ce serait probablement dans le cabinet du juge, pour divorcer – à l'amiable, comme un couple modèle, resté en bons termes et qui se séparait en bonne intelligence...

Blake posa sur elle des yeux de chien battu et lui demanda d'une voix douce :

– Qu'est-ce que tu vas dire à Katie ?

Il y avait de la peine dans sa voix, et Annie ne put s'empêcher de lui caresser la joue.

– Je n'en sais rien. Jadis je lui aurais raconté une histoire à dormir debout, que son père était un agent secret qui ne pouvait pas entrer en contact avec nous sans risquer sa vie. N'importe quoi pour lui épargner la souffrance. Mais aujourd'hui... je ne sais pas. J'y songerai le moment venu. Mais je ne lui mentirai pas.

Il détourna la tête, et regarda au loin. Elle se demanda à quoi il pensait. S'il pensait à sa fille avec qui il avait vécu pendant dix-huit ans et qu'il connaissait à peine, ou à celle avec qui il n'avait pour ainsi dire pas vécu et qu'il ne connaîtrait pas du tout. Ou bien s'il pensait à l'avenir, à toutes les années de solitude qui s'étiraient devant lui. Elle se demanda s'il réalisait que, quand il serait vieux, quand ses cheveux seraient tout blancs et ses prunelles blanchies par la cataracte, il n'aurait pas de petits-enfants à faire sauter sur ses genoux, pas de fille assise à côté de lui dans l'herbe, pour partager avec lui des souvenirs du bon vieux temps. Et qu'à moins de réagir tout de suite, maintenant que c'était encore possible, il découvrirait qu'il y a des routes qu'on ne refait pas deux fois, et que l'amour véritable exige du temps et des sacrifices... et qu'une vie tout entière passée sous un ciel sans nuages est une vie sans arc-en-ciel.

— Je vais te manquer ? demanda-t-il en se tournant vers elle.

Annie lui décocha un sourire mélancolique.

— Ce qui va me manquer, c'est ce que nous avons été. Et ce que nous n'avons pas su être.

— Je t'aime, Annie, dit-il, les yeux pleins de larmes.

Elle se hissa sur la pointe des pieds et lui donna un baiser. C'était un baiser plein de tendresse et sans la moindre trace de sensualité, un baiser de pure émotion. Elle n'aurait pas su dire à quel moment leurs baisers s'étaient vidés de leur sens pour ne devenir que des baisers strictement formels. Peut-être que, s'ils s'étaient embrassés ainsi chaque jour, ils n'en seraient pas là aujourd'hui. Lorsque Blake recula, il avait l'air triste et fatigué.

— Je crois que j'ai fait de grosses erreurs.

— Une autre chance se présentera, Blake. Les hommes

comme toi ont toujours leur chance. Tu es beau et riche, les femmes vont se bousculer pour te donner ta chance. À toi d'en tirer le meilleur parti.

Il se passa une main dans les cheveux et détourna les yeux.

– Allons, Annie, tu sais bien que je vais la laisser filer, cette chance.

Elle rit.

– Probablement.

Ils se regardèrent un long moment au fond des yeux, et à cet instant Annie entrevit le cheminement qu'avait suivi leur amour : les débuts éblouissants, puis l'érosion lente, une nuit de solitude après l'autre.

Pour finir, Blake regarda sa montre et dit :

– Bon, il faut que j'y aille. Mon avion part à six heures.

Se penchant vers le landau, il donna un dernier baiser furtif à Katie. Puis il se redressa et adressa un petit sourire à Annie.

– C'est dur, tu sais...

Elle le serra dans ses bras, une dernière fois, puis se recula lentement.

– Bon voyage.

Il hocha la tête, puis tourna les talons et regagna sa voiture.

Elle le regarda s'éloigner. Elle s'attendait à avoir le cœur lourd, mais à son grand étonnement elle se sentait presque euphorique. La semaine dernière elle avait fait une chose qu'elle n'aurait pas crue possible : elle avait voyagé seule. Juste pour le plaisir. Elle avait confié Katie à Terri pour la journée – avec une liste de recommandations longue de deux pages et une dose suffisante de lait maternel – puis elle avait mis le cap droit devant elle. Avant même de s'en rendre compte, elle avait atteint la frontière mexicaine. Là, elle était montée à bord du vieux bus rouge avec tous les autres touristes et s'était rendue au Mexique. Toute seule.

Elle avait passé une journée fabuleuse. Elle avait marché dans les rues grouillantes de monde, et mangé des *churros* achetés à l'étal des marchands ambulants. Pour déjeuner, elle avait trouvé un petit restaurant où on lui avait servi des mets inconnus mais délicieux. Plus tard, à la tombée du jour, lorsque les enseignes lumineuses avaient commencé à prendre vie, elle avait compris pourquoi elle avait toujours eu peur de voyager seule. Elle avait compris que les voyages avaient le pouvoir de transformer les individus. Se rendre dans un pays inconnu et découvrir qu'on était capable de marchander une babiole de trois sous, quelle victoire ! Chaque peso qu'elle avait réussi à marchander était devenu le symbole de la distance qu'elle avait parcourue. Ce soir-là, lorsqu'elle avait regagné la maison et s'était blottie contre sa fille capricieuse dans le grand lit vide, elle avait compris qu'à quarante ans, la vie pour elle ne faisait que commencer.

– Allons, Katie Sarah. On y va, dit-elle en ôtant sa fille à demi endormie de sa poussette et en l'installant dans son siège de bébé sur la banquette arrière de la Cadillac.

Puis elle jeta son sac sur le siège du passager et mit le contact. Avant même de démarrer elle alluma la radio. Tout en fredonnant à l'unisson avec Mick Jagger, elle s'engagea sur l'autoroute et monta à cent cinquante kilomètres à l'heure.

Qu'est-ce que tu vas faire maintenant ?

Elle avait un millier de choses à régler en Californie. Fermer et vendre la maison, empaqueter toutes ses affaires, décider où elle allait vivre et ce qu'elle voulait faire. Elle n'était pas obligée de travailler, naturellement, mais elle n'avait pas envie de retomber dans le piège de l'oisiveté. Elle avait *besoin* de travailler.

Elle songea à nouveau à la librairie de Mystic. Elle avait plus d'argent qu'il n'en fallait pour se lancer dans l'aventure – et puis la vieille maison victorienne était suffisamment spacieuse pour les accueillir, elle et Katie.

Mystic.

Nick. Izzy.

Comme elle les aimait. Parfois, elle se réveillait en pleine nuit en cherchant Nick, mais naturellement il n'était pas là, et dans ces moments-là, il lui manquait tellement qu'elle avait l'impression d'étouffer.

Elle savait qu'elle irait le rejoindre lorsqu'elle aurait mis un peu d'ordre dans sa vie. Elle avait déjà tout prévu.

Elle allait s'acheter une décapotable et prendre l'autoroute 101 vers le Nord. Et tout en laissant le vent jouer dans ses cheveux, elle allumerait la radio et chanterait à tue-tête, libre enfin de faire ce qu'elle voulait. Elle se mettrait en route quand le soleil serait haut dans le ciel et conduirait jusqu'à ce que les étoiles commencent à briller au firmament. Elle irait là-bas sans les prévenir, en priant le ciel pour qu'il ne soit pas trop tard.

Elle prendrait la route au printemps, quand la nature reverdit et qu'il y a de la magie dans l'air.

Elle se présenterait devant sa porte vêtue d'un ciré jaune et d'un suroît de pêcheur. Et elle serait tellement émue qu'il lui faudrait un petit moment avant de sonner. Et dans ses bras, elle tiendrait Katie, qui commencerait à marcher à quatre pattes, vêtue d'une doudoune bleue – achetée spécialement pour Mystic.

Et quand il ouvrirait la porte, elle lui dirait que, pendant les longs mois où ils avaient été séparés l'un de l'autre, elle avait eu l'impression de tomber au fond d'un précipice, sans personne pour la rattraper...

Un peu plus loin, elle aperçut les deux panneaux verts de l'échangeur. À cet endroit la route bifurquait et elle avait le choix entre prendre l'autoroute vers le Sud ou vers le Nord.

Non.

C'était de la folie. Elle n'était pas prête. Elle avait toutes ses affaires en Californie et n'avait même pas une brosse à dents avec elle. À Mystic c'était l'hiver, il faisait froid et humide, et elle ne portait qu'un chemisier de soie...

Au sud, il y avait Los Angeles – et la belle villa blanche qui abritait les restes de son mariage brisé.

Au nord, il y avait Mystic – et à Mystic un homme et une

enfant qui l'aimaient. Il fut un temps où elle prenait l'amour pour argent comptant. Jamais plus. L'amour c'était le soleil, la lune et les étoiles dans un monde froid et sombre.

Nick le savait. C'était une des dernières choses qu'il lui avait dites :

Tu te trompes, Annie. L'amour est important. C'est peut-être la seule chose qui ait de l'importance.

Elle jeta un coup d'œil dans le rétroviseur, et regarda sa fille qui somnolait.

— Écoute-moi bien, Kathleen Sarah, je vais te donner la première leçon du livre de la vie d'Annie Bourne Colwater. Je ne sais pas tout, mais j'ai quarante ans et la vie m'a appris pas mal de choses. Parfois il faut savoir obéir et suivre les règles sans broncher. (Elle sourit de toutes ses dents.) Et parfois... comme maintenant... il faut dire : « allez tous au diable » et faire ce que ton cœur te dicte.

Annie éclata de rire, puis mettant son clignotant changea de voie et prit la direction du Nord.

Cet ouvrage a été imprimé
sur du papier sans bois et sans acide

Aubin Imprimeur

LIGUGÉ, POITIERS

Achevé d'imprimer en février 1999
pour le compte de France Loisirs
123, bd de Grenelle, 75015 Paris
N° d'édition 27667 / N° d'impression L 57857
Dépôt légal mars 1999 / Imprimé en France